국어

선생님이 강력 **추**천하는

개념 PLUS
단원평가

6·2

5~6학년군

여러분의 꿈을 응원합니다!!!

민들레에게는
하얀 씨앗을 더 멀리 퍼뜨리고 싶은 꿈이 있고,

연어에게는
고향으로 돌아가 알알이 붉은 알을 낳고 싶은 꿈이 있습니다.

여러분도 가지각색의 아름다운 꿈을 가지고 있지요?
꿈을 향해 달리는 길이 힘들지만
좋은 결과를 얻기 위해 달려 보아요.

여러분의 그 아름답고 소중한 꿈을 응원합니다.

구성과 특징

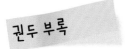
권두 부록

독서 단원 + 연극 단원 + 단원 요점
교과서 특별 단원의 내용을 확인하고, 단원별 핵심을 정리했습니다.

1. 단원 요점 정리
교과서 내용 가운데 가장 중요하고 중심이 되는 내용을 보기 쉽게 정리했습니다.

2. 개념을 확인해요
교과서 개념에 대한 주요 내용을 간단한 문제를 통하여 확인할 수 있습니다.

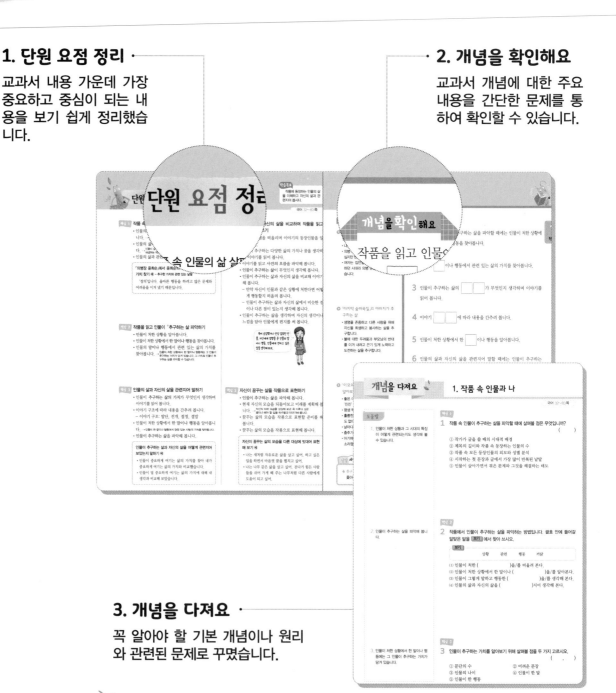

3. 개념을 다져요
꼭 알아야 할 기본 개념이나 원리와 관련된 문제로 꾸몄습니다.

4. 단원 평가

여러 가지 유형의 문제를 단원별로 구성하고, 도전, 실전 으로 난이도를 구분하여 학습 목표를 이룰 수 있도록 하였습니다.

5. 창의 서술형 문제

서술형 평가에 대비할 수 있도록 다양한 문제로 구성하였습니다.

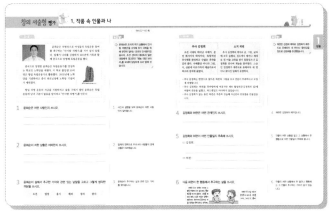

6. 100점 예상문제

핵심만 콕콕 짚어 중간 범위, 기말 범위, 전체 범위로 구분하여 구성하였습니다.

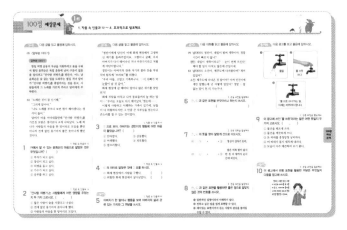

정답과 풀이

별책 부록

스스로 학습할 수 있도록 문제마다 자세한 풀이를 넣었으며 '더 알아볼까요!' 코너를 두어 문제를 정확하고 쉽게 이해할 수 있도록 하였습니다.

이 책의 특징

- 교과서 내용을 모두 반영하였습니다.
- 단원 요점을 꼼꼼하게 정리하였습니다.
- 여러 유형의 평가 문제를 통하여 쉽게 학습 목표를 이룰 수 있습니다.
- 권말 부록(100점 예상문제)으로 학교 시험에 완벽하게 대비할 수 있습니다.

차례

6·2

5~6학년군

국어 6-2

5~6 학년군

단원 요점 정리 1. 작품 속 인물과 나

핵심 1 작품 속 인물의 삶 살펴보기

• 인물의 말과 행동에서 시대적 배경을 파악해 봅니다. → 인물이 처한 상황과 그 시대의 특징이 어떻게 관련되는지 생각해 봅니다.
• 인물의 삶의 태도를 알 수 있는 부분을 찾아봅니다. → 인물이 살아가면서 겪은 문제와 그것을 해결하는 태도로 알아봅니다.
• 인물의 삶과 관련 있는 삶의 가치를 찾아봅니다.

「의병장 윤희순」에서 윤희순의 삶과 관련 있는 삶의 가치 찾기 ⑳ – 추구한 가치와 관련 있는 낱말

'정의'입니다. 올바른 행동을 하려고 많은 문제와 어려움을 이겨 냈기 때문입니다.

핵심 2 작품을 읽고 인물이 ★추구하는 삶 파악하기

• 인물이 처한 상황을 알아봅니다.
• 인물이 처한 상황에서 한 말이나 행동을 찾아봅니다.
• 인물의 말이나 행동에서 관련 있는 삶의 가치를 찾아봅니다. → 인물이 처한 상황에서 한 말이나 행동에는 그 인물이 추구하는 가치가 담겨 있습니다. 그 가치로 인물이 추구하는 삶을 파악할 수 있습니다.

핵심 3 인물의 삶과 자신의 삶을 관련지어 말하기

• 인물이 추구하는 삶의 가치가 무엇인지 생각하며 이야기를 읽어 봅니다.
• 이야기 구조에 따라 내용을 간추려 봅니다.
  – 이야기 구조: 발단, 전개, 절정, 결말
• 인물이 처한 상황에서 한 말이나 행동을 알아봅니다. → 인물이 한 말이나 행동에서 관련 있는 사람의 가치를 찾아봅니다.
• 인물이 추구하는 삶을 파악해 봅니다.

인물이 추구하는 삶과 자신의 삶을 어떻게 관련지어 보았는지 말하기 ⑳

• 인물이 중요하게 여기는 삶의 가치를 찾아 내가 중요하게 여기는 삶의 가치와 비교했습니다.
• 인물이 덜 중요하게 여기는 삶의 가치에 대해 내 생각과 비교해 보았습니다.

핵심 4 인물의 삶과 자신의 삶을 비교하며 작품을 읽고 자신의 생각 쓰기

• 자신의 경험을 떠올리며 이야기의 등장인물을 알아봅니다.
• 인물이 추구하는 다양한 삶의 가치나 꿈을 생각하며 이야기를 읽어 봅니다.
• 이야기를 읽고 사건의 흐름을 파악해 봅니다.
• 인물이 추구하는 삶이 무엇인지 생각해 봅니다.
• 인물이 추구하는 삶과 자신의 삶을 비교해 이야기해 봅니다.
  – 만약 자신이 인물과 같은 상황에 처한다면 어떻게 행동할지 떠올려 봅니다.
  – 인물이 추구하는 삶과 자신의 삶에서 비슷한 점이나 다른 점이 있는지 생각해 봅니다.
• 인물이 추구하는 삶을 생각하며 자신의 생각이나 느낌을 담아 인물에게 편지를 써 봅니다.

특히 공감했거나 인상 깊었던 인물, 자신에게 영향을 준 인물의 말이나 행동, 인물에게 전하고 싶은 말을 생각해 봐요.

핵심 5 자신이 꿈꾸는 삶을 작품으로 표현하기

• 인물이 추구하는 삶을 파악해 봅니다.
• 현재 자신의 모습을 되돌아보고 미래를 계획해 봅니다. → 자신의 미래 모습을 상상해 보고 꼭 이루고 싶은 꿈이나 해야 할 일을 친구들과 이야기해 봅니다.
• 꿈꾸는 삶의 모습을 작품으로 표현할 준비를 해 봅니다.
• 꿈꾸는 삶의 모습을 작품으로 표현해 봅니다.

자신이 꿈꾸는 삶의 모습을 다른 대상에 빗대어 표현해 보기 ⑳

• 나는 새처럼 자유로운 삶을 살고 싶어. 하고 싶은 일을 하면서 마음껏 꿈을 펼치고 싶어.
• 나는 나무 같은 삶을 살고 싶어. 걷다가 힘든 사람들을 쉬어 가게 해 주는 나무처럼 다른 사람에게 도움이 되고 싶어.

조금 더 알기

⚙ 「의병장 윤희순」에 나오는 인물의
삶 파악하기 – 살아가며 겪는 문제

- 나라가 일제의 침략을 받았습니다.
- 의병 운동에 많은 사람을 참여시키고
싶지만 반대하는 사람이 있습니다.
- 여자는 집안일을 해야 한다고 생각
하던 시대라 의병 운동을 하기 어렵
습니다.

⚙ 「마지막 숨바꼭질」의 아버지가 추
구하는 삶

- 생명을 존중하고 다른 사람을 위해
자신을 희생하고 봉사하는 삶을 추
구합니다.
- 불에 대한 두려움과 부모님의 반대
를 이겨 내려고 끈기 있게 노력하고
도전하는 삶을 추구합니다.

⚙ 「이모의 꿈꾸는 집」의 등장인물
알아보기

- 좋은 대학에 가는 것이 꿈인 모범생
'진진'
- 평생 책과 함께하는 것이 꿈인 '이모'
- 훌륭한 피아니스트가 되려고 놀 시간
도 없이 피아노 연습을 하는 '상수리'
- 날마다 날려고 노력하는 거위 '어기'
- 춤추기를 좋아하는 두레박 '풍'
- 어기에게 나는 법을 가르쳐 주는 잔
소리쟁이 새 '초리'

 낱말 사전

★ 추구 목적을 이룰 때까지 뒤
좇아 구함.

개념을 확인해요

1 작품을 읽고 인물이 추구하는 삶을 파악할 때에는 인물이 처한 상황에
서 한 ☐ 이나 행동을 찾아봅니다.

2 인물의 ☐ 이나 행동에서 관련 있는 삶의 가치를 찾아봅니다.

3 인물이 추구하는 삶의 ☐☐ 가 무엇인지 생각하며 이야기를
읽어 봅니다.

4 이야기 ☐☐ 에 따라 내용을 간추려 봅니다.

5 인물이 처한 상황에서 한 ☐ 이나 행동을 알아봅니다.

6 인물의 삶과 자신의 삶을 관련지어 말할 때에는 인물이 추구하는
☐ 을 파악해 봅니다.

7 인물의 삶과 자신의 삶을 비교하며 작품을 읽고 자신의 생각을 쓸 때
에는 자신의 ☐☐ 을 떠올립니다.

8 인물이 추구하는 다양한 ☐ 의 가치나 꿈을 생각하며 이야기를 읽
어 봅니다.

9 인물의 삶과 자신의 삶을 비교할 때에는 이야기를 읽고 ☐☐
의 흐름을 파악해 봅니다.

10 인물이 추구하는 ☐ 과 자신의 삶을 비교해 이야기해 봅니다.

도움말

1. 인물이 처한 상황과 그 시대의 특징이 어떻게 관련되는지도 생각해 볼 수 있습니다.

핵심 1

1 작품 속 인물이 추구하는 삶을 파악할 때에 살펴볼 점은 무엇입니까?

(   )

① 작가가 글을 쓸 때의 시대적 배경
② 제목의 길이와 작품 속 등장하는 인물의 수
③ 작품 속 모든 등장인물의 외모와 성별 분석
④ 시작하는 첫 문장과 글에서 가장 많이 반복된 낱말
⑤ 인물이 살아가면서 겪은 문제와 그것을 해결하는 태도

2. 인물이 추구하는 삶을 파악해 봅니다.

핵심 2

2 작품에서 인물이 추구하는 삶을 파악하는 방법입니다. 괄호 안에 들어갈 알맞은 말을 [보기]에서 찾아 쓰시오.

보기

상황   관련   행동   까닭

⑴ 인물이 처한 (   )을/를 떠올려 본다.
⑵ 인물이 처한 상황에서 한 말이나 (   )을/를 알아본다.
⑶ 인물이 그렇게 말하고 행동한 (   )을/를 생각해 본다.
⑷ 인물의 삶과 자신의 삶을 (   )지어 생각해 본다.

3. 인물이 처한 상황에서 한 말이나 행동에는 그 인물이 추구하는 가치가 담겨 있습니다.

핵심 3

3 인물이 추구하는 가치를 알아보기 위해 살펴볼 점을 두 가지 고르시오.

(,   )

① 문단의 수   ② 어려운 문장
③ 인물의 나이   ④ 인물이 한 말
⑤ 인물이 한 행동

핵심 4

4 인물이 추구하는 삶을 파악하고 자신의 삶과 관련지을 때 이야기를 읽으며 잘 살펴볼 점을 두 가지 고르시오. (,   )

① 이야기는 어떤 구조로 이루어져 있는가?
② 결말에 등장한 새로운 인물은 누구인가?
③ 결말에 가장 많이 사용된 문장 부호는 무엇인가?
④ 이야기에 나오는 인물이 문제를 어떻게 해결했는가?
⑤ 이야기 속 상황에서 인물은 어떤 말이나 행동을 했는가?

도움말

4. 인물이 추구하는 삶에 대한 자신의 경험을 말할 수 있습니다.

핵심 5

5 인물이 추구하는 삶과 자신의 삶을 비교할 때 생각할 점을 두 가지 고르시오. (,   )

① 인물이 등장하지 않는 인상 깊은 구절을 떠올린다.
② 인물의 단점과 친구의 단점 가운데 같은 것을 생각한다.
③ 자신이 인물보다 나은 점을 찾고 자랑할 점을 생각한다.
④ 자신이 인물과 같은 상황에 처한다면 어떻게 행동할지 떠올린다.
⑤ 인물이 추구하는 삶과 자신의 삶에서 비슷한 점이나 다른 점이 있는 지 생각해 본다.

5. 인물이 추구하는 삶과 자신의 삶을 비교해 이야기해 봅니다.

핵심 6

6 다음 그림은 자신이 꿈꾸는 삶을 어떠한 작품으로 표현한 것입니까?

(   )

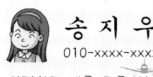 

① 시   ② 만화
③ 명함   ④ 팻말
⑤ 멋 글씨

6. 자신이 꿈꾸는 삶의 모습을 담아 작품으로 표현할 수 있습니다.

국어 32~83쪽

1~5 다음 글을 읽고 물음에 답하시오.

담비가 마을 아낙네들한테 「안사람 의병가」를 가르친 보람은 생각보다 크게 나타났다. 노래 하나가 사람들의 마음을 한 덩어리로 모았을 뿐만 아니라 전에 없던 용기마저 불끈 솟아나게 했던 것이다.

"자, 이럴 때 나서시면 될 것 같아요."

담비가 윤희순한테 드디어 직접 나설 때가 왔다고 알려 왔다.

"여러분, 우리가 누구입니까?"

마을 아낙네들의 눈길이 모두 윤희순에게 쏠렸다.

"여태껏 우리 여자들은 집안을 돌보는 데 온 힘을 다해 왔습니다. 하지만 이제 왜놈들이 이 나라를 집어삼키려는 마당에 우리가 가만히 집 안에만 틀어박혀 있을 순 없는 노릇입니다. 그러니 우리도 사내들처럼 다 함께 의병 운동에 나서야 할 것입니다."

그때 누군가가 말꼬리를 걸고 나섰다.

"아니, 조정 대신이란 놈들이 나라를 팔아먹으려 드는데 우리 같은 여자들이 나선다고 뭐가 달라지겠소? 자칫 괜한 목숨만 버릴 뿐이오."

그 말이 떨어지기가 무섭게 여기저기서 술렁거렸다. 기껏 뜨겁게 달아오른 열기가 금세 차갑게 식을 판이었다.

"그럼 나라를 빼앗기고 왜놈들 종으로 살자는 것입니까?"

윤희순이 다시 마음을 가다듬고 큰 소리로 부르짖자 마을 아낙네들의 눈길이 또다시 윤희순에게 쏠렸다. 윤희순은 그 틈을 안 놓치고 곧장 말을 이었다.

"여기 계신 분들 가운데 자식을 왜놈의 종으로 살게 내버려 두고 싶은 사람은 한 분도 없을 것입니다. 그러니 우리 여자들도 사내들을 도와 왜놈들을 몰아내는 데 한몫을 해야 하지 않겠습니까?"

거침없이 내뱉는 윤희순의 말에 여기저기서 고개를 끄덕였다.

「의병장 윤희순」, 정종숙

1 담비가 마을 아낙네들한테 가르친 노래는 무엇인지 찾아 쓰시오.

( )

2 담비가 마을 아낙네들한테 가르친 노래는 사람들에게 어떤 영향을 주었습니까? ( )

① 전에 있던 용기마저 사라지게 했다.
② 마을 아낙네들의 흥미를 떨어뜨렸다.
③ 사람들의 마음을 한 덩어리로 모았다.
④ 집안을 돌보는 데 온 힘을 다하게 했다.
⑤ 뜨겁게 달아오른 열기를 식게 만들었다.

3 윤희순이 마을 아낙네들한테 한 말은 무엇입니까?

( )

① 집안을 돌보는 데 힘쓰자.
② 집 안에만 틀어박혀 있자.
③ 다 함께 의병 운동에 나서자.
④ 사내들처럼 총칼을 휘두르며 싸우자.
⑤ 나라를 팔아먹은 조정 대신을 몰아내자.

4 이야기 속 시대적 배경은 언제입니까? ( )

① 임진왜란이 일어나기 전
② 육이오 전쟁이 일어난 뒤
③ 일본의 항복으로 해방된 뒤
④ 을사늑약이 강제로 체결된 뒤
⑤ 이순신이 명량 대첩을 앞둘 때

서술형

5 윤희순이 삶에서 추구한 가치와 관련 있는 낱말과 그렇게 생각한 까닭을 쓰시오.

_____

_____

 다음 글을 읽고 물음에 답하시오.

예고도 없이 닥치는 일, 사납게 일렁이는 불 속에 갇힌 사람을 구해 내는 일이 얼마나 위험하고 힘든지는 너도 알잖아.

특히 어제는 재래시장의 낡은 건물에서 불이 났대. 신고를 받은 소방관들이 출동했을 때, 시장 골목은 이미 구경하는 사람들로 메워져 있었단다.

문틈으로 나오는 검은 연기와 매캐한 냄새, 사람들의 비명……

소방관 세 명이 들기에도 벅찰 정도로 소방 호스는 쉴 새 없이 강한 물줄기를 뿜어내고, 네 아버지를 비롯한 두 팀의 구조대가 그 속을 파고들었단다.

㉠'무엇보다 먼저 사람의 목숨을 구한다!'

소방관들은 눈길이 마주칠 때마다 말 없는 약속을 확인하고 힘을 내곤 한다지. 그래서 한순간에 온몸을 집어삼킬 듯한 불길을 이리저리 피해 가며 연기에 질식한 사람을 업고 나올 때는 죽음조차 두렵지 않을 만큼 다급하단다.

어제도 네 아버지는 건물에 갇혀 울부짖는 두 사람을 업어 내왔단다. 온몸이 땀으로 범벅이 된 몸으로 또 한 번 들어가려는 순간, 시뻘건 불길이 혀를 날름거리며 건물의 입구를 막아 버린 거야.

"위험해, 더는 도저히 안 되겠어!"

소방관들은 구조를 중단하고 온몸이 오그라드는 듯한 열기 속에서 빠져나오기 시작했대.

㉡"먼저 나가. 내가 한 번만 더……"

그때 말릴 새도 없이 깨진 창문 사이로 뛰어 들어 간 한 사람의 구조 대원이 있었단다.

너도 한번 생각해 보렴. 소방관에게도 지켜야 할 소중한 목숨이 있고, 우리처럼 애타게 기도하며 기다리는 가족이 있을 거 아니겠니?

아, 어쩌면 그렇게 짧고도 기막힌 순간이 또 있을까? / 네 아버지가 빠져나오고 뒤를 돌아보았을 때, 불길에 무너지는 커다란 기둥이 그 구조 대원의 몸을 휩싸 안고 바닥으로 꺼져 버렸단다.

자기 목숨보다 남의 목숨을 먼저 생각한 용감한 소방관 아저씨의 최후……

그 이야기를 하시면서 아버지는 정말 뜨거운 눈물을 쏟으셨단다.

「마지막 숨바꼭질」, 백승자

6 아버지가 어제 겪은 일은 무엇입니까? (　　)

① 화재 현장에서 동료를 잃었다.
② 심한 열기 속에서 화상을 입었다.
③ 재래시장에 갔다가 연기에 질식했다.
④ 시장에서 소방관 세 명을 업고 나왔다.
⑤ 갇힌 건물에서 소방관에 의해 구출됐다.

중요
7 ㉠과 관련 있는 가치는 무엇입니까? (　　)

① 정직　　　　② 희생
③ 성실　　　　④ 나약
⑤ 단념

8 화재 현장에 출동한 상황에서 아버지께서는 어떤 행동을 하셨습니까? (　　)

① 불이 난 현장을 멀리서 구경했다.
② 건물에 갇힌 사람을 업어 내왔다.
③ 다친 사람들을 쉴 새 없이 치료했다.
④ 건물 옥상에서 헬기로 사람들을 구출했다.
⑤ 불이 나자마자 건물에서 황급히 빠져나왔다.

주의
9 ㉡을 말한 소방관이 추구하는 삶은 무엇입니까?
(　　)

① 꾸준히 연습하는 삶
② 가족을 사랑하는 삶
③ 친구를 존중하는 삶
④ 포기하지 않는 의지가 있는 삶
⑤ 자기에게 엄격하고 완벽을 원하는 삶

응용
10 눈앞에서 동료를 잃은 상황을 이야기하는 아버지의 마음은 어떠하겠습니까? (　　)

① 걱정된다.　　　② 평안하다.
③ 안타깝다.　　　④ 불안하다.
⑤ 태평하다.

11~15 다음 글을 읽고 물음에 답하시오.

(가) "근데 너 혹시 걔를 한동안 혼자 내버려 뒀니?"

"아니요. ㉠제가 피아노 연습을 얼마나 열심히 하는데요. 컴퓨터 게임을 할 시간도, 친구들이랑 축구할 시간도, 만화책을 볼 시간도 없이 오로지 피아노 연습만 하는걸요."

"그렇게 아무것도 안 하고 피아노만 치면 재미있니?"

"아니요, 당연히 힘들죠. 정말 어떨 땐 너무 힘들어서 다 그만두고 싶어질 때도 있어요. 그래도 꾹 참고 연습해요. 열심히 연습해야 훌륭한 피아니스트가 될 수 있잖아요."

이모는 고개를 끄덕거리며 크게 한숨을 내쉬었다.

"쳇, 그게 문제였군. 우울해질 만하군."

"예?"

"훌륭한 피아니스트가 되는 게 네 꿈이라고? 근데 네 피아노의 꿈도 훌륭한 피아니스트와 연주하는 거라던? 아마 아닐걸?"

(나) "예전엔 내 피아노와 함께 꿈꾸는 게 참 즐거웠는데, 어느 순간부터는 그게 너무 힘든 일이 되어 버렸어. 아마 꿈을 꾸는 것보다 꿈을 이루고 싶은 마음이 더 커서 그랬나 봐. 꿈을 이루어야만 행복해지는 줄 알았는데, 꿈은 이루기 위해 있는 게 아니구나. 왜 그걸 미처 몰랐을까?"

진진과 상수리는 바구니를 들고 노란 대문 집으로 갔다. 방으로 들어가 피아노 건반을 하나씩 맞춰 끼웠다. 깨끗하게 씻은 건반들을 다시 갖춘 피아노는 기분이 좋아 보였다.

상수리는 피아노 건반을 살포시 어루만졌다.

"피아노야, 넌 내가 훌륭한 피아니스트가 되길 바란 게 아니지? 넌 아마 내가 행복한 피아니스트가 되길 꿈꾸었을 거야. 근데 나는 그것도 모르고 너와 함께하는 시간이 지긋지긋해지도록 연습만 하는 게 최선인 줄 알았으니…… 그동안 네가 얼마나 힘들었을까? 미안해. 정말 미안해."

상수리는 피아노 의자를 당겨 앉았다. 그리고 건반 위에 두 손을 가만히 얹고, 지그시 누르며 작은 소리로 속삭였다.

「이모의 꿈꾸는 집」, 정옥

---

11 ㉠으로 보아, 인물이 추구하는 삶은 무엇입니까?

(   )

① 여유 있는 삶
② 남을 배려하는 삶
③ 현실을 비판하는 삶
④ 즐겁게 생활하는 삶
⑤ 성실하게 노력하는 삶

---

12 상수리가 피아노와 함께 꿈꾸는 것이 힘든 일이 되어 버린 까닭은 무엇입니까? (   )

① 피아노만 치는 것이 즐겁기 때문에
② 피아노 연습할 시간이 없었기 때문에
③ 꿈을 꾸는 일 자체가 너무 귀찮기 때문에
④ 꿈을 이루고 싶은 마음이 사라졌기 때문에
⑤ 꿈을 꾸는 것보다 꿈을 이루고 싶은 마음이 더 커서 힘들게 연습했기 때문에

---

13 (나)에서 상수리가 깨닫게 된 것은 무엇입니까?

(   )

① 꿈을 빨리 이루어야 한다.
② 꿈을 꾸는 즐거움을 잊어버렸다.
③ 꿈은 이루기 위해 노력하지 않았다.
④ 꿈을 위해 더 열심히 노력해야 한다.
⑤ 꿈을 이루기 위해 최선을 다해야 한다.

---

14 (가)와 (나)의 흐름에서 상수리는 어떤 꿈을 꾸었을지 차례대로 찾아 쓰시오.

• (가): (   ) 피아니스트 ➡

(나): (   ) 피아니스트

---

15 피아노의 꿈은 무엇일지 쓰시오.

16~20 다음 시를 읽고 물음에 답하시오.

그래 살아 봐야지
너도 나도 공이 되어
떨어져도 튀는 공이 되어

살아 봐야지
쓰러지는 법이 없는 둥근
공처럼, 탄력의 나라의
왕자처럼

가볍게 떠올라야지
곧 움직일 준비 되어 있는 꼴
둥근 공이 되어

옳지 최선의 꼴
지금의 네 모습처럼
떨어져도 튀어 오르는 공
쓰러지는 법이 없는 공이 되어.

「떨어져도 튀는 공처럼」, 정현종

16 '떨어져도 튀는 공'은 어떤 삶의 모습이겠습니까?
( )

① 느긋하게 여유 있는 모습
② 좌절하지 않고 도전하는 모습
③ 쉬지 않고 항상 움직이는 모습
④ 단 한 번의 기회를 기다리는 모습
⑤ 톡톡 튀는 창의적인 생각을 하는 모습

17 이 시에서 말하는 이는 무엇처럼 살아 봐야겠다고 했습니까? ( )

① 왕자
② 둥근 공
③ 네 모습
④ 최선의 꼴
⑤ 탄력의 나라

18 이 시에서 반복되는 말을 두 가지 고르시오.
(,)

① 그래
② 옳지
③ ~야지
④ 너도 나도
⑤ 공이 되어

1 단원

19 다음은 이 시에 대한 자신의 생각이나 느낌을 이야기한 모습입니다. 알맞게 말한 친구의 이름을 쓰시오.

나도 공처럼 쓰러지지 않아야겠다는 생각이 들었습니다.

나도 탄력 있는 공처럼 점프를 많이 해서 꼭 키가 클 것입니다.

쓰러지는 법이 없는 공은 피곤합니다. 하고 싶은 일만 행복하게 해야겠다고 생각했습니다.

재경   성군   강은

( )

20 이 시를 읽고 어떤 생각을 했는지 친구들에게 묻는 질문은 무엇입니까? ( )

① 이 시는 몇 연으로 구성되어 있나요?
② 시에서 말하는 이가 닮고자 하는 것은 무엇인가요?
③ 시에서 말하는 이는 무엇처럼 살아 봐야겠다고 했나요?
④ 시를 읽으며 떠오르는 장면이나 경험에 어떤 것이 있나요?
⑤ 시에서 말하는 이는 추구하는 삶의 모습을 무엇에 빗대어 표현했나요?

국어 32~83쪽

1~4 다음 글을 읽고 물음에 답하시오.

아무리 왜놈들이 포악하고 강성한들
우리도 뭉쳐지면 왜놈 잡기 쉬울세라

담비였다. 둘레에 빙 둘러섰던 마을 아낙네들은 기다렸다는 듯이 노래를 따라 불렀다. 노래는 흩어졌던 마음을 다시 하나로 모았다. 마침내 윤희순은 마을 아낙네들을 끌어모아 안사람 의병대를 만들었다.

"의병을 도와 나라를 구합시다!"

맨 먼저 안사람 의병대는 집집마다 찾아다니며 모금을 했다.

"왜놈들이 우리나라를 집어삼키려 합니다. 의병을 도와주십시오."

안사람 의병대의 눈물 어린 하소연은 많은 사람의 마음을 움직였다. 어떤 사람은 무기를 만들 수 있는 놋쇠와 구리를 내놓았고, 어떤 사람은 가진 돈을 몽땅 내놓기도 했다.

"우린 고구마밖에 없는데 괜찮다면 이거라도 내놓겠네."

㉠살림살이가 어려운 사람들도 의병을 돕겠다고 발 벗고 나섰다. 안사람 의병대가 밤낮없이 애쓴 덕분에 춘천 의병 부대는 날로 힘이 세졌다. 덩달아 의병들의 사기도 부쩍 드높아졌다.

1 담비가 부르기 시작한 노래는 마을 아낙네들에게 어떤 영향을 주었는지 찾아 쓰시오.

• 흩어졌던 (   )을 다시 하나로 모았다.

2 윤희순이 마을 아낙네들을 끌어모아 만든 것은 무엇인지 찾아 쓰시오.

(   )

3 ㉠의 행동에서 알 수 있는 시대적 배경으로 알맞은 것을 모두 찾아 번호를 쓰시오.

① 일제의 침략으로 우리나라 사람들의 경제 상황이 어려웠다는 것을 알 수 있다.
② 어려운 상황 속에서도 우리나라 사람들의 위기 극복 의지가 대단했다는 것을 알 수 있다.
③ 여자와 남자의 역할이 다르다고 생각하던 때라서 여자들의 행동이 소극적인 것을 알 수 있다.

(   )

4 이 글의 인물들이 문제를 대하는 태도는 어떠합니까? (   )

① 가족을 위해 밤낮으로 열심히 일했다.
② 모두가 직접 무기를 만들어 나가 싸웠다.
③ 절망스러운 상황에 처해서 괴로워만 했다.
④ 경제 상황이 좋아지기를 가만히 기다렸다.
⑤ 일제가 침략했다고 해서 포기하거나 좌절하지 않고 침략 세력을 물리치려고 한다.

5 다음 인물이 한 말이나 행동으로 보아, 허련이 추구하는 삶은 무엇이겠습니까? (   )

• 수십 개의 붓이 뭉뚝해지도록 연습했습니다.
• 꾸준히 연습해 점차 자신만의 그림이 나왔습니다.

허련—

① 배려하는 삶
② 열정 있는 삶
③ 이익을 꾀하는 삶
④ 쉽게 좌절하는 삶
⑤ 실속만 차리는 삶

6~10 다음 글을 읽고 물음에 답하시오.

동생은 위험하게도 촛불을 들고 안방 옷장 안으로 숨었던 거야. 씩씩한 사람으로 자라서 어려운 사람을 다 구하겠다던 녀석이 그렇게 어리석은 짓을 할 줄이야!

그렇게 동생이 하늘나라로 간 뒤부터 내 가슴속에는 확실한 꿈 하나가 자리 잡았단다.

반드시 내 동생 경수를 삼켜 버린 불길과 싸워 이기겠다는 결심이었지. 나중에서야 불길은 싸울 대상이 아니라 잘 다스려야 이긴다는 걸 알게 되었지만 말이다.

불이라는 말만 들어도 가슴이 미어진다는 부모님의 반대를 무릅쓰고 나는 기어이 소방관의 꿈을 이루어 냈단다. 그리고 늘 기도하는 마음으로 맡은 일을 하지.

빨간 불자동차에 올라타고 다급한 사이렌을 울리며 화재 현장에 나갈 때 마다, 나는 어린 시절 무서운 불길 속에서 구해 내지 못한 동생의 목소리를 떠올린단다. 그리고 주먹을 불끈 쥐며 두려움을 잊곤 하지. 동생과 나의 마지막 숨바꼭질처럼 소중한 추억을 영원히 잊지 않기 위해서 말이다.

아득한 그리움을 섞은 아버지의 긴 이야기가 끝났을 때는 어느덧 해 질 무렵이었다.

6 이 글의 아버지가 추구하는 삶을 알맞게 말한 친구는 누구인지 ○ 표를 하시오.

(1) 자신만 소중하게 생각해. 안전을 추구하는 삶을 살아.

(2) 자신의 이익과 올바른 정의를 모두 지키는 것으로 보아 합리적인 삶을 추구해.

(3) 불에 대한 두려움과 부모님의 반대를 이겨 내려고 끈기 있게 노력하고 도전하는 삶을 추구했어.

( ) ( ) ( )

7 동생이 하늘나라로 떠난 뒤에 아버지께서는 어떤 결심을 하셨습니까? ( )

① 내 힘으로 가족을 지켜야겠다.
② 어려운 사람을 모두 구하겠다.
③ 불을 두려움의 대상으로 여겨야겠다.
④ 동생을 죽게 한 불길과 싸워 이기겠다.
⑤ 동생처럼 어리석은 짓을 하지 말아야겠다.

8 동생의 죽음 뒤에 아버지의 가슴속에 자리 잡은 꿈하나는 무엇인지 쓰시오.

( )

9 아버지가 화재 현장에 나갈 때마다 두려움을 떨치기 위해 떠올리는 것은 무엇입니까? ( )

① 가족의 얼굴
② 사이렌 소리
③ 동생의 목소리
④ 부모님의 마음
⑤ 숨바꼭질하는 모습

10 이 글에서 아버지의 이야기를 듣고 있던 경민이는 어떤 말을 했겠습니까? ( )

① 경찰관은 정말 멋져요.
② 아버지가 정말 자랑스러워요.
③ 저도 힘든 친구를 돕지 않았어요.
④ 부모님이 반대하는 일을 하셨어요.
⑤ 아버지와 시간을 보내지 못해 서운해요.

11~15 다음 글을 읽고 물음에 답하시오.

(가) "퐁, 넌 나중에 뭐가 되고 싶니?"

"되고 싶은 거 없는데."

"되고 싶은 게 없어? 그럼 꿈이 없단 말이야?"

"꿈이야 있지. 근데 꿈이란 게 꼭 뭐가 되어야 하는 거야? 뭐가 안 되면 어때? 그냥 하면 되지. 내 꿈은 춤추는 거지. 신나게 춤추는 것. 그게 내 꿈이야."

퐁은 진진의 물음에 꼬박꼬박 대답하면서도 허리를 흔들며 춤을 췄다. 퐁의 몸짓을 따라 물결이 찰랑찰랑 일었다. 진진은 그런 퐁을 잠시 지켜보다 다시 물었다.

"넌 이미 충분히 즐겁게 춤추고 있잖아?"

"오늘보다 내일은 더 즐겁게, 내일보다 모레는 더, 더 즐겁게, 모레보다 글피는 더, 더, 더 즐겁게, 글피보다 그글피는 더, 더, 더, 더 즐겁게. 내 꿈은 절대로 끝나지 않지."

(나) "자전거가 바람 쐬러 가자고 졸라 대서. 모두 나한테 어찌나 바라는 게 많은지. 정말 일일이 다 들어주려니까 몸이 열 개라도 모자라겠다. 이래서야 책 읽을 시간이 나겠니?"

"이모는 책 읽는 게 즐거워요?"

"그걸 말이라고 하니? 책 읽는 게 재미없다면 왜 읽겠니?"

"그래도 가끔 보면 재미없는 책도 있잖아요."

"재미없으면 안 읽으면 되지."

"다른 사람들이 다 읽고 재미있다고 하는 책을 나만 재미없다고 안 읽으면 좀 그렇잖아요."

진진의 말에 이모는 혀를 끌끌 찼다.

"넌 다른 사람이 맛있다고 하는 요리는 맛없어도 먹니? 그런 게 어디 있어? 내가 재미없으면 없는 거지."

이모는 퐁이 담아 올려 온 물을 받아서 꿀꺽꿀꺽 마셨다.

11 퐁의 꿈은 무엇입니까? (   )

① 가수가 되는 것   ② 공연을 하는 것
③ 신나게 춤추는 것   ④ 물결을 일으키는 것
⑤ 아무것도 안 하는 것

12 다음과 같은 생각을 한 인물은 누구인지 찾아 쓰시오.

> 꿈이란 무언가가 꼭 되는 것이 아니다.

(   )

13 퐁이 중요하게 생각하는 것은 무엇이겠습니까?
(   )

① 현재를 즐겁게 사는 것
② 과거를 반성하며 사는 것
③ 미래를 계획하며 사는 것
④ 과거를 반성하며 사는 것
⑤ 다양한 경험을 하며 사는 것

14 이모가 즐거워하는 것은 무엇입니까? (   )

① 춤추기   ② 잠자기
③ 책 읽기   ④ 요리하기
⑤ 그림 그리기

15 이모가 추구하는 삶으로 알맞은 것은 무엇입니까?
(   )

① 성실하게 노력하는 삶
② 다른 사람을 배려하는 삶
③ 희망을 가지고 도전하는 삶
④ 자신이 좋아하는 것을 하는 삶
⑤ 힘들어도 미래를 위해 투자하는 삶

16~20 다음 시를 읽고 물음에 답하시오.

그래 살아 봐야지
너도 나도 공이 되어
떨어져도 튀는 공이 되어

살아 봐야지
쓰러지는 법이 없는 둥근
공처럼, 탄력의 나라의
왕자처럼

가볍게 떠올라야지
곧 움직일 준비 되어 있는 꼴
둥근 공이 되어

옳지 최선의 꼴
지금의 네 모습처럼
떨어져도 튀어 오르는 공
쓰러지는 법이 없는 공이 되어.

16 말하는 이는 추구하는 삶의 모습을 무엇에 빗대어 표현했는지 찾아 쓰시오.

(   )

17 이 시에 대한 자신의 생각이나 느낌을 떠올려 쓰시오.

_____

_____

18 말하는 이는 어떤 삶의 모습을 추구합니까?

(   )

① 꾸밈이 없는 삶
② 도전하고 노력하는 삶
③ 올곧은 정신을 갖는 삶
④ 사사로운 욕심이 없는 삶
⑤ 수단이 좋아 일을 잘 해결하는 삶

19 다음은 이 시를 읽고 만든 질문입니다. 만든 내용에 맞게 기호를 각각 쓰시오.

㉮ 왜 공처럼 살아 봐야겠다고 생각했나요?
㉯ 시에서 말하는 이가 추구하는 삶의 모습을 떠올리며 어떤 생각이나 느낌이 들었나요?
㉰ 시에서 말하는 이는 무엇처럼 살아 봐야겠다고 했나요?
㉱ 시에서 말하는 이는 추구하는 삶의 모습을 무엇에 빗대어 표현했나요?

(1) 말하는 이에게 묻는 질문: (   )
(2) 사실을 묻는 질문: (   )
(3) 친구들에게 생각을 묻는 질문: (   )

20 시에 나오는 '떨어져도 튀는 공'과 바꾸어 쓸 수 있는 것은 무엇입니까? (   )

① 버려도 좋을 몽당연필
② 세상을 환하게 비추는 촛불
③ 잘못 쓴 것을 없애는 지우개
④ 손을 따뜻하게 보호하는 장갑
⑤ 넘어져도 다시 일어나는 오뚝이

1~3

 윤희순은 의병장으로 여성들의 독립운동 참여를 촉구하는 「안사람 의병가」를 지어 널리 알렸다. 일제가 나라를 강점하자 1911년에 가족과 함께 중국으로 망명해 독립운동을 했다.

중국으로 망명한 윤희순은 독립운동가를 양성하는 학교인 노학당을 세웠다. 이 학교 졸업생 50여 명은 항일 독립운동가로 활동했다. 2002년에 노학당을 기념하려고 중국 랴오닝성에 노학당 기념비가 세워졌다.

항일 의병 운동의 자금을 지원하려고 숯을 구워서 팔던 윤희순은 독립운동에 남녀 구분이 없음을 알리려고 「안사람 의병가」를 만든다.

도움말

★ 윤희순은 조국의 위기 상황에서 '안사람 의병단'을 조직해 위기 극복을 위해 분연히 일어난 조국의 안사람이었습니다. 조선 선비의 아내로서 일본 대장에게 경고문인 「왜놈 대장 보아라」를 보내며 당당하게 조국 앞에 섰습니다.

1 윤희순은 어떤 사람인지 쓰시오.

_____

_____

1 사진과 설명을 보며 윤희순이 어떤 사람인지 알아봅니다.

2 윤희순이 처한 상황은 어떠한지 쓰시오.

_____

_____

2 일제의 침략으로 우리나라 사람들의 경제 상황은 어려웠습니다.

3 윤희순이 삶에서 추구한 가치와 관련 있는 낱말을 고르고 그렇게 생각한 까닭을 쓰시오.

| 도전 | 열정 | 용기 | 배려 | 정의 | 봉사 |

_____

_____

3 윤희순이 추구하는 삶과 관련 있는 가치를 찾아봅니다.

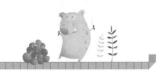

4~6

추사 김정희	소치 허련
조선 시대의 뛰어난 서예가, 문인 화가이자 학자이다. 독창적인 추사체를 완성하고 수많은 후학을 길러 냈다. 서예뿐만 아니라 그림, 시, 산문에 이르기까지 예술가로서 최고의 경지에 올랐다.	추사 김정희의 제자로 글, 그림, 글씨에 모두 능했다. 진도에서 태어나 제대로 된 미술 교육을 받기 힘들었으나 김정희를 만나며 재능을 꽃피웠다. 스승인 김정희가 제주도로 유배되자 세 번이나 찾아간 일화가 유명하다.

• 추사 김정희는 한양으로 찾아온 허련의 그림을 보고 견문이 부족하다고 모질게 비평합니다.
• 추사 김정희는 허련을 못마땅하게 여겼지만 계속 월성위궁(김정희의 집)에 머물며 견문을 넓혔고, 허드렛일도 마다하지 않았습니다.
• 추사 김정희가 없는 동안 허련은 꾸준히 연습해 자신만의 붓질법을 만들었습니다.

4 김정희와 허련은 어떤 관계인지 쓰시오.

_____

5 김정희와 허련이 어떤 인물일지 추측해 쓰시오.

(1) 김정희: _____

_____

(2) 허련: _____

_____

6 다음 허련이 한 행동에서 추구하는 삶을 쓰시오.

허련은 추사 선생이 자신의 그림을 인정해 주지 않는데도 월성위궁을 떠나지 않았어. 그림을 제대로 배우고 싶은 마음이 강했기 때문이야. 무언가에 몰두하는 마음은 열정과 관련 있다고 생각해.

허련은 붓 수십 자루가 몽당붓이 되도록 그림을 그리고, 그리고 또 그렸어.

_____

도움말

☆ 허련은 김정희 제자로 김정희가 제주도로 유배되자 세 번이나 찾아갔을 정도로 김정희를 존경했습니다.

1
단원

4 허련은 김정희의 제자입니다.

5 인물이 처한 상황을 알고 그 상황에서 한 행동으로 어떤 인물일지 추측해 봅니다.

6 인물이 처한 상황에서 한 말이나 행동에는 그 인물이 추구하는 가치가 담겨 있습니다.

인물	인물이 한 말이나 행동
상수리	• 힘들어도 훌륭한 피아니스트가 되려고 놀거나 쉬는 시간을 아껴 가며 피아노 연습을 해 왔다.
어기	• "생각하고 또 해도 못 나는데, 생각하지 않고 어떻게 날아?" • "아니, 속상하지 않아. 난 늘 즐거워. 만약 꿈꾸는 동안 즐겁지 않다면 그게 무슨 꿈이니?"
퐁	• "신나게 춤추는 것. 그게 내 꿈이야." • "오늘보다 내일은 더 즐겁게, 내일보다 모레는 더, 더 즐겁게. 모레보다 글피는 더, 더, 더 즐겁게, 글피보다 그글피는 더, 더, 더, 더 즐겁게. 내 꿈은 절대로 끝나지 않지."
이모	• "내 꿈은 이 세상 재미있는 책들을 모두 불러 모아서 함께 노는 거야. …… 재미있는 책들만 올 수 있는 집, 꿈꾸는 아이들만 올 수 있는 집, 이 집이 내 꿈이야."

도움말

☆ 인물이 추구하는 다양한 삶의 가치나 꿈을 생각하며 「이모의 꿈꾸는 집」을 읽어 봅니다. 상수리는 훌륭한 피아니스트가 되려고 놀 시간도 없이 피아노 연습을 했고, 어기는 날마다 날려고 노력했으며, 퐁은 춤추기를 좋아합니다.

7 인물을 한 명 골라 그 인물이 추구하는 삶이 무엇인지 생각해 보고, 그 삶과 관련 있는 낱말을 활용하여 표현해 쓰시오.

7 인물이 한 말이나 행동, 그렇게 한 까닭 등을 종합해 인물이 추구하는 삶을 자신만의 언어로 표현해 봅니다.

끈기	노력	성실	희망	용기

(1) (　　　　　) 이/가 그렇게 말하고 행동한 까닭	
(2) (　　　　　) 이/가 추구하는 삶	

8 「이모의 꿈꾸는 집」의 인물이 추구하는 삶과 자신의 삶을 비교해 쓰시오.

8 만약 자신이 인물과 같은 상황에 처한다면 어떻게 행동할지 떠올려 봅니다.

상수리가 비록 꿈을 꾸는 즐거움을 잠시 잊기는 했지만, 꿈을 이루려고 계속 노력한 것은 배울 점이라고 생각해.

9 자신의 현재 삶을 되돌아보고 자신이 잘하고 있는 점과 더 노력해야 할 점을 생각해 쓰시오.

(1) 잘하고 있는 점	(2) 더 노력해야 할 점

9 현재 자신의 모습을 되돌아보고 미래를 계획해 봅니다.

1 단원

10 자신이 꿈꾸는 삶의 모습을 다양한 작품으로 표현할 준비를 해 봅시다.

(1) 자신이 꿈꾸는 삶의 모습을 머릿속에 그려 보고 그 모습을 다른 대상에 빗대어 표현해 쓰시오.

나는 ( ) 같은 삶을 살고 싶어.

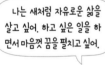
나는 새처럼 자유로운 삶을 살고 싶어. 하고 싶은 일을 하면서 마음껏 꿈을 펼치고 싶어.

(2) 자신이 꿈꾸는 삶의 모습을 어떠한 작품으로 표현하고 싶은지 쓰시오.

시	멋 글씨	명함	만화

10 • 꿈꾸는 삶을 다른 대상에 빗대어 표현해 봅니다.
• 멋 글씨: 필기체·필적·서법 등의 뜻으로, 좁게는 서예를 가리키고 넓게는 활자 이외의 서체를 뜻하는 말입니다.

단원 요점 정리   2. 관용 표현을 활용해요

핵심 1   관용 표현을 활용하면 좋은 점 알기

- 관용 표현은 둘 이상의 낱말이 합쳐져 그 낱말의 원래 뜻과는 다른 새로운 뜻으로 굳어져 쓰이는 표현입니다.
- 관용 표현에는 관용어와 속담 따위가 있습니다.
- 전하고 싶은 말을 쉽게 표현할 수 있습니다.
- 재미있는 표현이어서 듣는 사람의 관심을 불러일으킬 수 있습니다. → 관용 표현을 사용하면 전하고 싶은 내용을 쉽게 표현할 수 있습니다.
- 하려는 말을 상대가 쉽게 알아들을 수 있습니다.

> **관용 표현을 활용했을 때의 느낌**
> - 관용 표현을 활용하니 더 재미있는 표현이 됩니다.
> - 하고 싶은 말을 더 효과적으로 표현할 수 있습니다.

→ 관용 표현과 그 뜻을 확인하고 싶을 때에는 속담 사전이나 관용어 사전 따위를 참고합니다.

핵심 2   여러 가지 관용 표현의 뜻 알기

- 앞뒤의 문장을 잘 살펴봅니다.
- 관용 표현에 포함된 낱말의 뜻을 생각해 봅니다.

예 「꿈을 펼치는 길」의 관용 표현과 그 뜻

관용 표현	관용 표현의 뜻
손꼽아 기다리다	기대에 차 있거나 안타까운 마음으로 날짜를 꼽으며 기다리다.
천하를 얻은 듯	매우 기쁘고 만족스러움.
눈 깜짝할 사이	매우 짧은 순간.
금이 가다	서로의 사이가 벌어지거나 틀어지다.
막을 열다	무대의 공연이나 어떤 행사를 시작하다.
쇠뿔도 단김에 빼라	어떤 일이든지 하려고 생각했으면 한창 열이 올랐을 때 망설이지 말고 곧 행동으로 옮겨야 한다.

핵심 3   이야기를 듣고 말하는 사람의 *의도 파악하기

- 글 앞뒤에 있는 내용을 살펴봅니다.
- 표현에 쓰인 낱말이 평소에 어떤 뜻으로 쓰이는지 생각해 봅니다.
- 그러한 표현을 쓴 의도를 생각해 봅니다.

> **말하는 사람이 관용 표현을 활용하는 까닭**
> 말하는 사람은 듣는 사람이 자신의 이야기를 귀 울여 듣고, 이야기에 흥미를 느끼게 하려는 의도로 관용 표현을 활용할 수 있습니다.

핵심 4   생각이 효과적으로 드러나는 표현을 활용해 말하기

- 주제를 확인하고 자신의 생각을 정합니다.
- 생각에 어울리는 관용 표현을 떠올리고 정리합니다. → 하고 싶은 말을 정하고 활용할 관용 표현을 찾아봅니다.
- 정리한 내용을 바탕으로 하여 친구들에게 자신의 생각을 말해 봅니다.

> **상황에 어울리는 관용 표현을 활용해 하고 싶은 말 하기 예**
>
> | 상황 | 관용 표현 | 하고 싶은 말 |
> |---|---|---|
> | 사회 수업 시간에 힘들게 준비한 모둠 과제를 발표하는 상황 | 공든 탑이 무너지랴 | "공든 탑이 무너지랴."라는 말이 있습니다. 모둠 과제를 열심히 준비했으니 반드시 좋은 결과가 있을 것입니다. |

→ 관용 표현을 활용해 자신의 생각을 말할 때에는 말하는 상황과 말할 내용을 확인해야 합니다. 관용 표현을 먼저 말한 뒤에 그와 관련한 생각을 말하기도 하고, 생각을 먼저 말한 뒤에 그와 어울리는 관용 표현을 말하기도 합니다.

핵심 5   행복한 우리 반을 위한 약속 정하기

- '행복한 우리 반을 위한 약속'을 홍보할 준비를 해 봅니다. → 우리 모둠의 약속 정하기, 말할 내용 정리하기
- '행복한 우리 반을 위한 약속'을 홍보해 봅니다.

조금 더 알기

○ 「도산 안창호 선생의 연설」에 활용된 표현의 뜻을 추론하는 과정

예 '한 가지만 알고 두 가지는 모르는'의 뜻 추론하기

먼저 앞뒤 내용을 살펴보자. "서로 자기 생각만 옳은 줄 알고"라는 내용이 있네.

↓

또, "누구나 자기가 한 가지 생각을 하면 다른 이의 생각을 무엇이든지 반대한다"라는 내용도 있네.

↓

결국 이 말은 '다른 사람의 의견에도 좋은 점이 있다는 것을 모른다 / 서로의 의견을 합해야 좋다는 것을 모른다'라는 뜻일 거야.

○ '행복한 우리 반을 위한 약속 홍보하기 예

행복한 우리 반을 위한 약속

친구의 장점을 칭찬합시다. 가는 말이 고와야 오는 말이 곱습니다.

낱말 사전

★ 의도 무엇을 하고자 하는 생각이나 계획. 또는 무엇을 하려고 꾀함.

---

2 단원

1 ☐☐ 표현은 둘 이상의 낱말이 합쳐져 그 낱말의 원래 뜻과는 다른 새로운 뜻으로 굳어져 쓰이는 표현입니다.

2 관용 표현에는 ☐☐☐ 와 속담 따위가 있습니다.

3 관용 표현을 사용하면 전하고 싶은 말을 ☐☐ 표현할 수 있습니다.

4 관용 표현은 재미있는 표현이어서 듣는 사람의 ☐☐ 을 불러일으킬 수 있습니다.

5 관용 표현을 사용하면 하려는 말을 상대가 ☐☐ 알아들을 수 있습니다.

6 관용 표현을 활용하면 하고 싶은 말을 더 ☐☐☐ 으로 표현할 수 있습니다.

7 이야기를 듣고 말하는 사람의 ☐☐ 를 파악할 때에는 글 앞뒤에 있는 내용을 살펴봅니다.

8 표현에 쓰인 낱말이 ☐☐ 에 어떤 뜻으로 쓰이는지 생각해 봅니다.

9 이야기에 흥미를 느끼게 하려는 의도로 ☐☐☐☐ 을 활용할 수 있습니다.

10 생각이 효과적으로 드러나는 표현을 활용하며 말할 때에는 먼저, ☐☐ 를 확인하고 자신의 생각을 정합니다.

도움말

1. 관용 표현의 정의를 알아봅니다.

핵심 1

1 관용 표현에 대한 설명으로 알맞은 것을 두 가지 고르시오. (　　,　　)

① 관용어와 속담 따위가 있다.
② 사회의 특정한 계층이 주로 사용하는 표현이다.
③ 외국에서 들어온 말로 국어처럼 쓰이는 표현이다.
④ 예전에는 많이 사용했지만 이제는 사용하지 않는 표현이다.
⑤ 둘 이상의 낱말이 합쳐져 그 낱말의 원래 뜻과는 다른 새로운 뜻으로 굳어져 쓰이는 표현이다.

2. 관용 표현을 사용하면 전하고 싶은 내용을 쉽게 표현할 수 있습니다.

핵심 1

2 관용 표현을 사용하면 좋은 점을 알맞게 말하지 못한 것의 기호를 쓰시오.

> ㉠ 전하고 싶은 말을 쉽게 표현할 수 있어.
> ㉡ 짧은 낱말로 상대에게 웃음을 줄 수 있어.
> ㉢ 하려는 말을 상대가 쉽게 알아들을 수 있어.
> ㉣ 재미있는 표현이라서 듣는 사람의 관심을 불러일으킬 수 있어.

(　　　　　　)

3. 관용 표현은 원래의 뜻이 아닌, 새로운 뜻으로 바뀐 표현이므로 앞뒤 문장을 잘 살펴 그 뜻을 파악해야 합니다.

핵심 2

3 관용 표현의 뜻을 알아보는 방법으로 알맞은 것을 두 가지 고르시오.

(　　,　　)

① 관용 표현을 듣는 사람의 성격을 파악한다.
② 관용 표현이 활용된 앞뒤의 문장을 살펴본다.
③ 관용 표현에 사용된 낱말의 종류를 따져 본다.
④ 관용 표현에 포함된 낱말의 뜻을 생각해 본다.
⑤ 관용 표현을 사용하는 사람이 누구인지 알아본다.

핵심 3

4 광고나 연설에서 말하는 사람이 관용 표현을 활용하는 의도로 알맞은 것은 무엇입니까? (   )

① 말을 길게 하려고
② 듣는 사람을 기분 나쁘게 하려고
③ 자신의 이야기에 흥미를 느끼게 하려고
④ 자신의 주장을 듣는 사람에게 강요하려고
⑤ 자신의 이야기를 듣는 사람이 대충 듣게 하려고

핵심 3

5 관용 표현이 활용된 이야기를 듣고 말하는 사람의 의도를 파악하는 방법의 과정에 맞게 차례대로 기호를 쓰시오.

> ㉠ 글 앞뒤에 있는 내용을 살펴본다.
> ㉡ 그러한 표현을 쓴 의도를 생각해 본다.
> ㉢ 표현에 쓰인 낱말이 평소에 어떤 뜻으로 쓰이는지 생각해 본다.

(   )

핵심 4

6 친구들이 말한 관용 표현의 적절성을 평가하는 방법으로 알맞지 <u>않은</u> 것을 찾아 × 표를 하시오.

(1) 관용 표현을 얼마나 많이 사용했는지 살펴본다. (   )
(2) 말하는 상황과 관용 표현이 어울리는지 생각한다. (   )
(3) 관용 표현이 말하는 내용을 적절하게 표현하는지 생각한다. (   )

도전

2. 관용 표현을 활용해요

국어 84~111쪽

1~2 다음 대화를 보고 물음에 답하시오.

(가) 남자아이: 정민아, 내일이 벌써 개학이야. 정말 시간이 빠르지 않니?

정민: 내일이 개학이라고? ㉠눈이 번쩍 뜨인다! 해야 할 일이 아직도 많은데 큰일이네.

(나) 남자아이: 소진아, 제주도에 다녀왔다며? 재미있었어?

소진: 제주도에 다녀온 것 말이야? 아까 민진이에게만 말했는데 넌 어떻게 알았어? 정말 ㉡발 없는 말이 천 리 가는구나.

1 ㉠, ㉡처럼 둘 이상의 낱말이 합쳐져 그 낱말의 원래 뜻과는 다른 새로운 뜻으로 굳어져 쓰이는 표현을 무엇이라고 하는지 쓰시오.

( )

2 ㉠의 뜻으로 알맞은 것은 무엇입니까? ( )

① 매우 놀라다.
② 매우 짧은 순간
③ 갑자기 배가 고프다.
④ 정신이 갑자기 든다.
⑤ 매우 기쁘고 만족스럽다.

3 ㉡과 바꾸어 쓸 수 있는 표현을 찾아 기호를 쓰시오.

㉮ 말꼬리를 물다
㉯ 백지장도 맞들면 낫다
㉰ 낮말은 새가 듣고 밤말은 쥐가 듣는다

( )

4~5 다음 대화를 보고 물음에 답하시오.

동생: 오빠, 나도 이제 휴대 전화를 사 달라고 할 거야. 쇠뿔도 단김에 빼라고 당장 구경해 보자.

오빠: 안 돼. 아직 부모님과 의논도 안 했잖아. 다음에 보자.

동생: 에이, 당장 어떤 걸로 할지 결정하고 싶었는데, 오빠 때문에 김이 식어 버렸잖아.

4 이 대화 속 상황에 대한 설명으로 알맞은 것은 무엇입니까? ( )

① 남매가 휴대 전화를 사는 상황이다.
② 남매가 부모님께 꾸중을 듣는 상황이다.
③ 남매가 서로에게 거짓말을 하는 상황이다.
④ 남매가 힘을 합쳐 어려운 일을 해내는 상황이다.
⑤ 동생이 오빠에게 휴대 전화를 당장 구경해 보자고 하는 상황이다.

서술형

5 밑줄 그은 관용 표현은 어떤 뜻일지 쓰시오.

(1) 쇠뿔도 단김에 빼라: _____

_____

(2) 김이 식다: _____

_____

6~10 다음 연설 내용을 읽고 물음에 답하시오.

안녕하십니까? 저는 내일초등학교 2000년도 졸업생 김영선입니다. 저는 지금 3년째 경찰로 일하고 있습니다. 초등학교 6학년 때부터 경찰이 되고 싶다는 꿈을 꾸었고 결국 그 꿈을 이루었습니다. 오늘 저는 여러분께 꿈을 펼치는 몇 가지 방법을 말씀드리려고 이 자리에 섰습니다.

저는 얼마 전부터 오늘을 ㉠손꼽아 기다렸습니다. 아마 여러분은 학교를 졸업하면 ㉡천하를 얻은 듯 신나서 바로 멋진 어른이 될 수 있으리라 생각할 것입니다. 하지만 자신의 꿈을 향해 달려 가는 일은 결코 쉬운 일도, 마음대로 되는 일도 아니었습니다. 저는 여러분께 꿈을 펼치는 세 가지 방법을 말씀드리려고 합니다.

첫째, 자신의 진짜 꿈을 찾으려고 노력합시다. 한때 의사를 주인공으로 한 드라마가 큰 인기를 얻자, 분위기에 휩쓸려 자신의 진로를 의사로 결정하는 사람이 많았습니다. 하지만 시간이 지나자 대부분은 자신이 정말 하고 싶은 직업은 따로 있다는 사실을 깨닫고 후회했습니다. 저는 초등학생 때 꿈이 계속 바뀌었는데, 6학년 때 안전 교육을 해 주신 경찰을 직접 만나 여러 가지 이야기를 들으면서 경찰이 되고 싶다는 꿈을 키우기 시작했습니다. 경찰이라는 직업을 자세히 알아보고 제 능력과 흥미를 살펴보면서 제 진짜 꿈이 경찰이라는 확신이 들었습니다. 쉽게 미래를 결정하는 것보다 자신의 진짜 꿈을 찾는 노력을 꾸준히 하는 것이 중요합니다.

둘째, 자기 자신에게 자신감을 가집시다. 앞날에 대해 고민이 많고 꿈을 어떻게 이룰 것인지 걱정하고 계신가요? 만약 그렇다면 여러분은 꿈을 펼칠 준비가 된 것입니다.

6 말하는 사람은 어떻게 경찰이 되려는 꿈을 꾸게 되었는지 알맞은 것에 ○표를 하시오.

⑴ 경찰을 주인공으로 한 드라마가 큰 인기를 얻자, 분위기에 휩쓸려 진로를 결정했다. ( )

⑵ 안전 교육을 해 주신 경찰관을 직접 만나 여러 가지 이야기를 들으면서 경찰이 되고 싶다는 꿈을 키웠다. ( )

7 말하는 사람이 듣는 사람에게 알려 주려고 하는 것은 무엇입니까? ( )

① 꿈을 펼치는 방법 ② 경찰이 되는 방법
③ 의사가 되는 방법 ④ 인기를 얻는 방법
⑤ 고민을 해결하는 방법

2
단원

주의

8 꿈과 관련한 생각이나 느낌을 묻는 질문은 무엇인지 기호를 쓰시오.

㉮ 자신의 진짜 꿈은 어떻게 찾을 수 있을까요?
㉯ 말하는 사람은 어떻게 경찰이 되려는 꿈을 꾸게 되었나요?
㉰ 말하는 사람이 경찰이 되려고 세운 구체적인 목표는 무엇인가요?

( )

9 ㉠의 뜻은 무엇입니까? ( )

① 물건을 아주 헤프게 쓰다.
② 몹시 초조하여 속을 많이 태우다.
③ 서로의 사이가 벌어지거나 틀어지다.
④ 아는 일이라도 세심하게 주의해야 한다.
⑤ 기대에 차 있거나 안타까운 마음으로 날짜를 꼽으며 기다리다.

서술형

10 ㉡의 뜻을 짐작하고, 그렇게 생각한 까닭을 쓰시오.

_____

_____

11~13 다음 광고를 보고 물음에 답하시오.

11 이 광고에서 찾을 수 있는 관용 표현은 무엇입니까?

( )

① 물을   ② 이제는
③ 합니다.   ④ 물 쓰듯
⑤ 바꾸어야

12 '물 쓰듯'이라는 말은 어떤 뜻입니까? ( )

① 매우 긴 시간.   ② 매우 짧은 순간.
③ 매우 무거운 것.   ④ 아주 헤프게 쓴다.
⑤ 아주 귀하게 쓴다.

13 이 광고에서 하고 싶은 말을 찾아 ○표를 하시오.

(1) 물을 쓰는 것이 아주 헤프게 쓴다는 뜻으로 쓰이지 않도록 물을 아껴 쓰자는 것이다. ( )

(2) 물을 쓰는 것이 물건을 아껴서 쓴다는 뜻으로 쓰이지 않도록 물을 여유롭게 쓰자는 것이다.

( )

14~15 다음 연설 내용을 읽고 물음에 답하시오.

오늘날 우리가 임시 정부를 위한 독립운동 단체를 조직하려면 준비할 것이 셀 수 없이 많습니다. 특히 사람이 많이 모이도록 힘써야 할 것이외다. 그러나 어려운 점이 있습니다. 누구나 자기가 한 가지 생각을 하면 다른 이의 생각을 무엇이든지 반대한다는 것입니다. 예를 들어 말하면 전쟁을 원하는 자가 대화를 원하는 자를 반대해 말하기를 "대화가 무엇이냐, 지금이 어느 때라고! 우리는 폭탄을 들고 나가야 한다."라고 떠듭니다. 또 대화를 원하는 자는 말하기를 "공연히 젊은 놈들이 애간장이 타서 당장 폭탄을 들고 나가면 우리 독립이 되는가?"라고 합니다. 우리가 서로 자기 생각만 옳은 줄 알고 그것만 해야 한다고 하는 것은 한 가지만 알고 두 가지는 모르는 까닭이외다.

「도산 안창호 선생의 연설」

14 파란색으로 쓰인 부분이 어떤 상황을 설명하는지 알맞게 쓴 것의 번호를 쓰시오.

❶ 사람들이 독립운동의 필요성을 잘 모르고 자기 이익에만 집중하고 있다는 것이다.

❷ 독립운동을 하려고 모인 사람들이 자신의 의견만을 주장해 하나의 의견으로 합하지 못하고 있다는 것이다.

( )

15 밑줄 그은 표현 가운데 '몹시 초조하고 안타까워서 속을 많이 태우다.'는 뜻을 가진 관용 표현을 찾아 기호를 쓰시오.

㉮ 애간장이 타다
㉯ 한 가지만 알고 두 가지는 모른다

( )

2
단원

16~18 다음 연설 내용을 읽고 물음에 답하시오.

오늘 이 자리에 모인 여러분, 우리는 이제부터 누구의 장단점을 말하지 말고 단결해 나갑시다. 모두 함께 독립운동을 할 배포를 기릅시다. 독립을 달성하려고 ㉠하루에도 열두 번 노력합시다. 독립운동가가 될 만한 여러분, 독립운동 단체를 조직할 준비를 할 날이 오늘이외다. 그런즉 나와 여러분은 독립운동 단체가 실현되도록 각각의 의견을 버리고 모두의 한 목표를 이루려고 민족적 정신으로 어금니를 악물고 나갑시다. 그래서 독립운동의 ㉡깃발 아래 우리의 뜻을 모아야 하겠습니다.

16 관용 표현 ㉠의 뜻은 무엇입니까? (   )

① 여유롭게   ② 매우 쉽게
③ 매우 자주   ④ 사람들의 눈에 띄게
⑤ 다른 사람을 배려하며

17 이 연설에 대해 더 알고 싶은 질문을 알맞게 만든 것을 찾아 ○표를 하시오.

(1) 연설을 듣는 사람의 마음은 어떠했을까요?
                                        (   )

(2) 듣는 사람은 목표를 이루기 위해 어떻게 해야 한다고 주장할까요?   (   )

18 다음은 ㉡의 뜻을 추론하는 과정 가운데 무엇인지 알맞은 것의 번호를 쓰시오.

표현 자체에 쓰인 낱말도 살펴볼까? '깃발'은 주로 집단이나 여러 사람의 맨 앞에서 드는 물건이야.

깃발에는 그 사람들이 속해 있는 단체 이름이나 자신들이 하고 싶은 주장을 적기도 하지.

❶ 글 앞뒤에 있는 내용을 살펴본다.
❷ 표현에 쓰인 낱말이 평소에 어떤 뜻으로 쓰이는지 생각해 본다.
❸ 그러한 표현을 쓴 의도를 생각해 본다.

                (   )

19~20 다음 그림을 보고 물음에 답하시오.

우리 반 친구들이 고운 말을 사용하면 좋겠습니다.

"가는 말이 고와야 오는 말이 곱다."라는 말이 있습니다. 내가 남에게 말이나 행동을 좋게 해야 남도 나에게 좋게 한다는 뜻입니다. 우리 반 친구들도 고운 말을 사용하면 좋겠습니다.

규영

고운

혜선

우리 반 친구들이 고운 말을 사용하면 좋겠습니다. 친구에게 나쁜 말을 했다가 자신도 나쁜 말을 들은 경험, 반대로 친구를 칭찬하고 자신도 칭찬을 들은 경험이 있을 것입니다. 가는 말이 고와야 오는 말이 곱습니다.

19 이 그림 속 친구들은 무엇에 대해 말하고 있습니까?
                                        (   )

① 공부를 열심히 하자.
② 몸을 깨끗하게 씻자.
③ 고운 말을 사용하자.
④ 다른 사람을 배려하자.
⑤ 친구끼리 사이좋게 지내자.

20 규영이, 고운이, 혜선이가 한 말에서 서로 다른 점은 무엇입니까? (   )

① 고운이는 외래어를 활용해 말했다.
② 규영이는 관용 표현을 활용하지 않았다.
③ 규영이는 속담을 활용해 의견을 말했다.
④ 혜선이는 관용 표현을 활용해 남을 돕고 살자는 의견을 말했다.
⑤ 고운이는 말을 끝낼 때 '가는 말이 고와야 오는 말이 곱다'를 활용해 말했다.

1~2 다음 그림을 보고 물음에 답하시오.

> 너희는 네 명이 함께 그리는데도 문제가 전혀 없네.
> 은수
> 너희는 역시 손발이 잘 맞아.
> 영철

1 은수와 영철이의 말 가운데에서 더 간단한 표현은 무엇인지 쓰시오.

• (   )의 말

2 1번 답의 말이 듣는 사람의 관심을 끌 수 있는 표현인 까닭은 무엇입니까? (   )

① 일반적인 설명이기 때문이다.
② 줄임 말을 사용했기 때문이다.
③ 어려운 낱말을 사용했기 때문이다.
④ 함축적인 의미가 담겨 있기 때문이다.
⑤ 모두가 이해하기 어려운 표현이기 때문이다.

3 밑줄 그은 '손발이 맞다'라는 표현의 뜻을 알맞게 찾아 ○표를 하시오.

⑴ 잘못이나 허물을 용서해 달라고 몹시 빌다.
(   )

⑵ 함께 일을 하는 데에 마음이나 의견, 행동 방식 따위가 서로 맞다.
(   )

4 다음 상황에서 활용할 수 있는 관용 표현은 무엇인지 보기 에서 찾아 기호를 쓰시오.

보기
㉠ 발이 넓다
㉡ 눈이 동그래지다

⑴ 아주 놀라서 눈을 크게 뜬 것을 말할 때
(   )

⑵ 다른 학교에도 아는 사람이 많은 친구를 소개할 때
(   )

5 관용 표현을 사용하면 좋은 점을 알맞게 말한 친구의 이름을 쓰시오.

> 원인과 결과가 잘 드러나게 말할 수 있어.
> 현욱
> 전하고 싶은 말을 자세히 설명할 수 있어.
> 수인
> 재미있는 표현이어서 듣는 사람의 관심을 불러일으킬 수 있어.
> 지민

(   )

6 관용 표현의 뜻을 알아보는 방법으로 알맞지 않은 것을 두 가지 고르시오. (,   )

① 사전에서 관용 표현의 뜻을 찾아본다.
② 관용 표현 뒤에 붙는 문장 부호를 살핀다.
③ 관용 표현에 쓰인 낱말의 수를 세어 본다.
④ 관용 표현이 활용된 앞뒤 내용을 살펴본다.
⑤ 관용 표현에 포함된 낱말의 뜻을 되짚어 본다.

7~8 다음 대화를 보고 물음에 답하시오.

지현: 안나야!

안나: 아이고, 깜짝이야! ㉠간 떨어질 뻔했잖니.

지현: 미안해. 문구점에 같이 가자! 내일 미술 시간에 필요한 준비물을 사야 하지? 일단 어떤 준비물이 있는지 확인해 보자. 난 색 도화지 두 장, 색종이 한 묶음, 딱풀을 사야겠다.

안나: 난 좀 넉넉하게 사야겠어. 색 도화지 열 장, 색종이 여덟 묶음, 딱풀이랑 물 풀이랑…….

지현: 너 정말 ㉡

7 ㉠은 어떤 상황에서 쓸 수 있는 관용 표현입니까?
( )

① 매우 놀랐을 때
② 매우 걱정이 될 때
③ 행복하고 편안한 기분이 들 때
④ 몸과 마음이 지치고 피곤할 때
⑤ 다른 사람에게 고마운 마음을 표현하고 싶을 때

8 ㉡에 들어갈 관용 표현과 그 뜻을 알맞게 설명한 것의 번호를 쓰시오.

❶ 일이 익숙해진다는 뜻의 '손에 익다'라는 관용 표현을 쓸 수 있다.

❷ 씀씀이가 후하고 크다는 뜻의 '손이 크다'라는 관용 표현을 쓸 수 있다.

❸ 일거리가 없어 쉬는 상태에 있다는 뜻의 '손이 나다'라는 관용 표현을 쓸 수 있다.

( )

9~10 다음 연설 내용을 읽고 물음에 답하시오.

자기 자신에게 자신감을 가집시다. 앞날에 대해 고민이 많고 꿈을 어떻게 이룰 것인지 걱정하고 계신가요? 만약 그렇다면 여러분은 꿈을 펼칠 준비가 된 것입니다. 꿈을 키워 나가는 일은 눈 깜짝할 사이에 이루어지지 않습니다. 저는 5학년 때까지 매우 허약한 체질이었지만, 경찰이 되려고 몇 년 동안 식습관을 바꾸고 체력을 길렀습니다. 당장은 실패하더라도 쉽게 포기하지 말고 꾸준히 노력해야 자신의 꿈을 찾을 수 있습니다. 그 과정에서 좌절하거나 힘들어하지 말고, 열심히 노력하는 자기 자신을 충분히 칭찬해 줍시다.

9 말하는 이가 경찰이 되기 위해 노력한 일은 무엇입니까? ( )

① 실제 경찰관을 만나 면담을 했다.
② 경찰에 관련된 책과 동영상을 보았다.
③ 허약한 체질을 고치기 위해 병원에 다녔다.
④ 몇 년 동안 식습관을 바꾸고 체력을 길렀다.
⑤ 직업 체험학습을 통해 경찰관이 되어 보았다.

10 밑줄 그은 표현의 뜻을 생각해 보고, 관용 표현을 알맞게 활용한 문장은 무엇입니까? ( )

눈 깜짝할 사이

① 개와 고양이는 눈 깜짝할 사이가 나쁘다.
② 친구와 다퉈서 눈 깜짝할 사이가 멀어졌다.
③ 동생이 아파서 눈 깜짝할 사이만큼 슬펐다.
④ 밥 한 공기를 눈 깜짝할 사이에 먹어 치웠다.
⑤ 나와 훈이는 어릴 적부터 눈 깜짝할 사이로 매우 친하다.

11~12 다음 연설을 읽고 물음에 답하시오.

구체적인 목표를 세웁시다. 여러분이 꿈을 결정한 뒤 구체적인 목표가 없다면 꿈을 이루려는 노력에 금이 가기 쉽습니다. 저는 경찰이 되려고 '하루 30분 운동, 한 분야 공부'처럼 쉬운 목표부터 시작해 운동하고 공부하는 시간과 양을 조금씩 늘려 나갔습니다. 초등학생 때 할 일, 중학생 때 할 일, 그리고 고등학생 때 할 일을 나누어 정하거나, 단계적으로 실천할 행동 목표를 정한다면 언젠가는 꿈꾸던 인생의 막을 열 수 있을 것입니다.

여러분, "쇠뿔도 단김에 빼라."라는 말이 있습니다. 지금부터 제 조언을 벗 삼아 꿈을 찾아 떠나는 노력을 시작하시기 바랍니다. 자신만의 멋진 꿈을 향해 달려 가는 후배들을 저도 응원하겠습니다.

11 이 연설에 쓰인 관용 표현과 그 뜻을 알맞게 선으로 이으시오.

(1) 금이 가다 ・ ・㉠ 한창 열이 올랐을 때 망설이지 말고 곧 행동으로 옮겨야 한다.

(2) 막을 열다 ・ ・㉡ 무대의 공연이나 어떤 행사를 시작하다.

(3) 쇠뿔도 단김에 빼라 ・ ・㉢ 서로의 사이가 벌어지거나 틀어지다.

🖋 서술형

12 말하는 사람이 밑줄 그은 것과 같은 관용 표현을 사용해 이야기를 한 까닭은 무엇일지 쓰시오.

_____

_____

13~15 다음 광고를 보고 물음에 답하시오.

13 광고의 그림은 어떤 내용인지 쓰시오.

_____

_____

14 이 광고에서 말하는 내용에 맞게 괄호 안의 알맞은 말을 찾아 ○표를 하시오.

• 물을 쓰는 것이 아주 (1) (헤프게 , 인색하게) 쓴다는 뜻으로 쓰이지 않도록 물을 (2) (아껴 쓰자 , 많이 쓰자).

15 이 광고에서 관용 표현을 활용한 까닭으로 알맞은 것은 무엇입니까? (   )

① 사람들을 지루하게 하기 위해서
② 깨끗한 물을 먹자고 설득하기 위해서
③ 물을 아껴 쓰는 사람을 칭찬하기 위해서
④ 자연을 보호하자는 의견을 전하기 위해서
⑤ 우리가 평소에 물을 헤프게 쓴다는 것을 강조하기 위해서

다음 연설 내용을 읽고 물음에 답하시오.

삼일 운동의 결과 국내외에 흩어져 있던 독립운동가들은 하나의 정부가 필요하다는 뜻을 함께해 대한민국 임시 정부를 세웠다. 그러나 시간이 갈수록 임시 정부는 경제적으로 어려워졌고 독립운동가들 사이에서는 이를 어떻게 극복할지의 문제로 의견 대립이 커졌다. 「도산 안창호 선생의 연설」은 안창호 선생이 임시 정부를 유지하는 방법을 주장한 연설의 일부이다.

오늘날 우리가 임시 정부를 위한 독립운동 단체를 조직하려면 준비할 것이 셀 수 없이 많습니다. 특히 사람이 많이 모이도록 힘써야 할 것이외다. 그러나 어려운 점이 있습니다. 누구나 자기가 한 가지 생각을 하면 다른 이의 생각을 무엇이든지 반대한다는 것입니다. 예를 들어 말하면 전쟁을 원하는 자가 대화를 원하는 자를 반대해 말하기를 "대화가 무엇이냐, 지금이 어느 때라고! 우리는 폭탄을 들고 나가야 한다."라고 떠듭니다. 또 대화를 원하는 자는 말하기를 "공연히 젊은 놈들이 애간장이 타서 당장 폭탄을 들고 나가면 우리 독립이 되는가?"라고 말합니다. 우리가 서로 자기 생각만 옳은 줄 알고 그것만 해야 한다고 하는 것은 ㉠한 가지만 알고 두 가지는 모르는 까닭이외다.

그러므로 ……

오늘 이 자리에 모인 여러분, 우리는 이제부터 누구의 장단점을 말하지 말고 단결해 나갑시다. 모두 함께 독립운동을 할 배포를 기릅시다. 독립을 달성하려고 하루에도 열두 번 노력합시다. 독립운동가가 될 만한 여러분, 독립운동 단체를 조직할 준비를 할 날이 오늘이외다. 그런즉 나와 여러분은 독립운동 단체가 실현되도록 각각의 의견을 버리고 모두의 한 목표를 이루려고 민족적 정신으로 어금니를 악물고 나갑시다. 그래서 독립운동의 ㉡깃발 아래 우리의 뜻을 모아야 하겠습니다.

16 도산 안창호 선생을 비롯한 사람들이 조직하려는 것은 무엇입니까? (　　　)

① 대학교
② 초등학교
③ 독립운동 단체
④ 돈을 모금하는 기관
⑤ 군사를 훈련하는 기관

17 다음을 참고하여 ㉠의 뜻을 추론해 쓰시오.

 표현 자체에 쓰인 낱말도 살펴볼까? '한 가지'와 '두 가지는' 무엇을 의미할까?

 '한 가지만 알고'는 자기 생각만 고집한다는 뜻 같아.

2 단원

18 ㉡은 무슨 뜻으로 활용했습니까? (　　　)

① 힘을 내자.
② 대화를 하자.
③ 준비를 하자.
④ 의견을 갖자.
⑤ 하나의 목표를 품자.

19 도산 안창호 선생이 이와 같은 연설을 한 의도는 무엇이겠습니까? (　　　)

① 외국에 도움을 요청하기 위해서
② 자신의 훌륭한 점을 드러내기 위해서
③ 자신이 민족의 지도자가 되기 위해서
④ 사람들의 좋은 점을 칭찬하기 위해서
⑤ 사람들의 마음을 하나로 모으기 위해서

20 다음과 같이 말을 끝낼 때 관용 표현을 활용하면 어떤 효과를 얻을 수 있을지 쓰시오.

우리 반 친구들이 고운 말을 사용하면 좋겠습니다. 친구에게 나쁜 말을 했다가 자신도 나쁜 말을 들은 경험, 반대로 친구를 칭찬하고 자신도 칭찬을 들은 경험이 있을 것입니다. 가는 말이 고와야 오는 말이 곱습니다.

국어 84~111쪽

1~3

눈이 번쩍 뜨인다!

㈎ 남자아이: 정민아, 내일이 벌써 개학이야. 정말 시간이 빠르지 않니?

정민: 내일이 개학이라고? ㉠눈이 번쩍 뜨인다! 해야 할 일이 아직 도 많은데 큰일이네.

㈏ 남자아이: 소진아, 제주도에 다녀왔다며? 재미있었어?

소진: 제주도에 다녀온 것 말이야? 아까 민진이에게만 말했는데 넌 어떻게 알았어? 정말 ___㉡___

도움말

☆ 관용 표현을 활용한 대화와 활용하지 않은 대화를 비교하고 관용 표현의 정의와 관용 표현을 활용하면 좋은 점을 아는 것이 목적입니다.

1 ㉠은 어떤 뜻으로 쓰인 관용 표현인지 쓰시오.

_____

_____

1 관용 표현은 오랫동안 사람들이 습관적으로 사용하면서 새로운 뜻으로 바뀐 표현입니다.

2 ㉠은 어떤 상황에서 활용할 수 있을지 쓰시오.

_____

_____

2 정신이 갑자기 드는 상황에는 어떤 것들이 있는지 생각해 봅니다.

3 ㉡ 안에 들어갈 관용 표현은 무엇일지 쓰시오.

_____

_____

3 정민이는 말이 빨리 퍼지는 상황에 놀라고 있습니다.

4 은수와 영철이 가운데에서 듣는 사람의 관심을 끌 수 있는 표현은 누구의 말입니까? 그렇게 생각한 까닭은 무엇인지 쓰시오.

_____

_____

4 은수는 관용 표현을 활용하지 않고 말했고, 영철이는 관용 표현을 활용해 말했습니다.

5 밑줄 그은 '손발이 맞다'라는 표현의 뜻은 무엇일지 쓰시오.

_____

_____

5 이 그림의 상황을 보고 어떤 뜻으로 쓰인 관용 표현일지 짐작해 봅니다.

6 관용 표현을 사용하면 좋은 점을 쓰시오.

_____

_____

6 관용 표현을 활용하면 전하고 싶은 내용을 간단한 말로 표현할 수 있습니다.

(가) 안녕하십니까? 저는 내일초등학교 2000년도 졸업생 김영선입니다. 저는 지금 3년째 경찰로 일하고 있습니다. 초등학교 6학년 때부터 경찰이 되고 싶다는 꿈을 꾸었고 결국 그 꿈을 이루었습니다. 오늘 저는 여러분께 꿈을 펼치는 몇 가지 방법을 말씀드리려고 이 자리에 섰습니다.

(나) 첫째, 자신의 진짜 꿈을 찾으려고 노력합시다. 한때 의사를 주인공으로 한 드라마가 큰 인기를 얻자, 분위기에 휩쓸려 자신의 진로를 의사로 결정하는 사람이 많았습니다. 하지만 시간이 지나자 대부분은 자신이 정말 하고 싶은 일은 따로 있다는 사실을 깨닫고 후회했습니다.

(다) 둘째, 자기 자신에게 자신감을 가집시다. 앞날에 대해 고민이 많고 꿈을 어떻게 이룰 것인지 걱정하고 계신가요? 만약 그렇다면 여러분은 꿈을 펼칠 준비가 된 것입니다. 새로운 꿈을 키워 나가는 일은 눈 깜짝할 사이에 이루어지지 않습니다. 저는 5학년 때까지 매우 허약한 체질이었지만, 경찰이 되려고 몇 년 동안 식습관을 바꾸고 체력을 길렀습니다. 당장은 실패하더라도 쉽게 포기하지 말고 꾸준히 노력해야 자신의 꿈을 찾을 수 있습니다. 그 과정에서 좌절하거나 힘들어하지 말고, 열심히 노력하는 자기 자신을 충분히 칭찬해 줍시다.

　셋째, 구체적인 목표를 세웁시다. 여러분이 꿈을 결정한 뒤 구체적인 목표가 없다면 꿈을 이루려는 노력에 금이 가기 쉽습니다.

도움말

　☆ 여러 가지 관용 표현의 뜻을 알고 관용 표현을 적절하게 사용하는 것이 목적입니다.

7 말하는 목적을 생각하며 다음 내용에 맞는 질문을 만들어 쓰시오.

(1) 이야기의 내용을 묻는 질문	
(2) 꿈과 관련한 생각이나 느낌을 묻는 질문	

7 글쓴이는 이 글을 통해 꿈을 펼치는 여러 가지 방법을 알리고 있습니다.

8 말하기에 활용된 관용 표현의 뜻을 알맞게 쓰시오.

(1) 눈 깜짝할 사이	
(2) 금이 가다	

8 이 글에는 '눈 깜짝할 사이'와 '금이 가다'라는 관용 표현이 쓰였습니다.

오늘날 우리가 임시 정부를 위한 독립운동 단체를 조직하려면 준비할 것이 셀 수 없이 많습니다. 특히 사람이 많이 모이도록 힘써야 할 것이외다. 그러나 어려운 점이 있습니다. 누구나 자기가 한 가지 생각을 하면 다른 이의 생각을 무엇이든지 반대한다는 것입니다. 예를 들어 말하면 전쟁을 원하는 자가 대화를 원하는 자를 반대해 말하기를 "대화가 무엇이냐, 지금이 어느 때라고! 우리는 폭탄을 들고 나가야 한다."라고 떠듭니다. 또 대화를 원하는 자는 말하기를 "공연히 젊은 놈들이 애간장이 타서 당장 폭탄을 들고 나가면 우리 독립이 되는가?"라고 말합니다. 우리가 서로 자기 생각만 옳은 줄 알고 그것만 해야 한다고 하는 것은 한 가지만 알고 두 가지는 모르는 까닭이외다.

> 그러므로 ……

오늘 이 자리에 모인 여러분, 우리는 이제부터 누구의 장단점을 말하지 말고 단결해 나갑시다. 모두 함께 독립운동을 할 배포를 기릅시다. 독립을 달성하려고 하루에도 열두 번 노력합시다. 독립운동가가 될 만한 여러분, 독립운동 단체를 조직할 준비를 할 날이 오늘이외다. 그런즉 나와 여러분은 독립운동 단체가 실현되도록 각각의 의견을 버리고 모두의 한 목표를 이루려고 민족적 정신으로 어금니를 악물고 나갑시다. 그래서 독립운동의 깃발 아래 우리의 뜻을 모아야 하겠습니다.

도움말

✧ 이야기를 듣고 말하는 사람의 의도를 파악하는 것이 목적입니다.

2
단원

이 글은 「도산 안창호 선생의 연설」입니다. 안창호 선생은 임시 정부를 유지하는 방법을 주장하고 있습니다.

도산 안창호: 조선 말기와 일제 강점기에 활동한 독립운동가이자 교육자.

9 연설 내용을 정리하며 생략된 부분에 어떤 내용이 들어가야 할지 쓰시오.

독립운동을 하려고 모인 사람들의 의견이 달라서 서로 다른 사람의 생각을 반대한다. ➡ ☐ ➡ 열심히 노력해 독립운동의 깃발 아래 뜻을 모으자.

9 연설 내용을 정리하며 생략된 부분에 어떤 내용이 들어가야 할지 생각해 봅니다.

10 밑줄 그은 관용 표현의 뜻을 쓰고, 바꾸어 쓸 수 있는 관용 표현을 쓰시오.

애간장이 타다

(1) 관용 표현의 뜻	
(2) 바꾸어 쓸 수 있는 관용 표현	

10 안창호 선생의 말뜻에 어울리는 관용 표현을 생각해 봅니다.

단원 요점 정리 3. 타당한 근거로 글을 써요

학습목표
타당한 근거와 알맞은 자료를 활용해 논설문을 써 봅시다.

국어 112~143쪽

핵심 1 글을 읽고 주장 찾기

• 글을 읽고 주장하는 내용을 찾아봅니다.
• 평소에 "그냥."이라고 대답했던 질문에 나만의 대답을 생각해 봅니다. →"왜?" 질문하기 놀이를 해 봅시다.

핵심 2 주장에 대한 근거가 적절한지 판단하며 글 읽기

• 근거가 주장과 관련 있는지 판단해 봅니다.
• 근거가 주장을 뒷받침하는지 판단해 봅니다.
• 근거를 뒷받침하는 자료가 적절한지 판단해 봅니다.

> **자료의 적절성을 판단하는 방법**
>
> • 자료가 근거의 내용과 관련 있는지 살펴봅니다.
> • 출처를 보고 믿을 수 있는 자료인지 살펴봅니다.
> • 수를 제시할 때에는 정확한 숫자를 사용했는지 살펴봅니다.
> • 최신 자료를 사용했는지 살펴봅니다.
> • 자료의 출처가 분명한지 확인합니다.

핵심 3 논설문을 쓸 때 알맞은 자료를 활용하는 방법 알기

• 논설문을 쓰려고 생각한 근거를 보고 주장이 무엇인지 찾아봅니다.
• 주장과 근거를 뒷받침할 수 있는 자료를 수집할 계획을 세웁니다.
  – 자료 수집 계획을 세우면 어떤 자료가 필요한지 미리 생각할 수 있습니다.
  – 자료 내용을 보고 조사 방법을 미리 생각할 수 있습니다. └•설문 조사 하기, 면담하기, 인터넷 검색하기, 책이나 신문에서 찾기
  – 다양한 종류의 자료를 수집하는 데 도움이 됩니다. └•기사문, 사진, 그림, 표, 동영상, 지도, 전문가의 말이나 글
• 수집한 자료를 ★자료 수집 카드로 정리합니다.
• 수집한 자료가 내용을 뒷받침하고 믿을 만한지 평가합니다. └•출처를 살펴보고 전문가의 의견인지, 객관적인 자료인지, 최신 자료인지 살펴봅니다.

> **근거에 알맞은 자료를 활용할 때 좋은 점**
>
> • 설득력이 높아집니다.
> • 글의 타당성이 생깁니다.

핵심 4 상황에 알맞은 자료를 활용해 논설문 쓰기

• 자료 수집 계획을 세워 봅니다.
• 다양한 방법으로 자료를 수집해 봅니다.
• 수집한 자료를 바탕으로 논설문을 써 봅니다.

제목	주장이 드러나도록 제목을 붙인다. 읽는 사람의 흥미를 불러일으키면 좋다.
서론	문제 상황이나 주장의 동기, 자신의 주장을 쓴다. 흥미를 끄는 질문으로 시작해도 좋다.
본론	주장을 뒷받침하는 근거 두세 가지를 제시한다. 구체적이고 사실적인 자료를 활용한다.
결론	본론을 요약하고 주장을 다시 한번 강조한다. 주장을 실천했을 때 나타날 긍정적 모습을 써도 좋다.

• 자신이 쓴 글을 스스로 평가해 보고 고쳐 씁니다.

> **논설문을 쓰는 차례**
>
> ❶ 문제 상황을 생각하며 주장 정하기 ➡ ❷ 근거 생각하기 ➡ ❸ 계획을 세워 자료 수집하기 ➡ ❹ 논설문 쓰기 ➡ ❺ 고쳐쓰기 ➡ ❻ 글 발표하기

> **자료를 수집할 때 고려할 점**
>
> • 되도록 다양한 종류의 자료를 활용할 수 있도록 합니다. 믿을 수 있는 자료를 활용하도록 합니다.
> • 게시할 곳의 특성을 고려해야 합니다.

핵심 5 더 좋은 우리 동네를 만들기 위한 논설문 쓰기

• 더 좋은 동네를 만들기 위해 우리가 실천할 수 있는 일을 찾아 논설문 쓸 준비를 해 봅니다.
  – 우리 동네의 문제 상황을 생각하며 자신의 주장을 정해 보고 적절한 근거를 생각해 봅니다.
• 계획을 바탕으로 하여 '더 좋은 우리 동네 만들기' 공모에 참여할 논설문을 써 봅니다.
• 심사 위원이 되어 글을 읽고 평가해 봅니다.

⚙ 「'그냥'이 아니라 '왜'」를 읽고 주장 찾기

글쓴이의 주장	습관적으로 살지 말고 자기 안에 물음표를 가지고 살자. '그냥'이라고 생각하지 말고 '왜' 또는 '어떻게'를 생각하자.
활용한 자료	긴 수염 할아버지 이야기

⚙ 「공정 무역 제품을 사용합시다」를 논설문의 짜임에 맞게 정리하기

서론	우리나라에도 공정 무역 도시가 생기는 변화에 동참해 우리도 공정 무역 제품을 사용하자.
본론	생산자에게 돌아갈 정당한 이익을 지켜 준다.
	아이들을 위험에서 보호할 수 있다.
	자연을 보호하고 생산자의 건강을 지키는 방법이 된다.
	공정 무역 인증 표시는 국제기구가 생산지에서 공정 무역의 주요 원칙이 잘 지켜졌는지를 점검한 물건들에 붙일 수 있다.
결론	우리가 공정 무역에 관심을 기울이고 공정 무역 제품을 사용하자.

낱말 사전

★ 자료 수집 카드 '자료 번호, 자료 내용, 자료 종류, 자료 출처, 자료가 알려 주는 것'으로 구성되어 있다.

개념을 확인해요

3 단원

1 주장에 대한 근거가 적절한지 판단하려면 근거가 주장과 ☐☐ 있는지 판단해 봅니다.

2 주장에 대한 근거가 적절한지 판단하려면 ☐☐가 주장을 뒷받침하는지 판단해 봅니다.

3 주장에 대한 근거가 적절한지 판단하려면 근거를 뒷받침하는 ☐☐가 적절한지 판단해 봅니다.

4 논설문을 쓰기 위해 ☐☐ 수집 계획을 세우면 어떤 자료가 필요한지 미리 생각할 수 있습니다.

5 ☐☐ 수집 계획을 세우면 어떤 자료가 필요한지 미리 생각할 수 있습니다.

6 근거에 알맞은 자료를 활용하면 ☐☐☐이 높아집니다.

7 근거에 알맞은 자료를 활용하면 글의 ☐☐☐이 생깁니다.

8 논설문을 쓸 때는 가장 먼저 ☐☐☐☐을 생각하며 주장을 정합니다.

9 자료를 수집할 때에는 되도록 ☐☐☐ 종류의 자료를 활용할 수 있도록 합니다.

10 자료를 수집할 때에는 ☐☐할 곳의 특성을 고려해야 합니다.

1. 논설문에서 주장에 대한 근거의 적절성을 파악하는 방법을 알아봅니다.

핵심 2

1 주장에 대한 근거가 적절한지 판단하며 글을 읽는 방법으로 알맞은 것을 두 가지 고르시오. (,   )

① 근거가 새로운 내용인지 판단한다.
② 근거가 재미있는 내용인지 판단한다.
③ 근거가 주장과 관련 있는지 판단한다.
④ 근거가 다른 근거를 뒷받침하는지 판단한다.
⑤ 근거를 뒷받침하는 자료가 적절한지 판단한다.

2. 근거를 뒷받침하는 자료의 종류에는 기사문, 사진, 그림, 표, 동영상, 지도, 전문가의 말 등이 있습니다.

핵심 2

2 자료의 적절성을 판단하는 방법에 맞게 다음 빈 곳에 들어갈 말을 **보기** 에서 찾아 쓰시오.

> **보기**
>
> 근거   출처   정확한 숫자   최신

(1) (   ) 자료를 사용해야 한다.
(2) 자료가 (   )의 내용과 관련 있어야 한다.
(3) 수를 제시할 때에는 (   )을/를 사용해야 한다.
(4) 자료의 (   )가 분명한지 확인한다.

3. 제시된 근거들은 숲을 보호해야 하는 이유를 나타내고 있습니다.

핵심 2

3 논설문을 쓰려고 생각한 다음 근거를 보고 알맞은 주장을 찾아 ○표를 하시오.

> ❶ 숲은 미세 먼지를 잡아 주어 공기를 깨끗하게 해 준다.
> ❷ 숲은 홍수와 산사태를 막아 준다.
> ❸ 숲은 지구 온난화를 막아 준다.
> ❹ 숲은 소중한 자원을 제공해 준다.

(1) 숲을 보호하자.   (
(2) 자원을 효율적으로 활용하자.   (

핵심 2

4 근거에 알맞은 자료를 활용할 때 좋은 점을 두 가지 고르시오.

(,)

① 설득력이 높아진다.
② 글의 타당성이 생긴다.
③ 자신의 주장을 감출 수 있다.
④ 읽는 이에게 재미와 감동을 줄 수 있다.
⑤ 읽는 이에게 자신의 주장을 강요할 수 있다.

핵심 3

5 수집한 자료를 바탕으로 논설문을 쓸 때 '서론' 부분에 들어갈 내용으로 알맞은 것을 찾아 기호를 쓰시오.

> ㉠ 본론을 요약하고 주장을 다시 한번 강조한다.
> ㉡ 주장을 뒷받침하는 근거 두세 가지를 제시한다.
> ㉢ 문제 상황이나 주장의 동기, 자신의 주장을 쓴다.

( )

핵심 3

6 자료를 수집할 때 고려할 점을 알맞게 말한 것은 무엇입니까? ( )

① 게시할 곳의 특성을 고려해야 해.
② 그림이나 사진 자료는 수집하지 않아.
③ 되도록 한 가지 종류의 자료만 활용해야 해.
④ 친구들의 말이나 상상하여 쓴 내용도 자료로 수집해.
⑤ 믿을 수 없는 자료라도 재미를 줄 수 있는 내용이면 수집해.

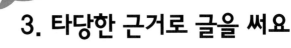
1~5 다음 글을 읽고 물음에 답하시오.

(가) 할아버지를 생각하면 긴 수염이 떠오르기도 하지? 정말 그렇게 수염을 길게 그린 할아버지 한 분이 마을 길을 걸어가고 있었단다. 그때 한 어린아이가 할아버지에게 다가왔어. 아이는 할아버지 가슴팍까지 내려온 하얗고 긴 수염을 신기한 눈으로 바라보았대. 그러고는 이렇게 물었지.
"할아버지! 할아버지는 주무실 때 그 수염을 이불 안에 넣나요, 아니면 꺼내 놓나요?"
할아버지는 "예끼! 이 버릇없는 놈."하고 소리치려다가 문득 자기도 궁금해졌단다. 왜냐하면 수염을 기른 채 몇십 년 동안이나 살아왔지만, 그때까지 한 번도 그런 궁금증을 지녀 본 적이 없었거든.
'허허, 그러고 보니 내가 정말 수염을 꺼내 놓고 잤나, 넣고 잤나?'

(나) 재미있는 이야기라고 웃어넘길 일이 아니야. 가만히 생각해 보렴, 혹시 너에게도 그런 수염이 있는지 말이야. 아이들한테 무슨 수염이 있냐고? 아니야, 그렇지 않아. 너도 누가 질문을 할 때 가끔 '그냥'이라고 대답한 적이 있을 거야. 바로 그 '그냥'이라는 말이 너의 수염이란다.

(다) '그냥 수염'을 달고 있는 사람은 어느 날 누가 "왜?" 또는 "어떻게?" 하고 물으면 아무 대답도 하지 못해. 아무리 자기가 한 일을 뒤돌아보고 생각해 내려고 애써도 지나온 날들은 이미 멀리 사라져 버려서 흔적조차 찾을 길이 없기 때문이지. 어느 날엔가 너한테도 누군가가 물어 올지 몰라. 그때를 위해서라도 '그냥'이라는 대답이 아닌 무언가를 준비해야겠지?

「'그냥'이 아니라 '왜'」, 이어령

1 아이가 할아버지께 여쭈어 본 것은 무엇입니까?
( )
① 무엇을 가장 잘하는지
② 왜 수염을 기르고 있는지
③ 왜 열심히 일하고 있는지
④ 왜 가족과 함께 살지 않는지
⑤ 잘 때 수염을 이불 안에 넣는지, 아니면 꺼내 놓는지

2 아이가 한 질문에 할아버지는 왜 바로 대답하지 못했습니까? ( )
① 수염을 길러본 적이 없어서
② 아이가 괘씸하게 생각되어서
③ 어린 아이와 말을 해 본 적이 없어서
④ 항상 수염을 이불 밖에 꺼내 놓고 자서
⑤ 한 번도 그런 궁금증을 지내본 적이 없어서

3 우리에게 있는 '수염'은 무엇이라고 했습니까? 빈칸에 들어갈 말을 보기 에서 찾아 쓰시오.

보기
왜   그냥   어떻게

누가 질문을 할 때 깊은 생각 없이 □□□ 이라고 대답하는 것이다.

( )

서술형

4 글쓴이가 글 (가)와 같은 이야기를 자료로 활용한 까닭은 무엇일지 쓰시오.

_____

_____

5 이 글에서 알 수 있는 글쓴이의 주장을 찾아 ○표를 하시오.
(1) 자신의 생각만 고집하지 말자. ( )
(2) 웃어른께 예의 바르게 행동하자. ( )
(3) '그냥'이라고 생각하지 말고 '왜' 또는 '어떻게'를 생각하자. ( )

6~8 다음 글을 읽고 물음에 답하시오.

'공정 무역 도시', '공정 무역 커피' 이런 말을 들어 본 적이 있나요? 2017년에 ○○광역시가 국내 최초로 '공정 무역 도시'로 공식 인정을 받았다는 신문 기사를 접할 수 있었습니다. 공정 무역이란 생산자의 노동에 정당한 대가를 지불해 생산자가 경제적 자립과 발전을 하도록 돕는 무역입니다. ○○광역시는 공정 무역 상품을 사용하고 공정 무역을 확산시키려는 활동을 지원해 실질적인 변화를 만들어 내는 도시가 되었습니다. 우리도 공정 무역 제품을 사용해 이러한 변화에 동참해야 합니다.

「공정 무역 제품을 사용합시다」

6 공정 무역에 대해 알맞게 말한 것의 기호를 쓰시오.

> ㉮ 생산자의 노동에 정당한 대가를 지불해 생산자가 경제적 자립과 발전을 하도록 돕는 무역이야.
> ㉯ 여러 생산자를 경쟁시켜 가장 낮은 가격으로 원료를 매입한 후 소비자에게 합리적인 가격으로 제품을 제공하는 무역이야.

( )

7 ○○광역시가 공정 무역 도시로 공식 인정을 받은 까닭을 두 가지 고르시오. (,)

① 소비자의 이익을 보장해서
② 공정 무역 상품을 사용해서
③ 기업을 위한 경제 정책을 추진해서
④ 경제 활동에 대한 세금을 받지 않아서
⑤ 공정 무역을 확산하려는 활동을 지원해서

서술형

8 이 글은 논설문의 서론 부분입니다. 내용을 알맞게 정리해 쓰시오.

_____

_____

9~10 다음 글을 읽고 물음에 답하시오.

자연을 보호하고 생산자의 건강을 지키는 방법이 됩니다. 공정 무역에서는 지구 환경을 보호하는 친환경 농사법을 권장합니다. 일반적으로 카카오나 바나나, 목화 같은 것은 재배할 때 많은 양을 싸고 빠르게 수확하려고 농약과 화학 비료를 사용합니다. 생산지에서는 농약 회사에서 권장하는 장갑과 마스크를 살 여유가 없기 때문에 해마다 가난한 나라의 농민 2만 명 이상이 작물 재배용 농약에 노출되어 여러 가지 질병을 앓고 있습니다. 『인간의 얼굴을 한 시장 경제, 공정 무역』이라는 책에 따르면 바나나를 재배하는 대부분의 대농장은 원가를 절감하느라 위험한 농약을 대량으로 살포합니다. 대농장 가까이에 사는 노동자들의 음식과 식수는 이 독극물로 오염됩니다. 한 코스타리카 농장을 대상으로 한 연구에서 남성 노동자 가운데 20퍼센트가 그런 화학 물질을 다룬 뒤 불임이 되었다고 합니다. 또 바나나를 채취해서 나르는 여성 노동자들은 백혈병에 걸릴 확률이 평균 발생률보다 두 배나 높게 나타난다고 합니다. 하지만 공정 무역은 농민들이 농약과 화학 비료를 적게 쓰고 유기농으로 농사를 짓게 하여 이러한 문제를 해결하려고 노력하고 있습니다.

9 공정 무역을 하는 농민들은 유기농으로 농사를 지어 어떤 문제를 해결하려고 합니까? ( )

① 남녀 차별
② 교육 격차
③ 생산 과잉
④ 빈부의 격차
⑤ 농약으로 인한 질병

10 이 글에 나타난 근거를 뒷받침하려고 어떤 자료를 활용했습니까? ( )

① 공정 무역 인증 표시 그림
② 바나나 재배에 대한 신문 기사
③ 친환경 농사법에 대한 전문가의 의견
④ 친환경 농사법으로 농사를 짓는 동영상
⑤ 『인간의 얼굴을 한 시장 경제, 공정 무역』이라는 책

11~15 다음 자료를 보고 물음에 답하시오.

자료 1

내용	종류
○○신문 20○○년 ○○월 ○○일	㉠
이산화 탄소 먹는 하마는 상수리나무	**출처**
국립산림과학원의 연구 결과 우리나라의 가정이나 기업에서 1인당 평생 배출하는 이산화 탄소는 약 12.7톤이다. 개인이 배출한 이산화 탄소를 흡수하려면 평생 나무를 심어야 할지도 모른다. 이산화 탄소를 특히 잘 흡수하는 것은 상수리나무이다.	『○○ 신문』 20○○. ○○. ○○.
	알려 주는 것
많은 양의 이산화 탄소를 흡수하고 지구 온난화 예방에도 큰 역할을 하는 나무 심기에 관심을 가지자. (◇◇◇ 기자)	나무를 심으면 나무가 이산화 탄소를 흡수해 _____ ㉡

11 ㉠ 안에 들어갈 이 자료의 종류는 무엇입니까?

( )

① 사진   ② 그림
③ 영상   ④ 기사문
⑤ 전문가의 말

주의

12 이 자료는 어떤 근거를 뒷받침하고 있습니까?

( )

① 숲은 홍수를 막아 준다.
② 숲은 미세 먼지를 잡아 준다.
③ 숲은 지구 온난화를 막아 준다.
④ 숲은 소중한 자원을 제공해 준다.
⑤ 숲은 아름다운 자연 경관을 제공한다.

13 ㉡ 안에 들어갈 내용은 무엇입니까? ( )

① 새로운 가스를 배출시킨다.
② 이산화 탄소 흡수를 방해한다.
③ 나무 심기 관심을 가져야 한다.
④ 소나무를 심는 데 보탬이 된다.
⑤ 지구 온난화 예방에 도움이 된다.

중요

14 자료를 이와 같은 자료 수집 카드로 정리하면 좋은 점은 무엇입니까? ( )

① 자료를 한눈에 알아보기 어렵다.
② 자료의 적절성을 판단하기 좋다.
③ 올바른 절차를 거치지 않아도 된다.
④ 다른 사람의 저작물을 그냥 써도 된다.
⑤ 출처가 없어서 자료의 정확성에 대한 책임에서 벗어날 수 있다.

15 자료가 근거를 뒷받침하는지 평가하려면 무엇을 살펴봐야 할지 모두 고르시오. ( )

① 믿을 만한 자료인지 살펴본다.
② 근거를 뒷받침하는지 살펴본다.
③ 근거와 관련 있는 내용인지 살펴본다.
④ 사진이나 그림이 여러 장인지 살펴본다.
⑤ 읽는 이에게 재미를 줄 수 있는지 살펴본다.

16~20 다음 대화방을 보고 물음에 답하시오.

소희네 가족 단체 대화방

엄마: 오늘은 다들 얼굴 볼 시간도 없이 바쁘구나, 오늘 저녁은 외식하려고 하는데 먹고 싶은 거 있니?

나(소희): 짜장면요.

엄마: 이웃집 아주머니가 △△식당의 짜장면이 맛있다고 추천하던데 거기 갈래?

오빠: 에이, 거기 식당 사장님은 불친절하고 음식 맛도 이상하대요.

나: 그래? 어떻게 알았어?

오빠: 누리 소통망에서 그 가게를 이용한 손님이 쓴 글을 읽었지.

아빠: 음식점을 직접 이용한 손님이 쓴 정보를 쉽게 얻을 수 있으니 참 편하구나.

엄마: 이상하네. 그 식당은 깨끗하고 사장님도 친절하다고 동네에서 칭찬이 자자하던데.

나: 정말요? 누구 말을 믿어야 하지요?

16 소희네 가족이 단체 대화방에서 저녁 먹을 곳을 정하는 까닭은 무엇입니까? (   )

① 항상 같은 곳에 모여 있어서
② 한 곳에 모여 의논하기 어려워서
③ 가족들이 한집에 모여 살지 않아서
④ 진지한 이야기를 하기 좋은 수단이어서
⑤ 단체 대화방을 이용하는 것이 재미있어서

17 소희 엄마와 소희 오빠 가운데 △△식당에 대해 좋지 않은 생각을 가진 사람은 누구인지 쓰시오.

(   )

3단원

⚠ 주의

18 소희 오빠는 무엇을 통해 △△식당에 대한 정보를 얻었습니까? (   )

① 직접 식당을 방문한 경험
② 텔레비전 프로그램의 정보
③ 누리 소통망에 쓴 손님의 글
④ 식당을 방문한 친구의 이야기
⑤ △△식당에서 일하는 지인의 말

✍ 서술형

19 소희가 △△식당에 대해 누구 말을 믿어야할지 고민한 까닭은 무엇일지 쓰시오.

_____

_____

😀 응용

20 소희네 가족의 단체 대화방의 대화 내용을 통해 알수 있는 누리 소통망의 장점은 무엇입니까?

(   )

① 직접 얼굴을 보며 대화할 수 있다.
② 개인 정보가 쉽게 유출되지 않는다.
③ 잘못된 정보를 쉽게 걸러낼 수 있다.
④ 많은 사람에게 정보를 전달하기 힘들다.
⑤ 다른 사람이 쓴 정보를 쉽게 접할 수 있다.

국어 112~143쪽

1~2 다음 글을 읽고 물음에 답하시오.

새들이 어떻게 짝을 지어 날아가고, 구름이 어떻게 모였다가 흩어지는지 몇 번이나 눈여겨보았니? 자신에게 또는 남들에게 궁금한 일을 몇 번이나 질문해 보았니? 남들이 하니까 그냥 따라 하고, 어른들이 시키니까 그냥 했던 일은 없었니?

자기 안에 물음표가 없어서 아무것도 묻지 못하는 사람은 건전지를 넣고 단추를 누르면 그냥 북을 쳐 대는 곰 인형과 별로 다를 것이 없어. 아무 생각 없이 모든 순간을 습관적으로 기계적으로 살아가는 사람은 이야기 속 할아버지와 똑같아. 자기 것이지만 자기 것이 아닌 수염을 달고 있으니까 말이야.

'그냥 수염'을 달고 있는 사람은 어느 날 누가 "왜?" 또는 "어떻게?" 하고 물으면 아무 대답도 하지 못해. 아무리 자기가 한 일을 뒤돌아보고 생각해 내려고 애써도 지나온 날들은 이미 멀리 사라져 버려서 흔적조차 찾을 길이 없기 때문이지. 어느 날엔가 너한테도 누군가가 물어 올지 몰라. 그때를 위해서라도 '그냥'이라는 대답이 아닌 무언가를 준비해야겠지?

1 자기 안에 물음표가 없어서 아무것도 묻지 못하는 사람을 비유한 것에 ○표를 하시오.

(1)  (2)

( ) ( )

📝서술형

2 글쓴이의 주장은 무엇인지 쓰시오.

_____

_____

3~5 다음을 보고 물음에 답하시오.

하루 종일 축구공을 만드는 아이의 임금은 고작 몇천 원이에요.

가난한 나라의 사람들은 아무리 열심히 일해도 자식들을 학교에 보내기도 어려워요. 휴대 전화 하나를 사려면 몇 달치 월급을 모아야 하죠.

일부 다국적 기업은 가난한 나라의 물건을 제값을 주지 않고 아주 싸게 산 뒤 비싸게 팔아 많은 돈을 벌어요.

여러분! 가난은 제 잘못인가요?

아니요! 공정한 거래만이 잘못된 경제 구조를 바로잡을 수 있어요.

공정 무역

3 가난한 나라 사람들이 가난한 까닭은 무엇입니까?

( )

① 일을 하지 않기 때문에
② 좋은 물건을 싸게 팔기 때문에
③ 좋은 물건을 만들지 못하기 때문에
④ 제대로 된 교육을 받을 수 없기 때문에
⑤ 다국적 기업이 가난한 나라의 물건을 아주 싸게 사들이기 때문에

4 열심히 일하는 가난한 사람들을 도울 수 있는 방법을 무엇이라고 했는지 찾아 쓰시오.

기부	공정 무역	무상 교육

( )

5 공정 무역이란 무엇일지 괄호 안의 알맞은 말에 ○표를 하시오.

• 가난한 나라의 물건을 (값싸게 , 제값에) 수입하는 것이다.

6~10 다음 글을 읽고 물음에 답하시오.

공정 무역 제품을 사용해야 하는 까닭은 다음과 같습니다. 첫째, 생산자에게 돌아갈 정당한 이익을 지켜 줍니다. 흔히 볼 수 있는 과일 가운데 하나인 바나나의 경우, 우리가 3천 원짜리 바나나 한 송이를 산다면 약 45원만이 생산자인 농민에게 이익으로 돌아갑니다. 그 까닭은 바나나 생산국에서 우리 손에 오기까지 바나나 농장 주인, 수출하는 회사, 수입하는 회사, 슈퍼마켓이 총수익의 98.5퍼센트를 가져가기 때문입니다. 공정 무역에서는 생산자 조합과 공정 무역 회사를 만들어 이러한 중간 유통 단계를 줄이고 실제로 바나나를 재배하는 생산자의 이익을 보장해 주었습니다.

둘째, ㉠아이들을 위험에서 보호할 수 있습니다. 일부 다국적 기업들은 물건의 생산 비용을 낮추려고 임금이 상대적으로 낮은 어린이를 고용하기도 합니다. 예를 들어 우리가 좋아하는 초콜릿은 열대 과일인 카카오를 주재료로 해서 만듭니다. 카카오는 열대 지방에서만 자라는 식물로 아래의 「초콜릿 감옥」 동영상 자료에서처럼 그 지방 어린이들이 학교도 가지 못하고 카카오를 재배하고 수확하는 경우가 많습니다. 하지만 공정 무역은 "안전하고 노동력 착취 없는 노동 환경이 유지되어야 한다."라는 조건을 지켜야 하기 때문에 아이들의 노동력 착취를 막을 수 있습니다.

하루 10시간 이상 일하는 카카오 농장 아이들

6 공정 무역 제품을 사용하면 좋은 점을 두 가지 고르시오. (,   )

① 아이들에게 일자리를 제공한다.
② 다국적 기업의 이익을 지켜 준다.
③ 힘이 센 나라의 이익을 지켜 준다.
④ 아이들을 위험에서 보호할 수 있다.
⑤ 생산자에게 돌아갈 정당한 이익을 지켜 준다.

7 공정 무역에서 중간 유통 단계를 줄이려는 까닭은 무엇입니까? (   )

① 일자리를 많이 만들기 위해서
② 소비자의 이익을 보장하기 위해서
③ 생산자의 이익을 보장하기 위해서
④ 유통 업자들의 이익을 보장하기 위해서
⑤ 다국적 기업의 이익을 크게 키우기 위해서

8 일부 다국적 기업들이 어린이를 고용하는 까닭은 무엇입니까? (   )

① 생산 비용을 낮출 수 있어서
② 숙련된 노동력을 얻을 수 있어서
③ 어린이의 교육을 지원할 수 있어서
④ 어린이에게 기회를 제공하기 위해서
⑤ 아이들의 노동력 착취를 막을 수 있어서

서술형
9 공정 무역 제품을 사용하면 생산지의 아이들을 보호할 수 있는 까닭은 무엇인지 쓰시오.

10 ㉠의 근거를 뒷받침하기 위한 자료로 제시한 것은 무엇입니까? (   )

① 초콜릿 사진
② 「초콜릿 감옥」 동영상
③ 카카오에 대한 백과사전 설명
④ 카카오를 재배하는 방법에 대한 책
⑤ 초콜릿을 만드는 방법에 대한 신문 기사

3 단원

11~15 다음을 보고 물음에 답하시오.

(가)

주장	㉠
근거	❶ 숲은 미세 먼지를 잡아 주어 공기를 깨끗하게 해 준다.
	❷ 숲은 홍수와 산사태를 막아 준다.
	❸ 숲은 지구 온난화를 막아 준다.
	❹ 숲은 소중한 자원을 제공해 준다.

(나)

자료

내용	종류
[목재 생산 과정] 묘목 → 숲 → 벌목 → 제재소 → 목재 → 책상	그림
	출처
	△△산림 박물관
	알려 주는 것
	㉡

11 ㉠에 들어갈 주장으로 알맞은 것은 두 가지 고르시오. (,)

① 숲을 살리자.
② 숲을 보호하자.
③ 동물을 보호하자.
④ 자연을 개발하자.
⑤ 미세 먼지를 없애자.

서술형

12 문제 11번 답과 같은 주장에 어울리는 근거를 한 가지 더 쓰시오.

_____

_____

13 (가)에 제시된 근거를 뒷받침하기 위한 자료로 알맞지 않은 것은 무엇입니까? ( )

① 숲이 제공해 주는 자원
② 다 먹지 못해 버려진 음식물 그림
③ 숲이 미세 먼지를 잡아 주는 증거
④ 숲이 홍수와 산사태를 막아 주는 사진
⑤ 숲이 지구 온난화 예방에 도움이 된다는 증거

14 (나)는 자료 수집 카드입니다. ㉡ 안에 들어갈 내용으로 알맞은 것은 무엇입니까? ( )

① 숲은 미세 먼지를 잡아 준다.
② 나무는 농약을 걸러낼 수 있다.
③ 나무뿌리는 흙이 쓸려가는 것을 방지한다.
④ 나무를 심으면 나무가 온실가스를 흡수한다.
⑤ 숲에서 벌목한 나무로 우리 생활에 필요한 물건을 만들 수 있다.

15 (가)의 근거를 다시 한번 보고, (나)의 자료가 내용을 뒷받침하고 믿을 만한지 평가한 것입니다. 알맞게 말하지 못한 것의 번호를 쓰시오.

❶ 전문가의 의견이 아니므로 믿을 만하지 못한 것 같아.
❷ △△산림 박물관 내용이기 때문에 믿을 만해.
❸ 나무가 책상이 되는 과정이므로 숲이 소중한 자원이 된다는 근거를 잘 뒷받침하고 있어.

( )

16~18 다음 글을 읽고 물음에 답하시오.

(가) 얼마 전, 누리 소통망에 퍼진 「△△식당 불매 운동」이라는 글을 보신 적이 있나요? 그 가게는 바로 저희 어머니께서 운영하시는 식당입니다. 하지만 누리 소통망에 실린 이야기는 사실과 다릅니다.

(나) △△식당에서 짜장면을 먹었는데 맛이 이상한 짜장면을 그냥 먹으라고 하고 사과는커녕 자신을 밀치며 불친절하게 말했다는 겁니다. 사람들은 댓글에 모두 저희 가게를 욕하며 불매 운동을 벌이고 있었습니다. 게다가 저를 아는 누군가가 제 이름과 다니는 학교까지 인터넷에 올리는 바람에 학교에도 소문이 났습니다. 그리고 그 사건 뒤 저희 가게에는 정말 손님이 뚝 끊겨 저희 가족은 힘든 나날을 보내고 있습니다.

인터넷에 떠도는 소문이 아닌 제 말을 믿어 주시고, 이 글을 널리 퍼뜨려 주세요. 저희 가게를 도와주세요.

16 글쓴이가 누리 소통망에 이 글을 쓴 까닭은 무엇입니까? (   )

① 익명으로 글을 쓰려고
② 많은 사람이 보게 하려고
③ 글을 쓴 손님을 비난하려고
④ 사람들이 보지 못하게 하려고
⑤ 자신의 개인 정보를 유출하려고

17 손님이 쓴 글 때문에 글쓴이네 가게에는 어떤 일들이 생겼습니까? (,   )

① 가게에 손님이 끊겼다.
② 아무 일도 생기지 않았다.
③ 동네 사람들의 칭찬을 받았다.
④ 글쓴이의 개인 정보가 유출됐다.
⑤ 손님과 글쓴이네 가족의 사이가 좋아졌다.

18 이 글의 내용을 통해 생각할 때 누리 소통망의 단점으로 알맞은 것은 무엇입니까? (   )

① 자신을 잘 표현할 수 있다.
② 새로운 정보를 접하기 힘들다.
③ 개인 정보가 유출되기 어렵다.
④ 잘못된 정보가 쉽게 퍼질 수 있다.
⑤ 많은 사람에게 정보를 전달하기 어렵다.

19 자료를 수집하여 논설문을 쓸 때 본론을 쓰는 방법으로 알맞은 것을 두 가지 찾아 기호를 쓰시오.

㉮ 주장이 드러나도록 제목을 붙인다.
㉯ 흥미를 끄는 질문으로 글을 시작한다.
㉰ 구체적이고 사실적인 자료를 활용한다.
㉱ 주장을 뒷받침하는 근거 두세 가지를 제시한다.

(   )

20 논설문을 쓰는 차례에 맞게 기호를 쓰시오.

❶ 고쳐쓰기
❷ 논설문 쓰기
❸ 글 발표하기
❹ 근거 생각하기
❺ 계획을 세워 자료 수집하기
❻ 문제 상황을 생각하며 주장 정하기

❻ ➡ (   ) ➡ (   ) ➡ (   ) ➡ (   ) ➡ ❸

국어 112~143쪽

1~2

도움말

⭐ 만화를 보고 "그냥!"이라고만 대답하는 곰돌이를 어떻게 생각하는지 친구들과 이야기해 봅니다.

① 이름이 왜 곰돌이야?

그냥!

② 왜 갈색 바지를 입었어?

그냥!

③ 왜 뛰어?

그냥!

④ 왜 북을 쳐?

그냥!

1 곰돌이가 들은 질문은 무엇무엇인지 찾아 모두 쓰시오.

1 곰돌이가 만난 네 친구들이 어떤 질문을 했는지 찾아봅니다.

2 곰돌이는 질문을 듣고 어떤 대답을 했는지 쓰시오.

2 곰돌이는 모든 질문에 같은 대답을 하고 있습니다.

3 곰돌이의 대답을 듣고 어떤 생각이 들었는지 쓰시오.

3 이 그림을 보고 "그냥!"이라고만 대답하는 곰돌이에 대해 어떤 생각이 드는지 정리합니다.

주장	숲을 보호하자.

근거	❶ 숲은 미세 먼지를 잡아 주어 공기를 깨끗하게 해 준다.
	❷ 숲은 홍수와 산사태를 막아 준다.
	❸ 숲은 지구 온난화를 막아 준다.
	❹ 숲은 소중한 자원을 제공해 준다.

도움말

☆ 환경 사랑 동아리에서 논설문을 쓰려고 주장과 근거를 정리한 것입니다.

3 단원

4 환경 사랑 동아리 친구들은 주장과 근거를 뒷받침하려고 자료 수집 계획을 세웠습니다. ❷, ❸의 근거에 맞는 자료를 생각해 쓰시오.

4 근거와 관련 있고 근거를 뒷받침하는 자료에는 무엇이 있는지 생각해 봅니다.

근거	수집할 자료 내용
❶	숲이 미세 먼지를 잡아 주는 증거
❷	(1)
❸	(2)
❹	숲이 제공해 주는 자원

5 ❶의 근거를 뒷받침하기 위해 다음과 같은 자료를 수집했습니다. 수집한 자료가 내용을 뒷받침하고 믿을 만한지 평가하여 그 까닭과 함께 쓰시오.

5 근거에 알맞은 자료를 활용하면 글의 타당성이 생기고 설득력이 높아집니다.

내용	종류
나무의 미세 먼지 흡수 ▶ 한 그루 미세 먼지 35.7 그램 흡수	동영상
	출처
	○○○뉴스
	알려 주는 것
	숲은 미세 먼지를 잡아 준다.

3. 타당한 근거로 글을 써요

6~7

얼마 전, 누리 소통망에 퍼진 「△△식당 불매 운동」이라는 글을 보신 저기 있나요? 그 가게는 바로 저희 어머니께서 운영하시는 식당입니다. 하지만 누리 소통망에 실린 이야기는 사실과 다릅니다.

저도 기억합니다. 손님이 몰려들기 시작하는 토요일 점심시간에 한 손님께서 짜장면을 주문해서 드시고 계셨습니다. 그러다 곧 주문을 담당한 직원을 화난 표정으로 부르시더군요.

"여기 짜장면 맛이 왜 이래? 빨리 사장 나오라고 해!"

어머니께서 나오셔서 맛을 확인하고도 이상한 점을 발견하지 못해 갸우뚱하셨지만 손님께 짜장면을 새로 가져다드렸습니다. 하지만 손님께서는 새로 가져다드린 짜장면도 이상하다며 배상을 하라고 계속 소란을 피우셨습니다. 결국 저희는 음식값을 받지도 않고 연신 죄송하다고 사과하며 손님을 보내 드렸습니다.

며칠 뒤, 친구에게 연락이 왔습니다. 걱정스러운 목소리로 "성민아, 인터넷 누리 소통망에 너희 가게 이야기가 있는데, 너도 한번 보는 게 좋을 것 같아."라며 인터넷 글을 보내 주더군요. 그 글에는 며칠 전 있던 일이 사실과는 다르게 적혀 있었습니다.

△△식당에서 짜장면을 먹었는데 맛이 이상한 짜장면을 그냥 먹으라고 하고 사과는커녕 자신을 밀치며 불친절하게 말했다는 것입니다. 사람들은 댓글에 모두 저희 가게를 욕하며 불매 운동을 벌이고 있습니다. 게다가 저를 아는 누군가가 제 이름과 다니는 학교까지 인터넷에 올리는 바람에 학교에도 소문이 났습니다. 그리고 그 사건 뒤 저희 가게에는 정말 손님이 뚝 끊겨 저희 가족은 힘든 나날을 보내고 있습니다.

인터넷에 떠도는 소문이 아닌 제 말을 믿어 주시고, 이 글을 널리 퍼뜨려 주세요. 저희 가게를 도와주세요.

6 성민이와 손님이 누리 소통망에 글을 쓴 까닭은 무엇일지 쓰시오.

_____

_____

7 이 글에서 알 수 있는 누리 소통망의 장점과 단점을 각각 쓰시오.

(1) 장점	(2) 단점

도움말

☆ 성민이네 가게의 억울한 사정을 알리기 위해 누리 소통망에 쓴 글입니다.

6 성민이와 손님은 자신의 입장을 담은 글을 누리 소통망에 올려 많은 사람이 볼 수 있게 했습니다.

7 누리 소통망이란 '사회 관계망 서비스'를 순화한 말로 자유롭게 글이나 사진 따위를 올리거나 나누는 서비스입니다.

더 좋은 우리 동네 만들기

더 좋은 우리 동네를 만들려는 첫 번째 노력! 우리 동네의 문제점을 해결하는 내용으로 논설문을 써서 보내 주세요.

■ 공모 주제: 더 좋은 우리 동네 만들기
■ 참가 대상: 개인
■ 제출 사항: 논설문 한 편
■ 제출 방법: ① 우편
② ○○동네 누리집 게시판
■ 심사 기준: ① 더 좋은 동네를 만들기 위해 실천할 수 있는 주장인가?
② 근거가 주장을 뒷받침하는가?
③ 자료가 내용을 뒷받침하는가?
④ 믿을 만한 자료를 활용했는가?
⑤ 사용한 표현이 적절한가?

○○구 ○○동장

8 공모전 포스터의 목적은 무엇인지 쓰시오.

_____

9 더 좋은 동네가 되려면 바꾸어야 할 우리 동네의 문제점을 생각해 쓰시오.

_____

_____

10 9번의 문제 상황을 생각하며 자신의 주장을 정하고, 뒷받침할 수 있는 적절한 근거를 쓰시오.

(1) 주장	
(2) 근거	

도움말

'더 좋은 우리 동네 만들기'라는 주제로 논설문을 써 공모전에 참여하는 것이 목적입니다.

3 단원

핵심 1   여러 가지 *매체 자료 살펴보기

• 어떤 사실이나 정보, 의견을 담아서 듣는 사람에게 전하려고 매체 자료를 활용할 수 있습니다.
• 매체 자료에는 영상, 사진, 표, 지도, *도표, 그림, 소리, 음악 따위가 있습니다.

다른 나라의 문화를 친구들에게 소개할 때 매체 자료 활용하기

• 발표 내용과 발표를 듣는 대상의 특성, 발표 상황에 맞는 매체 자료를 알맞게 활용하면 발표 효과를 높일 수 있습니다.
• 폴란드의 민속춤과 베트남의 전통 의상 소개하기 **예**

매체 자료의 종류	매체 자료를 활용해 얻을 수 있는 효과
	민속춤의 움직임이나 특징을 더 자세하게 파악할 수 있고 영상을 보면서 민속춤을 따라 출 수 있다.
	매체 자료 없이 설명하면 상상만 해야 하는데 사진을 보면 어떤 전통 의상인지 쉽게 이해할 수 있다.

핵심 2   주제에 맞는 매체 자료 찾기

• 매체 자료의 종류를 살펴봅니다.
  – 도표, 사진, 누리 소통망 서비스
• 매체 자료가 전하는 내용을 살펴봅니다.
• 매체 자료의 표현 효과를 살펴봅니다.
  – 영상 자료는 장면 구성, 음악, 소리, 비유적 표현, 자막, 해설 등을 살펴봅니다.

매체 자료의 효과적인 표현 방법 말하기 **예**

• 도표로 수치의 변화를 표현하면 더욱 실감이 났습니다.
• 비유적 표현을 사용하면 느낌이 더 와닿았습니다.
• 일상생활에 일어날 수 있는 일들을 영상으로 촬영해 보여 주니 내 생활과 비교할 수 있었습니다.

핵심 3   발표 상황에 맞는 영상 자료를 만드는 방법 알기

• 영상 자료를 활용해 발표한 경험을 나누어 봅니다. →**예** 안전 교육 시간에 희망 모둠이 지진 대피 요령 영상을 찾아서 보여 줬잖아.
• 영상 자료를 제작하고 발표하는 과정을 생각해 봅니다. → 발표 상황을 알아야 그에 알맞은 발표 주제와 내용을 정할 수 있고, 발표 자료에는 의견이나 생각을 담아야 하므로 주제를 우선 정해야 합니다.

발표 상황 파악하기 ➡ 주제 정하기 ➡ 내용 및 장면 정하기 ➡ 촬영 계획 세우기 ➡ 촬영하기 ➡ 편집하기 ➡ 발표하기

영상 자료를 만들어서 인터넷에 올릴 때 주의할 점

• 영상 자료가 보는 사람들에게 좋은 영향을 주는지 생각합니다.
• 영상에 나오는 사람의 동의를 얻습니다.
• 영상에 매체 자료를 넣을 때에는 그 자료의 출처를 밝힙니다.

> 비속어, 은어 같은 격식에 맞지 않는 언어를 사용하지 않아야 해요.

핵심 4   효과적인 발표 자료 만들기

• 발표 상황을 파악해 봅니다.
• 발표 주제, 내용, 장면을 정해 봅니다.
• 영상을 촬영, 편집해 봅니다.

편집할 때 주의할 점

• 필요한 장면만 골라서 편집합니다.
• 자막이나 효과를 알맞게 넣습니다.
• 관련 있는 기사나 도표를 사용할 때에는 출처를 밝힙니다.

핵심 5   영상 발표회 하기

• 영상을 보여 주기 전에 소개할 내용을 정합니다.
• 영상을 보여 준 뒤에 할 수 있는 활동을 생각합니다. →**예** 영상에 대한 질문을 받아 봅니다.
• 영상 자료를 활용해 발표하고 다른 모둠에서 제작하고 발표한 영상을 보고 의견을 나눕니다.
• 영상을 제작하고 발표하면서 겪은 일이나 느낀 점을 글로 써 봅니다. → 발표를 들을 때에는 전하려는 주제를 파악하며 듣습니다. 촬영이나 편집에서 효과적인 부분을 찾으며 듣습니다.

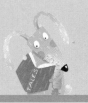

4
단원

조금 _더 알기

⚙️ **여러 가지 매체 자료를 활용한 경험 말하기 (예)**

- 방학 때 제주도에서 봤던 주상 절리의 기이한 모습을 말로 설명할 때에는 친구가 이해하기 어려워했는데, 사진을 보여 주었더니 금세 이해했다.
- 1학기에 연극 공연을 할 때 음악을 사용하니 장면의 느낌이 더 잘 전달되었다.

⚙️ **편집하기**

- 알맞은 영상 편집 프로그램 정하기
- 촬영한 영상에서 발표에 사용할 장면 고르기
- 발표 효과를 높이는 다른 매체 자료 활용하기
- 장면을 차례에 맞게 편집하기
- 제목, 자막, 배경 음악 넣기

⚙️ **「온라인 언어폭력: 능력자」를 활용한 발표 자료의 주제 파악하기**

인상 깊은 장면	손가락이 악마도 되고 천사도 되는 장면 / 좋은 댓글을 보고 사람들이 밝게 웃는 장면
주제	온라인 언어폭력을 하지 맙시다.

낱말 사전

★ **매체** 사람들의 생각이나 정서, 정보와 지식 등을 전달하고 공유하는 매개 역할을 하는 것으로 다양한 기술 수단에 의해 메시지와 텍스트를 전달하는 소통 매체를 뜻한다.

★ **도표** 여러 가지 자료를 분석하여 그 관계를 일정한 양식의 그림으로 나타낸 표.

개념을확인해요

1 어떤 사실이나 ☐☐, 의견을 담아서 듣는 사람에게 전하려고 매체 자료를 활용할 수 있습니다.

2 ☐☐ 자료에는 영상, 사진, 표, 지도, 도표, 그림, 소리, 음악 따위가 있습니다.

3 주제에 맞는 매체 자료를 찾을 때에는 매체 자료의 ☐☐를 살펴봅니다.

4 주장에 맞는 매체 자료를 찾을 때에는 매체 자료가 전하는 ☐☐ 을 살펴봅니다.

5 주제에 맞는 매체 자료를 찾을 때에는 매체 자료의 ☐☐ 효과를 살펴봅니다.

6 매체 자료 가운데 ☐☐로 수치의 변화를 표현하면 더욱 실감이 납니다.

7 영상 자료를 제작하고 발표할 때에는 발표 ☐☐을 파악하고 주제를 정해야 합니다.

8 영상 자료를 만들어서 인터넷에 올릴 때에는 영상에 나오는 사람의 ☐☐를 얻습니다.

9 영상에 매체 자료를 넣을 때에는 자료의 ☐☐를 밝힙니다.

10 영상을 편집할 때에는 필요한 ☐☐만 골라서 편집합니다.

국어 144~167쪽

1. 어떤 사실이나 정보, 의견을 담아서 듣는 사람에게 전하려고 매체 자료를 활용할 수 있습니다.

핵심 1

1 여러 가지 매체 자료를 활용한 경험을 알맞게 말하지 <u>못한</u> 것의 번호를 쓰시오.

❶ 1학기에 연극 공연을 할 때 음악을 사용하니 장면의 느낌이 더 살아났어.
❷ 친구들에게 작년에 갔던 경주 여행에 대해 자세히 설명해 준 적이 있어.
❸ 방학 때 제주도에서 봤던 주상 절리의 기이한 모습을 말로만 설명할 때에는 친구가 이해하기 어려워했는데, 사진을 보여 주었더니 금세 이해했어.

( )

2. 매체는 사람들의 생각이나 정서, 정보와 지식 등을 전달하고 공유하는 매개 역할을 하는 것입니다.

핵심 1

2 매체 자료에 해당하지 <u>않는</u> 것은 무엇입니까? ( )

① 영상   ② 사진
③ 지도   ④ 음악
⑤ 생각

3. 영상을 활용하면 어떤 점이 좋을지 생각해봅니다.

핵심 1

3 친구들에게 폴란드의 민속춤에 대해 소개하기 위해 영상 자료를 활용할 때 얻을 수 있는 표현 효과를 두 가지 고르시오. (,)

① 영상을 보며 민속춤을 따라 출 수 있다.
② 민속춤의 동작을 수치로 나타낼 수 있다.
③ 민속춤의 움직임에 대해서는 알 수 없다.
④ 민속춤의 특징을 더 자세하게 파악할 수 있다.
⑤ 민속춤에 대한 다른 친구들의 생각을 파악할 수 있다.

핵심 2

4 주제에 맞는 매체 자료를 찾는 방법을 생각하여 알맞은 말을 보기 에서 찾아 써넣으시오.

> **보기**
>
> 종류   내용   표현

⑴ 매체 자료의 (   )을/를 살펴본다.
⑵ 매체 자료가 전하는 (   )을/를 살펴본다.
⑶ 매체 자료의 (   ) 효과를 살펴본다.

핵심 3

5 영상 자료를 제작하고 발표하는 과정에 맞게 보기 에서 찾아 써넣으시오.

> **보기**
>
> 발표하기   주제 정하기   촬영 계획 세우기

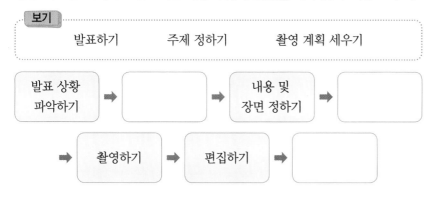

발표 상황 파악하기 ➡ [   ] ➡ 내용 및 장면 정하기 ➡ [   ]

➡ 촬영하기 ➡ 편집하기 ➡ [   ]

핵심 5

6 영상 발표회를 하면서 다른 모둠의 발표를 들을 때 주의할 점을 두 가지 고르시오. (,   )

① 전하려는 주제를 파악하며 듣는다.
② 다른 모둠이 실수한 부분을 찾으며 듣는다.
③ 영상을 촬영하면서 겪은 일을 생각하며 듣는다.
④ 촬영이나 편집에서 효과적인 부분을 찾으며 듣는다.
⑤ 우리 모둠이 돋보일 수 있는 방법을 생각하며 듣는다.

1~4 다음 대화를 보고 물음에 답하시오.

① 학습 발표회에서 독도의 날 기념 율동을 하면 어떨까?

마침 독도의 날이 다가오니까 좋은 생각이야. 그런데 세미야, 어떤 동작들을 하는지 궁금해.

세미 ↑ 사진 지수

② 그럼 사진 말고 영상을 보여 줄게. 인터넷에 있는 율동이야.

아하! 간단하고 재미있네. 우리도 해 보자.

1 세미는 지수에게 무엇을 말하려고 합니까?
(   )

① 인터넷에서 인기 있는 율동
② 친구들이 건강을 지키는 방법
③ 학급에서 가장 춤을 잘 추는 친구들
④ 학습 발표회에 부모님을 초대하는 방법
⑤ 학습 발표회에서 할 독도의 날 기념 율동

2 대화 ❶에서 지수가 궁금해한 것은 무엇입니까?
(   )

① 독도의 날의 유래
② 학습 발표회를 하는 까닭
③ 독도의 날 기념 율동 동작
④ 인터넷에 있는 재미있는 영상
⑤ 계절에 따른 독도의 다양한 모습

국어 144~167쪽

3 대화 ❷에서 세미는 지수에게 무엇을 보여주었습니까? (   )

① 그림   ② 사진
③ 영상   ④ 지도
⑤ 동화책

4 대화 ❶과 ❷에서 서로 다른 점을 알맞게 말한 친구는 누구인지 쓰시오.

대화 ❶은 사진을 보여 주며 설명하고 대화 ❷는 영상을 보여 주며 설명하고 있어.

현욱

듣는 사람은 대화 ❷보다 대화 ❶에서 율동 동작을 더욱 생생하게 잘 알 수 있어.

하린

(   )

서술형

5 수인이처럼 여러 가지 매체 자료를 활용한 경험을 떠올려 쓰시오.

방학 때 제주도에서 봤던 주상 절리의 기이한 모습을 말로만 설명할 때에는 친구가 이해하기 어려워했는데, 사진을 보여 주었더니 금세 이해했어.

수인

다음 그림을 보고 물음에 답하시오.

폴란드의 민속춤을 소개할 때 영상을 보여 줘야지.

베트남의 전통 의상을 소개하고 싶어. 베트남의 옷 사진을 찾아봐야겠어.

진아

별이

6 친구들이 소개하려는 내용은 각각 무엇인지 쓰시오.

(1) 진아: (   )

(2) 별이: (   )

7 별이가 사진을 활용할 때 얻을 수 있는 효과는 무엇입니까? (   )

① 옷의 감촉을 느낄 수 있다.

② 옷을 입는 차례를 자세히 알 수 있다.

③ 옷 만드는 과정을 생생하게 볼 수 있다.

④ 옷을 입는 사람들의 반응을 알 수 있다.

⑤ 사진을 보면 어떤 전통 의상인지 쉽게 이해할 수 있다.

서술형

8 자신이라면 어느 나라의 문화를 어떤 매체 자료를 활용해 소개할지 쓰시오.

_____

_____

다음 매체 자료를 보고 물음에 답하시오.

㉮

잡고 있습니까?
잡혀 있습니까?

혹시 당신도 하루 종일 스마트폰만 잡고 계시진 않나요?
어쩌면 우리는 스마트폰에 잡혀 살고 있는 건지도 모릅니다.
오늘은 스마트폰보다 당신 곁에 있는 가족의 손을 잡아보세요.

㉯ 〈휴대 전화 관련 교통 사고 발생〉

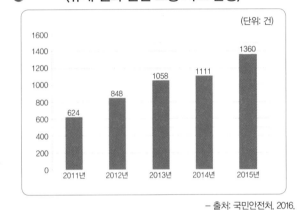

– 출처: 국민안전처, 2016.

9 매체 자료 ㉮의 내용으로 알맞은 것을 두 가지 고르시오. (,   )

① 사람이 휴대 전화를 붙잡고 있다.

② 사람이 휴대 전화를 만들고 있다.

③ 휴대 전화가 사람을 꽉 잡고 있다.

④ 휴대 전화가 사람을 멀리하고 있다.

⑤ 사람이 휴대 전화를 내동댕이치고 있다.

10 매체 자료 ㉮와 ㉯의 주제를 다음에서 찾아 기호를 쓰시오.

㉠ 걸을 때나 운전할 때 휴대 전화를 사용하면 위험하다.

㉡ 하루 종일 휴대 전화를 잡고 있는 등 휴대 전화에 중독된 사람이 많다.

(1) 자료 ㉮: (   )

(2) 자료 ㉯: (   )

11~13 다음 그림을 보고 물음에 답하시오.

11 발표 목적에 알맞은 말을 쓰시오.

• ((1)   )을 맞아 ((2)   )
을 주제로 한 작품을 발표하려고 한다.

주의

12 그림 속 친구들의 발표를 듣는 사람은 누구입니까?
(   )

① 전교생   ② 부모님
③ 정치인   ④ 보건소 직원
⑤ 지역 사회 주민

중요

13 이와 같은 발표 상황에서 고려할 점으로 알맞지
않은 것은 무엇입니까? (   )

① 내용이 새로워야 한다.
② 주제가 흥미로워야 한다.
③ 건강에 도움을 줄 수 있어야 한다.
④ 어려운 지식을 뽐낼 수 있어야 한다.
⑤ 전교생이 모두 이해하기 쉬워야 한다.

14~15 다음 그림을 보고 물음에 답하시오.

14 이 그림은 영상 자료를 제작하고 발표하는 과정 가
운데 어느 부분입니까? (   )

영상 자료를 제작하고 발표하는 과정
발표 상황 파악하기 ➡ 주제 정하기 ➡ 내용 및 장
면 정하기 ➡ 촬영 계획 세우기 ➡ 촬영하기 ➡ 편집
하기 ➡ 발표하기

① 편집하기
② 주제 정하기
③ 촬영 계획 세우기
④ 발표 상황 파악하기
⑤ 내용 및 장면 정하기

15 그림의 과정에서 해야 할 일로 알맞지 않은 것은 무
엇입니까? (   )

① 인용한 내용은 출처를 넣는다.
② 알맞은 영상 편집 프로그램을 정한다.
③ 전하려는 내용이 잘 드러나게 촬영한다.
④ 자막은 필요한 내용만 간단하게 넣는다.
⑤ 촬영한 영상에서 발표에 사용할 장면을 고른다.

16~17 다음 그림을 보고 물음에 답하시오.

16 발표의 목적과 듣는 사람을 알맞게 말한 친구에게 ○표를 쓰시오.

(1) 6학년 친구들을 대상으로 5분 영상 발표회에서 관심 있는 인물을 발표하는 것이 목적이야.

( )

(2) 전교생을 대상으로 5분 영상 발표회에서 좋아하는 연예인에 대해 발표하는 것이 목적이야.

( )

17 그림 속 친구들의 발표 상황에 따라 촬영하고 발표할 때 고려할 점을 두 가지 고르시오. (,)

① 최대한 많은 내용을 촬영해 보여 준다.
② 발표자만 흥미 있는 주제를 정해 촬영한다.
③ 6학년 친구들이 관심 있어 할 사람을 정한다.
④ 주제와 관련이 없어도 재미있는 내용을 보여 준다.
⑤ 발표 시간이 5분인 것을 고려해 촬영 분량을 정한다.

18~20 다음 그림을 보고 물음에 답하시오.

18 이 모둠에서 준비한 영상은 무엇입니까? ( )

① 요리사를 소개하는 영상
② 요리 과정을 소개하는 영상
③ 친구들의 꿈을 소개하는 영상
④ 농사를 짓는 방법을 소개하는 영상
⑤ 세계 여러 나라의 음식을 소개하는 영상

🔍 **주의**

19 이 모둠의 영상을 본 뒤에 할 수 있는 활동으로 알맞지 <u>않은</u> 것은 무엇입니까? ( )

① 영상에 대한 질문을 받는다.
② 영상을 촬영하며 느낀 점을 이야기한다.
③ 영상을 촬영하며 겪은 일을 이야기한다.
④ 한두 문장으로 간단히 인물을 소개한다.
⑤ 발표에서 가장 인상 깊은 장면을 물어본다.

📝 **서술형**

20 영상 발표회에서 다른 모둠의 발표를 들을 때 주의할 점을 쓰시오.

_____

_____

국어 144~167쪽

1~2 다음 대화를 보고 물음에 답하시오.

3~5 다음 그림을 보고 물음에 답하시오.

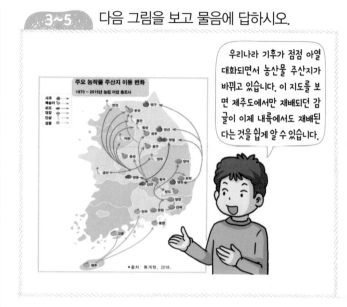

1 대화 ❶과 대화 ❷에서 세미가 사용한 매체 자료를 보기 에서 찾아 각각 쓰시오.

> 보기
>
> 지도   영상   사진   도표

(1) 대화 ❶: (   )
(2) 대화 ❷: (   )

2 대화 ❶과 대화 ❷ 가운데 율동 동작을 더욱 생생하게 잘 보여줄 수 있는 매체를 사용한 그림의 번호를 쓰시오.

대화 (   )

3 이 발표에서 활용한 매체의 종류는 무엇입니까?
(   )

① 도표   ② 영상
③ 사진   ④ 그림지도
⑤ 신문 기사

4 이 매체 자료가 알려 주고 있는 것에 맞게 빈 곳에 알맞은 말을 쓰시오.

• 지구 온난화로 인한 (
  이동 변화

5 매체 자료를 통해 알 수 있는 것은 무엇입니까?
(

① 주요 농산물이 사라지고 있다.
② 사과는 한 지역에서 생산된다.
③ 감귤 주산지가 줄어들고 있다.
④ 제주도에서만 감귤이 재배된다.
⑤ 감귤이 이제 내륙에서도 재배된다.

6~7 다음 매체 자료를 보고 물음에 답하시오.

㉮

잡고 있습니까?
잡혀 있습니까?

혹시 당신도 하루 종일 스마트폰만 잡고 계시진 않나요?
어쩌면 우리는 스마트폰에 잡혀 살고 있는 건지도 모릅니다.
오늘은 스마트폰보다 당신 곁에 있는 가족의 손을 잡아보세요.

㉯ 〈휴대 전화 관련 교통 사고 발생〉

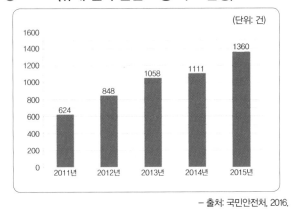

(단위: 건)

- 출처: 국민안전처, 2016.

6 매체 자료 ㉮와 ㉯는 무엇에 대해 발표하기 위한 자료입니까? ( )

① 언어폭력
② 게임 중독
③ 교통사고 원인
④ 스마트폰 판매
⑤ 휴대 전화 사용 습관

7 매체 자료 ㉮와 ㉯의 내용을 알맞게 찾아 선으로 이으시오.

(1) ㉮ •

• ㉠ 사람이 휴대 전화를 붙잡고 있다.

(2) ㉯ •

• ㉡ 휴대 전화 관련 교통사고가 점점 늘어나고 있다.

8 매체 자료 ㉮가 주제를 잘 전하고 있는 까닭을 두 가지 고르시오. (,)

① 휴대 전화의 장점을 자세히 설명해서
② 현대 사회의 발전된 모습을 잘 보여 줘서
③ 공익 광고의 글이 질문 형식이라 더 생각하게 해서
④ 휴대 전화가 사람을 꽉 붙잡고 있는 모습을 그림(사진)으로 잘 표현해서
⑤ 휴대 전화를 붙잡고 환하게 웃는 모습이 사람의 기분을 잘 나타내고 있어서

9 매체 자료 ㉯가 주는 효과로 알맞은 것을 모두 찾아 ○표를 하시오.

(1) 도표로 나타내니 연도별로 휴대 전화 관련 교통사고 발생량이 크게 늘어난 것을 알 수 있다. ( )

(2) 교통사고 수치도 넣어 더 정확한 통계를 알 수 있다. ( )

(3) 교통사고 사진을 넣어 교통사고의 심각성을 나타내고 있다. ( )

서술형

10 휴대 전화 사용 습관에 대해 발표하고 싶은 주제와 활용할 매체 자료를 쓰시오.

_____

_____

11~13 다음 영상 자료를 보고 물음에 답하시오.

❶
당신은
능력자입니다.

❷

❸

❹ 친구야 정말 고마워^^

「온라인 언어폭력: 능력자」 대본
당신은 능력자입니다.
손가락만 까딱하면 누군가를 울릴 수도, 아프게 할 수도, 포기하게 할 수도 있습니다. 하지만 당신은 누군가를 기쁘게 할 수도, 행복하게 할 수도 있으며, 다시 뛰게 할 수도 있습니다. 손가락만 까딱하면,
온라인 댓글, 당신은 어떻게 쓰시겠습니까?

11 이 영상 자료의 주제는 무엇입니까? (   )

① 비속어를 쓰지 말자.
② 컴퓨터 사용 시간을 줄이자.
③ 친구들에게 좋은 인상을 주자.
④ 온라인 언어폭력을 하지 말자.
⑤ 어떤 일이든지 최선을 다하자.

12 이 영상에서 비유적 표현으로 주제를 표현한 방법에 맞게 알맞은 말을 쓰시오.

• 당신은 누군가를 아프게도 기쁘게도 하는
(   )라고 비유했다.

13 이 영상 자료에서 다음 자막이 주는 효과를 찾아 ○표를 하시오.

온라인 댓글, 당신은 어떻게 쓰시겠습니까?

⑴ 질문을 자막으로 넣어 영상을 보는 사람이 스스로를 돌아보게 했다.   (   )
⑵ 해설자의 해설로 내용을 더 잘 이해할 수 있다.
                                        (   )

14 영상 자료를 제작하고 발표하는 과정에 맞게 기호를 차례대로 쓰시오.

㉠ 촬영하기   ㉡ 편집하기
㉢ 발표하기   ㉣ 주제 정하기
㉤ 촬영 계획 세우기   ㉥ 발표 상황 파악하기
㉦ 내용 및 장면 정하기

㉥ ➡ ㉣ ➡ (   )

15 발표 주제를 정할 때 고려할 점이 아닌 것은 무엇입니까? (   )

① 창의적인 주제를 정한다.
② 가치 있는 주제를 정한다.
③ 발표 상황과 관련된 주제를 정한다.
④ 최대한 어렵고 복잡한 주제를 정한다.
⑤ 듣는 사람에게 도움이 되는 주제를 정한다.

다음 발표 장면을 보고 물음에 답하시오.

16 그림 속 발표자가 설명하는 자료와 관련 깊은 주제는 무엇입니까? (　　　)

① 맨발 걷기
② 운동장 사용 실태
③ 비만이 위험한 까닭
④ 초등학생의 장래 희망
⑤ 친구들끼리 사이좋게 지내는 방법

17 이와 같이 발표를 할 때 효과적으로 하려면 어떻게 해야 하는지 알맞게 것을 모두 고르시오.

(　　　)

① 꼭 오프라인에서만 발표할 준비를 한다.
② 발표를 하거나 들을 때 집중하고 존중한다.
③ 영상 및 음성에 문제가 없는지 미리 확인한다.
④ 발표하기 전이나 발표한 뒤에 할 소개하거나 부탁하는 내용을 다양한 방법으로 준비할 수 있다.
⑤ 정한 주제와 직접적인 관련이 없더라도 재미있는 영상 자료나 그림 자료가 있다면 함께 자세히 보여 준다.

서술형

18 영상 자료를 만들어서 인터넷에 올릴 때 주의할 점을 쓰시오.

_____

_____

19 촬영한 영상을 편집하는 방법으로 알맞지 않은 것은 무엇입니까? (　　　)

① 필요한 장면만 골라서 편집한다.
② 자막이나 효과를 알맞게 넣는다.
③ 관련 있는 기사나 도표를 사용할 때는 출처를 밝힌다.
④ 보는 사람의 집중력을 높이기 위해 음악이나 음성은 넣지 않는다.
⑤ 제목, 자막 넣기 등의 다양한 기능을 활용하면 더욱 효과적인 매체 자료가 될 수 있다.

20 다음 발표를 듣고 주제를 알맞게 파악해 말한 것을 찾아 ○ 표를 하시오.

우리 모둠은 요리사를 소개하는 영상을 제작했습니다. 영상 제목은 「사람을 행복하게 하는 요리사」입니다. 방송에서 유명 요리사가 요리하는 장면, 요리사와 직접 면담한 내용, 다양한 요리 분야를 조사한 내용을 넣었습니다.

(1) 이 발표는 요리사에 대해 소개하고 있구나.

(　　　)

(2) 이 발표는 요리를 하는 즐거움에 대해 설명하고 있구나.

(　　　)

4. 효과적으로 발표해요

국어 144~167쪽

1~3

도움말

⭐ 사진과 영상 자료 활용의 다른 점을 파악할 수 있습니다.

1 세미는 친구에게 학습 발표회에서 무엇을 하자고 했는지 쓰시오.

_____

_____

1 세미와 친구는 학습 발표회에서 무엇을 할지에 대한 의견을 나누고 있습니다.

2 대화 ❶에서 친구가 세미에게 물은 것은 무엇인지 쓰시오.

_____

_____

2 세미가 보여준 사진을 보고 친구가 어떤 점을 궁금해 했는지 알아봅니다.

3 대화 ❶과 대화 ❷에서 서로 다른 점은 무엇인지 쓰시오.

_____

_____

3 각 매체 자료에 어떤 특징이 있는지 생각해 본다.

4~6

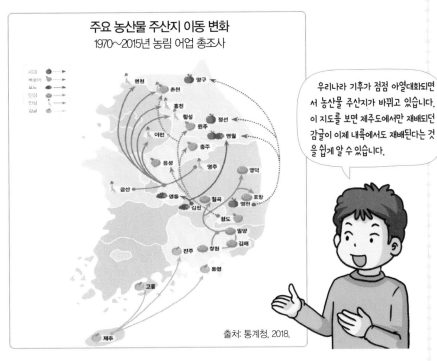

주요 농산물 주산지 이동 변화
1970~2015년 농림 어업 총조사

사과
복숭아
포도
단감
인삼
감귤

연천 / 양구 / 춘천 / 홍천 / 횡성 / 정선 / 원주 / 이천 / 영월 / 충주 / 음성 / 영주 / 영덕 / 금산 / 영동 / 칠곡 / 포항 / 김천 / 영천 / 청도 / 밀양 / 진주 / 창원 / 김해 / 통영 / 고흥 / 제주

출처: 통계청, 2018.

우리나라 기후가 점점 아열대화되면서 농산물 주산지가 바뀌고 있습니다. 이 지도를 보면 제주도에서만 재배되던 감귤이 이제 내륙에서도 재배된다는 것을 쉽게 알 수 있습니다.

감귤 주산지는 제주도에서 고흥, 진주, 통영 등으로 이동하고 있으며, 사과는 영천에서 영월, 정선, 양구로, 복숭아 주산지는 청도에서 음성, 충주, 원주, 춘천으로 이동하고 있습니다. 인삼은 영주와 이천, 횡성, 홍천, 춘천, 연천 등으로 이동하고 포도는 김천에서 영동과 영월 등으로 이동하고 있습니다.

도움말

☆ 한결이네 반에서는 지구 온난화로 생긴 변화를 발표하고 있습니다. 자료를 어떻게 활용하는지 살펴봅시다.

4 이 매체 자료에서 설명하는 것을 쓰시오.

4 발표자가 설명하는 내용을 살펴봅니다.

5 이 매체 자료에서 사과의 주산지는 어떻게 이동했는지 쓰시오.

5 이 매체 자료를 통해 사과, 복숭아, 포도, 단감, 인삼, 감귤이 어디에서 생산되고 있는지 알 수 있습니다.

6 이 발표에서 이와 같은 매체 자료를 사용해 얻을 수 있는 효과를 쓰시오.

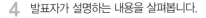

6 그림지도를 활용하여 얻을 수 있는 효과를 알아봅니다.

7~9

잡고 있습니까?
잡혀 있습니까?

혹시 당신도 하루 종일 스마트폰만 잡고 계시진 않나요?
어쩌면 우리는 스마트폰에 잡혀 살고 있는 건지도 모릅니다.
오늘은 스마트폰보다 당신 곁에 있는 가족의 손을 잡아보세요.

❹ 〈휴대 전화 관련 교통 사고 발생〉

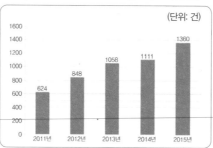

— 출처: 국민안전처, 2016.

도움말

☆ ㉮는 휴대 전화 사용 습관에 대한 공익 광고이고 ❹는 휴대 전화 관련 교통사고 발생에 대해 나타낸 도표입니다.

7 매체 자료 ㉮와 ❹를 자세히 살펴보고 그 내용을 알맞게 쓰시오.

㉮	❹
• 사람이 휴대 전화를 붙잡고 있다. • _____	• 휴대 전화 관련 교통사고가 점점 늘어나고 있다. • _____

7 매체 자료에서 나타내는 내용이 무엇인지 파악합니다.

8 매체 자료 ㉮와 ❹에서 전하려는 주제를 각각 쓰시오.

(1) ㉮: _____

(2) ❹: _____

8 휴대 전화 사용 습관과 관련한 주제를 전하고 있는 매체 자료들입니다.

9 매체 자료 ㉮와 ❹가 주제를 잘 전하는지 생각해 보고 그렇게 생각한 까닭을 매체 자료의 종류나 효과와 관련지어 쓰시오.

(1) ㉮: _____
_____

(2) ❹: _____
_____

9 공익 광고와 도표를 통해 어떻게 주제를 전달하고 있는지 알아봅니다.

10~12

학교 방송실에서 '건강 주간'을 맞아 건강을 주제로 한 매체 자료를 공모합니다. 뽑힌 작품은 전교생에게 발표할 예정입니다. 많이 참여해 주세요.

우리 반도 '건강한 생활을 위해 실천하면 좋은 일'을 직접 영상으로 만들어 보자!

도움말

☆ 영상 자료를 직접 제작하고 발표하는 과정 중 발표 상황을 파악하는 장면입니다.

4단원

10 이 장면에서 발표 목적을 찾아 쓰시오.

_____

_____

11 이와 같은 발표 상황에서 고려할 점을 한 가지 쓰시오.

_____

_____

11 발표를 들을 대상이 누구인지, 어떤 상황인지 파악하여 고려할 점을 생각합니다.

12 발표 주제를 정할 때 고려할 점을 한 가지 쓰시오.

_____

_____

12 주제를 효과적으로 전달할 수 있는 내용과 촬영 장면을 생각해 보고 친구들과 토의해서 정합니다.

단원 요점 정리 5. 글에 담긴 생각과 비교해요

핵심 1 글쓴이의 생각을 파악하며 글을 읽어야 하는 까닭 알기

• 글 내용을 좀 더 깊이 있게 이해할 수 있습니다.
• 글쓴이가 글을 쓴 *의도나 목적을 알 수 있습니다.

> **관점이 서로 다른 까닭 알기**
> • 사람마다 가지고 있는 지식이 다르기 때문입니다.
> • 사람마다 경험이 다르기 때문입니다.
> • 사람마다 속한 문화가 다르기 때문입니다.

> **글 내용만 이해하고 읽을 때와 글쓴이의 생각을 파악하며 읽을 때 비교하기**
> • 글 내용만 이해하고 읽으면 제목을 그렇게 정한 까닭을 알기 어렵습니다.
> • 제목에는 글쓴이의 생각이 담기는 경우가 많습니다. 글을 읽는 사람은 제목을 보고 글에 호기심을 느낄 수 있습니다.
> • 글에서 인상 깊은 부분은 글쓴이의 생각을 파악하며 읽을 때 찾을 수 있습니다.
> • 글쓴이의 생각을 파악하며 글을 읽으면 글의 주제를 쉽게 찾을 수 있습니다.
> • 글 내용을 깊이 있게 이해할 수 있습니다.
> • 글을 쓴 의도나 목적을 알 수 있습니다.

└ 글에는 글쓴이의 생각이 담겨 있습니다. 그리고 글쓴이는 글을 읽는 사람에게 자신의 생각을 전하려고 노력합니다.

핵심 2 글을 읽고 글쓴이의 생각 파악하기

• 제목과 글에서 사용한 표현을 보면 글쓴이의 관점을 알 수 있습니다. → 제목은 글쓴이의 생각을 잘 드러낼 수 있어야 합니다.
• 글 내용을 파악해 봅니다.
• 예상 *독자가 누구일지 생각해 봅니다.
• 글쓴이가 글을 쓴 의도와 목적을 생각합니다.
• 글에 포함된 그림이나 사진을 살펴봅니다.

> **글쓴이의 생각을 파악할 때 살펴볼 점**
> • 제목을 그렇게 정한 까닭 살피기
> • 글쓴이의 생각이 담긴 낱말이나 문장 같은 표현 찾기
> • 글 내용 파악하기
> • 글쓴이가 예상하는 독자 생각하기
> • (추가한 방법의 예) 사진이나 그림 살피기
> • 글쓴이가 글을 쓴 의도와 목적 살피기

핵심 3 글쓴이의 생각과 자신의 생각을 비교하며 글 읽기

• 글쓴이의 생각과 자신의 생각을 비교하며 같은 점과 다른 점을 이야기해 봅니다.
• 글을 읽고 자신의 생각에 변화가 있었다면 변화된 생각과 그 까닭을 이야기해 봅니다.

> **「기와 조각과 똥 덩어리」에 나타난 글쓴이의 생각**
> • 글에 담긴 글쓴이의 생각을 파악하려면 제목, 글쓴이의 생각이 담긴 표현 따위를 살펴봅니다.
> • 「기와 조각과 똥 덩어리」는 글쓴이가 나리의 말로써 자신이 전하고 싶은 의도나 목적을 나타냈습니다.

핵심 4 자신의 생각과 상대의 생각을 비교하며 토론하기

• 토론 주제를 확인하고 토론 역할을 정해 봅니다.
• 상대편 주장의 근거와 우리 편 주장에 대한 *반론을 예상합니다.
• 우리 편이 마련한 근거를 설명할 수 있는 자료를 찾아봅니다.
• 자신의 생각을 효과적으로 나타내려고 사용할 낱말이나 표현을 정리합니다.
└ 자신의 생각을 나타내려고 긍정적이거나 부정적인 어감이 드는 낱말을 사용하거나 속담을 인용할 수도 있습니다.

> **토론을 한 뒤에 생각의 변화나 느낀 점 이야기하기 예**
> • 토론을 하니 다른 사람의 이야기를 잘 듣는 태도가 중요하다는 것을 알았습니다.
> • 다른 사람의 이야기를 잘 들었을 때 그 사람의 태도를 이해할 수 있었습니다.
> • 토론하는 과정에서 나와 다른 생각도 존중해야 한다고 생각했습니다.
> • 나와 다른 생각을 알게 되니 내용을 더 깊이 있게 이해할 수 있었습니다.

핵심 5 글쓴이와 대화하기

• 책을 읽으며 궁금한 점이 많이 생기거나 사회적으로 관심을 가질 만한 주제가 있는 책을 고릅니다.
• 글쓴이와 대화하며 책에 나타나지 않은 궁금한 내용을 알게 되었을 때 어떤 느낌이었는지 써 봅니다.

백범 김구 선생이 「내가 원하는 우리나라」라고 글 제목을 정한 까닭

• 글 내용을 잘 설명할 수 있는 제목이기 때문입니다.
• 읽는 사람의 관심을 끌 수 있는 제목이기 때문입니다.
• 백범 김구 선생의 생각을 잘 드러낼 수 있는 제목이기 때문입니다.

「로봇세를 도입해야 한다」와 「로봇세 도입을 늦추어야 한다」에 나타난 글쓴이의 생각

「로봇세를 도입해야 한다」
로봇세를 걷으면 일자리를 잃은 사람들이 재교육을 받고 새로운 일자리를 찾는 데 도움을 줄 수 있고, 소득을 재분배함으로써 국민의 복지 향상에 도움을 줄 수 있다.

「로봇세 도입을 늦추어야 한다」
로봇세 도입은 로봇 산업 발전에 걸림돌이 될 수 있으며 지금은 로봇 기술 개발에 보다 집중할 때이므로 로봇세 도입을 늦추어야 한다.

낱말 사전

★ 의도 무엇을 하고자 하는 생각이나 계획.
★ 독자 책, 신문, 잡지 따위의 글을 읽는 사람.
★ 반론 남의 논설이나 비난, 논평 따위에 대하여 반박함. 또는 그런 논설.

개념을 확인해요

1 글쓴이의 ☐☐ 을 파악하며 글을 읽으면 글 내용을 좀 더 깊이 있게 이해할 수 있습니다.

2 글쓴이의 생각을 파악하며 글을 읽으면 글쓴이가 글을 쓴 의도나 ☐☐ 을 알 수 있습니다.

3 글 내용만 이해하며 읽으면 ☐☐ 을 그렇게 정한 까닭을 알기 어렵습니다.

4 제목에는 글쓴이의 생각이 담기는 경우가 많은데, 글을 읽는 사람은 제목을 보고 글에 ☐☐☐ 을 느낄 수 있습니다.

5 글에서 ☐☐ 깊은 부분은 글쓴이의 생각을 파악하며 읽을 때 찾을 수 있습니다.

6 ☐☐ 과 글에서 사용한 표현을 보면 글쓴이의 관점을 알 수 있습니다.

7 글쓴이의 생각을 파악할 때에는 글 ☐☐ 을 파악해 봅니다.

8 글을 읽고 글쓴이의 생각을 파악하려면 예상 ☐☐ 가 누구일지 생각해 봅니다.

9 글쓴이의 생각과 자신의 생각을 ☐☐ 하며 같은 점과 다른 점을 이야기해 봅니다.

10 자신의 생각과 상대의 생각을 비교하며 토론하려면 자신의 생각을 효과적으로 나타내려고 사용할 낱말이나 ☐☐ 을 정리합니다.

5
단원

도움말

1. 같은 사물 또는 사건을 보는데 생각이 서로 달랐던 경험을 떠올려 봅니다.

핵심 1

1 관점에 대해 알맞게 설명하지 <u>못한</u> 것의 기호를 쓰시오.

> ㉠ 관점에 따라 사물이나 현상이 다르게 보일 수 있어.
> ㉡ 모든 사람은 같은 관점으로 사물이나 현상을 보게 돼.
> ㉢ 같은 사물이나 현상을 관찰할 때 그 사람이 바라보는 태도나 방향 또는 처지를 뜻해.

(   )

2. 글 내용만 이해하고 읽을 때와 글쓴이의 생각을 파악하며 읽을 때의 상황을 비교해 봅니다.

핵심 1

2 글 내용만 이해하고 읽을 때와 글쓴이의 생각을 파악하며 읽을 때의 다른 점으로 알맞지 <u>않은</u> 것은 무엇입니까? (   )

① 글쓴이의 생각을 파악하며 읽으면 글의 주제를 찾을 수 있다.
② 글 내용만 이해하고 읽으면 글 제목을 정한 까닭을 알기 어렵다.
③ 글에서 인상 깊은 부분은 글쓴이의 생각을 파악하며 읽을 때 찾을 수 있다.
④ 글쓴이의 생각이 담기는 경우가 많은 제목을 살펴보고 읽는 사람들은 글에 호기심을 느낄 수 있다.
⑤ 글 내용만 이해하고 읽으면 글쓴이의 생각을 파악하며 읽을 때보다 글 내용을 좀 더 깊이 있게 이해할 수 있다.

3. 글쓴이는 글을 읽는 사람에게 자신의 생각을 전하려고 노력합니다.

핵심 1

3 글쓴이의 생각을 파악하며 글을 읽어야 하는 까닭으로 알맞은 것을 찾아 ○표를 하시오.

⑴ 글 내용을 좀 더 깊이 있게 이해할 수 있다. (   )
⑵ 글쓴이가 글을 쓴 장소나 시각을 알 수 있다. (   )
⑶ 글을 다 읽지 않아도 글의 내용을 모두 정확하게 알 수 있다. (

핵심 2

4 글쓴이의 생각을 파악할 때 살펴보아야 할 것으로 알맞지 <u>않은</u> 것은 무엇입니까? (   )

① 글의 제목
② 글쓴이의 외모
③ 글쓴이가 예상한 독자
④ 글쓴이의 의도와 목적
⑤ 글에 쓰인 낱말이나 표현

핵심 3

5 글쓴이의 생각과 자신의 생각을 비교해 이야기하는 방법에 맞게 괄호 안에 들어갈 말을 보기 에서 찾아 쓰시오.

보기

같은 점   좋은 점   특이한 점   올바른 점

• 글쓴이의 생각과 자신의 생각을 비교하며 (   )과 다른 점을 찾는다.

핵심 4

6 자신의 생각과 상대의 생각을 비교하며 토론한 뒤에 생각의 변화나 느낀 점을 알맞게 말하지 <u>못한</u> 것의 기호를 쓰시오.

㉮	다른 사람의 이야기를 잘 들으니 다른 사람의 태도를 이해할 수 있었어.
㉯	토론을 하니 다른 사람의 이야기를 잘 듣는 태도가 필요하다고 생각했어.
㉰	나와 다른 생각을 알게 되니 혼란스러워서 내용을 더 깊이 있게 이해하기 힘들었어.

(   )

국어 212~245쪽

1~2 다음 광고를 보고 물음에 답하시오.

무엇으로 보이십니까?

혹시 알파벳 'E'로 보시지 않으셨습니까?
많은 분이 우리말의 'ㅌ'보다는 알파벳의 'E'라고 생각하셨을 것입니다.

지금 우리 아이들은 우리말의 'ㅌ'보다 알파벳의 'E'를 먼저 배우고 있습니다.
아이에서부터 어른에 이르기까지 국어보다 영어에 익숙해진 우리들.

자랑스러운 우리말은 우리 민족의 정신입니다.

우리말을 사랑합시다.

1 광고에서 다루고 있는 문제는 무엇입니까?
( )

① 아이들이 국어를 어려워하고 있다.
② 우리말을 배우고자 하는 외국인이 늘어났다.
③ 우리말의 우수성을 외국에서 인정하고 있다.
④ 아이들이 우리말을 알파벳보다 먼저 배운다.
⑤ 우리나라 사람들에게 우리말보다 알파벳이 더 익숙하게 느껴진다.

중요

2 이 광고를 만든 사람은 어떤 말을 하고 싶어 했겠습니까? ( )

① 알파벳을 알아보자.
② 우리말을 사랑하자.
③ 영어에 익숙해지자.
④ 국어 공부를 열심히 하자.
⑤ 한글과 영어를 함께 배우자.

3~5 다음 글을 읽고 물음에 답하시오.

나는 우리나라가 세계에서 가장 아름다운 나라가 되기를 원한다. 가장 부강한 나라가 되기를 원하는 것은 아니다. 내가 남의 침략에 가슴이 아팠으니, 내 나라가 남을 침략하는 것을 원치 아니한다. 우리의 부는 우리 생활을 풍족히 할 만하고, 우리의 힘은 남의 침략을 막을 만하면 족하다. 오직 한없이 가지고 싶은 것은 높은 문화의 힘이다. 문화의 힘은 우리 자신을 행복하게 하고, 나아가서 남에게도 행복을 주기 때문이다. 지금 인류에게 부족한 것은 무력도 아니요, 경제력도 아니다.

「내가 원하는 우리나라」, 김구

3 글쓴이가 원하는 나라는 어떤 나라입니까?
( )

① 가장 부강한 나라
② 가장 아름다운 나라
③ 가장 돈이 많은 나라
④ 군사의 힘이 강한 나라
⑤ 남의 나라를 침략하는 나라

4 글쓴이는 왜 우리나라가 가장 부강한 나라가 되기를 원하는 것은 아니라고 했는지 ○표를 하시오.

(1) 나라가 부유하면 국민이 게을러져서 ( )

(2) 내 나라가 남을 침략하는 것을 원치 않아서
( )

(3) 물질이 풍족해지면 사람을 미워하는 마음이 생겨서 ( )

중요

5 글쓴이가 오직 한없이 가지고 싶어 한 것은 무엇입니까? ( )

① 많은 돈   ② 문화의 힘
③ 어진 국민   ④ 강력한 군대
⑤ 아름다운 자연

다음 글을 읽고 물음에 답하시오.

(가) 민족의 행복은 결코 계급 투쟁에서 오는 것이 아니요, 개인의 행복이 이기심에서 오는 것도 아니다. 계급 투쟁은 끝없는 계급 투쟁을 낳아서 국토에 피가 마를 날 없고, 내가 이기심으로 남을 해하면 천하가 이기심으로 나를 해할 것이니, 이것은 조금 얻고 많이 빼앗기는 것이다.

(나) 옛날에도 그러하였거니와, 앞으로 세계 인류가 모두, 우리 민족의 문화를 이렇게 사모하도록 하지 아니하려는가. 나는 우리의 힘으로, 특히 교육의 힘으로 반드시 이 일이 이루어질 것이라고 믿는다. 우리나라의 젊은 남녀가 다 이 마음을 가진다면 아니 이루어지고 어찌하랴!

나도 일찍이 황해도에서 교육에 종사하였거니와, 내가 교육에서 바라던 것이 이것이었다. 내 나이 이제 일흔이 넘었으니 직접 국민 교육에 종사할 시일이 넉넉지 못하지만, 나는 천하의 교육자와 남녀 학도들이 한번 크게 마음을 고쳐먹기를 빌지 아니할 수 없다.

6 계급 투쟁을 했을 때의 모습으로 알맞은 것은 무엇입니까? (　　　)

① 얻는 것이 많다.
② 민족이 행복해진다.
③ 개인이 행복해진다.
④ 천하를 얻을 수 있다.
⑤ 국토에 피가 마를 날이 없다.

7 글쓴이는 특히 어떤 사람들이 이 글을 읽고 변화를 이끌어 내기를 바라겠습니까? (　　, 　　)

① 학생　　　　② 교육자
③ 정치인　　　④ 사업가
⑤ 법조인

다음 글을 읽고 물음에 답하시오.

(가) 인공 지능 기술이 발전하면서 로봇이 사람을 대신해 일하는 영역이 늘어나고, 그 규모도 커지고 있다. 이에 따라 외국에서는 로봇을 소유한 기업이나 로봇에게 세금을 부과하자는 주장이 나오고 있다. 우리도 로봇세를 도입하여 ㉠인간과 로봇이 함께 살아가는 방법을 찾아야 한다.

(나) ㉡로봇을 소유하고 이용하는 사람이나 로봇에게 세금을 부과하면 소득의 독점을 막을 수 있다. 그런데 로봇에게 세금을 부과하려면 법적 근거를 마련해야 한다. 법적인 의미에서 ㉢자연인과 법인에게만 세금을 부과할 수 있다. 현행법으로는 기계인 로봇에게 세금을 부과할 수 없다. 그래서 2017년에 유럽 의회는 장기적으로 로봇에게 '특수한 권리와 의무를 가진 전자 인간'으로 법적 지위를 부여하는 입법을 집행 위원회가 추진하도록 결의했다. 이는 로봇을 소유하고 이용하는 사람뿐만 아니라 로봇에게도 세금을 부과할 수 있는 근거가 된다. 또 로봇세를 활용하면 소득을 재분배함으로써 국민의 복지 향상에 도움을 줄 수 있다.

8 ㉠~㉢ 가운데 글쓴이의 생각을 나타내려고 쓴 표현은 무엇인지 기호를 쓰시오.

（　　　　　　　　　）

9 로봇이 납세 의무자가 되려면 무엇을 가져야 합니까? (　　　)

① 재산　　　　② 감정
③ 이름　　　　④ 일자리
⑤ 법적 지위

10 글쓴이는 자신의 글을 누가 읽을 것이라고 생각했을지 쓰시오.

（　　　　　　　　　）

11~15 다음 글을 읽고 물음에 답하시오.

로봇세 도입을 늦추어야 한다

　로봇을 소유한 기업이나 로봇에게 세금을 부과하자는 주장이 나오고 있다. 로봇이 인간의 일거리를 대신 할 수 있기 때문에 인간에게 필요한 비용을 로봇세로 보충하려는 것이다. 하지만 로봇세 도입은 로봇 산업의 발전과 국가의 미래 경쟁력에 부정적인 영향을 끼칠 수 있다.

　로봇 산업이 본격적으로 발전하면 로봇은 인간을 대신하여 일을 하게 된다. 이럴 경우에 인간은 위험하거나 단순한 일, 반복적인 일에서 해방될 수 있다. 그런데 인간을 대신하여 일을 할 로봇에게 성급하게 세금을 부과한다면 로봇 산업 발전을 더디게 할 것이다. 특히 로봇 개발자는 개발 비용에 세금까지 더하여 마음의 부담을 느낄 수 있다. 로봇 개발자가 느끼는 마음의 부담은 로봇을 개발하는 과정에서 혁신적인 생각을 발전시키거나 과감한 투자를 하는 데에 걸림돌이 될 수 있다. 로봇세는 이제 발전하려는 로봇 산업에 방해가 된다.

11 로봇을 소유한 기업이나 로봇에게 세금을 부과하고 한 까닭을 쓰시오.

- 로봇이 (　　　　　　　　　　)를 대신 할 수 있기 때문에 인간에게 필요한 비용을 로봇세로 보충하기 위해서이다.

12 글쓴이가 자신의 생각을 나타내려고 쓴 낱말을 두 가지 고르시오. (　　,　　)

① 도입　　　　② 로봇
③ 산업　　　　④ 부담
⑤ 걸림돌

13 로봇세 도입에 로봇 산업 발전에 도움이 되지 않는 까닭은 무엇입니까? (　　　)

① 로봇에게 마음의 부담을 주기 때문이다.
② 인간이 위험한 일을 해야 하기 때문이다.
③ 로봇을 소유한 많은 기업이 반발할 것이기 때문이다.
④ 로봇 개발자가 마음의 부담을 느껴 혁신적인 생각을 발전시킬 수 없기 때문이다.
⑤ 이미 로봇은 국가의 미래 경쟁력에 부정적인 영향을 끼치고 방해가 되기 때문이다.

🖊 주의

14 글쓴이가 제목을 「로봇세 도입을 늦추어야 한다」라고 정한 까닭은 무엇이겠습니까? (　　　)

① 로봇에 대한 관심을 끌기 위해서
② 로봇의 위험성에 대해 알리기 위해서
③ 로봇 산업의 미래에 대해 말하기 위해서
④ 로봇세의 도입을 미룰 수 없다고 생각해서
⑤ 로봇세가 로봇 산업 발전을 더디게 한다고 생각해서

🍅 중요

15 글쓴이의 생각으로 알맞은 것은 무엇입니까?

(　　　)

① 로봇세를 걷자.
② 로봇을 개발하자.
③ 로봇세 도입을 늦추자.
④ 기업의 세금을 감면해 주자.
⑤ 기업에게 기본 소득을 지급하자.

16~20 다음 영상을 보고 물음에 답하시오.

① 1928년 미국의 한 부둣가…
산책하던 중 실수로 바다에
빠진 남자

② "살려 주세요."
"살려 주세요."

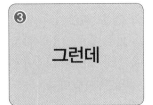

③ 그런데

④ 다급한 구조 요청에도 **무관심**

⑤ 젊은이를 상대로 소송을 낸
익사자 가족
"그때 도와줬다면 내 아들은
죽지 않았어요."

⑥ **소송 기각**
현재 법률엔 구조의 의무가
명시돼 있지 않다.

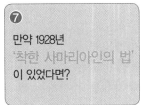

⑦ 만약 1928년
'착한 사마리아인의 법'
이 있었다면?

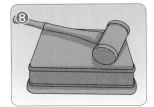

⑧ 착한 사마리아인의 법:
위험에 처한 사람을 돕지 않
으면 처벌할 수 있는 법 제도

16 장면 ⑤에서 익사자 가족이 ④의 젊은이를 상대로
소송을 낸 까닭은 무엇입니까? (   )

① 젊은이가 구조를 하다가 아들이 죽어서
② 젊은이와 아들이 예전부터 알던 사이라서
③ 젊은이가 실수로 아들을 바다에 빠뜨려서
④ 젊은이가 구조 요청을 제대로 하지 않아서
⑤ 아들이 구조 요청을 했지만 젊은이가 도와주지
않아서

17 일광욕을 즐긴 젊은이에게 책임을 묻지 않은 까닭은
무엇입니까? (   )

① 젊은이도 위험에 처해 있었기 때문이다.
② 착한 사마리아인의 법을 적용했기 때문이다.
③ 당시의 법률에는 구조의 의무가 명시돼 있지 않
기 때문이다.
④ 도덕적·윤리적인 문제를 법적인 영역으로 해결
했기 때문이다.
⑤ 법률에 고의로 구조하지 않은 자를 벌금에 처하
도록 했기 때문이다.

18 '착한 사마리아인의 법'의 내용은 무엇인지 쓰시오.

• (   )을 돕지 않으면 처
벌할 수 있는 법 제도이다.

5단원

🖋서술형
19 장면 ⑦처럼 1928년 '착한 사마리아인의 법'이 있었
다면 ⑥의 판결은 어떻게 났을지 쓰시오.

🖋서술형
20 '착한 사마리아인의 법'을 법으로 정하는 것에 대해
어떻게 생각하는지 쓰시오.

국어 212~245쪽

1~3 다음 글을 읽고 물음에 답하시오.

인류가 현재에 불행한 근본 이유는 인의가 부족하고, 자비가 부족하고, 사랑이 부족한 때문이다. 이 마음만 발달이 되면, 현재의 물질력으로 인류 20억이 다 편안히 살아갈 수 있을 것이다. 인류에게 이 정신을 배양하는 것은 오직 문화이다. 나는 우리나라가 남의 것을 모방하는 나라가 되지 말고, 이러한 높고 새로운 문화의 근원이 되고, 목표가 되고, 모범이 되기를 원한다. 그래서 진정한 세계의 평화가 우리나라에서, 우리나라로 말미암아 세계에 실현되기를 원한다.

1 글쓴이는 인류가 현재 불행한 근본 까닭을 무엇이라고 했습니까? (   )

① 남의 것을 모방해서
② 세계 평화를 이루지 못해서
③ 인의, 자비, 사랑이 부족해서
④ 인류에게 다양한 정신이 부족해서
⑤ 편안히 살아갈 만큼의 물질이 부족해서

2 인류에게 인의, 자비, 사랑의 정신을 배양할 수 있는 방법은 무엇입니까? (   )

① 기술을 배운다.   ② 물질을 쌓는다.
③ 문화를 높인다.   ④ 남을 모방한다.
⑤ 남을 침략한다.

3 글쓴이가 바라는 나라로 알맞지 않은 것은 무엇입니까? (   )

① 남의 것을 모방하는 나라
② 새로운 문화의 근원이 되는 나라
③ 새로운 문화의 목표가 되는 나라
④ 새로운 문화의 모범이 되는 나라
⑤ 진정한 세계 평화가 실현되는 나라

4~5 다음 글을 읽고 물음에 답하시오.

최고의 문화로 인류의 모범이 되는 것을 사명으로 삼는 우리 민족의 개개인은 이기적 개인주의자가 되어서는 안 된다. 우리는 개인의 자유를 극도로 주장하되, 그것은 저 짐승들과 같이 저마다 제 배를 채우기에 쓰는 자유가 아니요, 제 가족을, 제 이웃을, 제 국민을 잘 살게 하는 데 쓰이는 자유이다. 공원의 꽃을 꺾는 자유가 아니라 공원에 꽃을 심는 자유이다. 우리는 남의 것을 빼앗거나 남의 덕을 보려는 사람이 아니라 가족에게, 이웃에게, 동포에게 주는 것을 즐거움을 삼는 사람이다. 이것이 우리말에 이른바 선비요 점잖은 사람이다.

그러므로 우리는 게으르지 아니하고 부지런하다. 사랑하는 처자를 가진 가장은 부지런할 수밖에 없다. 한없이 주기 위함이다. 힘든 일은 내가 앞서 하니 사랑하는 동포를 아낌이요, 즐거운 것은 남에게 권하니 사랑하는 자를 위하기 때문이다. 이것이 우리 조상들이 좋아하던 인자하고 어진 덕이다.

4 우리 민족의 사명이 무엇이라고 했습니까?
(   )

① 게으르고 점잖게 사는 것
② 이기적 개인주의자가 되는 것
③ 남의 것을 최대한 많이 빼앗는 것
④ 최고 문화로 인류의 모범이 되는 것
⑤ 우리 배를 채우기 위해 자유를 주장하는 것

5 글쓴이가 우리 민족이 갖기를 바라는 마음은 무엇입니까? (   )

① 해이함   ② 인자함
③ 엄격함   ④ 포악함
⑤ 몰인정함

로봇세를 도입해야 한다

　인공 지능 기술이 발전하면서 로봇이 사람을 대신해 일하는 영역이 늘어나고, 그 규모도 커지고 있다. 이에 따라 외국에서는 로봇을 소유한 기업이나 로봇에게 세금을 부과하자는 주장이 나오고 있다. 우리도 로봇세를 도입하여 인간과 로봇이 함께 살아가는 방법을 찾아야 한다.

　세계 경제 포럼은 로봇이나 인공 지능이 이끄는 4차 산업 혁명으로 수많은 사람이 일자리를 잃을 것이라고 전망했다. 로봇 때문에 일자리를 잃고 소득을 얻지 못하는 사람들은 새로운 일자리를 찾기 위해 재교육을 받아야 한다. 로봇세를 도입하면 그 세금으로 일자리를 잃은 사람들에게 진로 상담이나 적성 검사, 기술 교육 등을 할 수 있다. 또 로봇세를 활용하면 일자리를 잃은 사람들이 재교육을 받고 새로운 일자리를 찾는 데 도움을 줄 수 있다.

　미래 사회에는 소수의 사람이 로봇으로 소득을 독점할 수 있다. 로봇을 소유하고 이용하는 사람이나 로봇에게 세금을 부과하면 소득의 독점을 막을 수 있다. 그런데 로봇에게 세금을 부과하려면 법적 근거를 마련해야 한다. 법적인 의미에서 자연인과 법인에게만 세금을 부과할 수 있다. 현행법으로는 기계인 로봇에게 세금을 부과할 수 없다. 그래서 2017년에 유럽 의회는 장기적으로 로봇에게 '특수한 권리와 의무를 가진 전자 인간'으로 법적 지위를 부여하는 입법을 집행 위원회가 추진하도록 결의했다. 이는 로봇을 소유하고 이용하는 사람뿐만 아니라 로봇에게도 세금을 부과할 수 있는 근거가 된다. 또 로봇세를 활용하면 소득을 재분배함으로써 국민의 복지 향상에 도움을 줄 수 있다.

6 글쓴이가 말하고자 하는 것은 무엇인지 알맞은 것에 ○표를 하시오.

(1) 로봇세를 도입하자. （　　　）

(2) 로봇세 도입을 미루자. （　　　）

(3) 로봇 산업 발전을 위해 노력하자. （　　　）

7 현행법으로는 로봇 자신에게 세금을 부과할 수 없는 까닭을 쓰시오.

（　　　　　　　　　　　　　）

8 로봇세를 도입해 그 세금을 어디에 쓰자고 주장하고 있습니까? （　　　）

① 기업이 로봇을 발전시키는 데 활용하자.

② 더 많은 로봇을 소유하기 위해 활용하자.

③ 세계 경제 포럼을 주최하는 데 활용하자.

④ 지능형 로봇을 개발하는 비용으로 활용하자.

⑤ 일자리를 잃은 사람들의 재교육 비용으로 활용하자.

9 2017년에 유럽 의회는 장기적으로 집행위원회가 로봇에게 무엇을 부여하는 입법을 추진하도록 결의했는지 쓰시오.

（　　　　　　　　　　　　　）

서술형

10 글쓴이가 제목을 「로봇세를 도입해야 한다」라고 정한 까닭은 무엇일지 쓰시오.

_____

_____

11~15 **다음 글을 읽고 물음에 답하시오.**

로봇세 도입을 늦추어야 한다

(가) ㉠로봇을 소유한 기업이나 로봇에게 세금을 부과하자는 주장이 나오고 있다. 로봇이 인간의 일거리를 대신 할 수 있기 때문에 인간에게 필요한 비용을 로봇세로 보충하려는 것이다. 하지만 ㉡로봇세 도입은 로봇 산업의 발전과 국가의 미래 경쟁력에 부정적인 영향을 끼칠 수 있다.

로봇 산업이 본격적으로 발전하면 로봇은 인간을 대신하여 일을 하게 된다. 이럴 경우에 인간은 위험하거나 단순한 일, 반복적인 일에서 해방될 수 있다. 그런데 인간을 대신하여 일을 할 로봇에게 성급하게 세금을 부과한다면 로봇 산업 발전을 더디게 할 것이다. 특히 로봇 개발자는 개발 비용에 세금까지 더하여 마음의 부담을 느낄 수 있다. 로봇 개발자가 느끼는 마음의 부담은 로봇을 개발하는 과정에서 혁신적인 생각을 발전시키거나 과감한 투자를 하는 데에 걸림돌이 될 수 있다. 로봇세는 이제 발전하려는 로봇 산업에 방해가 된다.

(나) 지금은 로봇 산업 발전에 투자해야 할 때이다. 특히 로봇 개발에 필요한 원천 기술에 더 집중해야 한다. 그래야 우리나라의 재산을 지키고 국내 로봇 산업을 이끌 수 있는 힘을 기를 수 있다. 따라서 ㉢우리나라의 미래 경쟁력인 로봇 산업을 키울 수 있도록 로봇세 도입을 늦추어야 한다.

11 로봇에게 세금을 부과하자고 주장하는 사람들의 생각으로 알맞은 것은 무엇입니까? (   )

① 국내 로봇 산업에 재투자하자.
② 로봇 소유에 대한 권리를 주장하자.
③ 로봇 개발자에게도 세금을 부과하자.
④ 로봇을 소유한 기업의 세금을 감면하자.
⑤ 인간에게 필요한 비용을 로봇세로 보충하자.

12 ㉠~㉢ 가운데 글쓴이의 생각이 담긴 표현이 아닌 것의 기호를 쓰시오.

(   )

13 이 글을 통해 나타내려고 한 생각으로 알맞은 것에 ○표를 하시오.

(1) 로봇세를 빨리 도입해야 한다.   (   )
(2) 로봇 기술을 외국 대기업에 빼앗기지 않아야 한다.   (   )
(3) 로봇세 도입은 로봇 산업 발전에 걸림돌이 될 수 있다.   (   )

14 글쓴이의 주장과 반대되는 일을 하면 어떤 일이 벌어질 수 있다고 했습니까? (   )

① 실직자의 교육을 지원할 수 있다.
② 우리나라의 로봇 산업이 발전된다.
③ 외국 대기업들이 로봇 기술을 포기한다.
④ 로봇 기술 개발에 어려움을 겪을 수 있다.
⑤ 로봇 개발자는 마음의 부담을 덜 수 있다.

15 우리나라가 국내 로봇 산업을 이끌 수 있는 힘을 기르기 위해 무엇에 더 집중해야 한다고 했습니까?

(   )

① 국내 산업 발전
② 특허 사용료 지급
③ 로봇에게 세금 부과
④ 로봇 개발에 필요한 원천 기술
⑤ 외국 대기업들의 로봇 기술 발전

16 글쓴이의 생각을 파악하기 위해 살펴볼 것이 <u>아닌</u> 것은 무엇입니까? ( )

① 글 제목
② 글쓴이의 성격
③ 글쓴이가 글을 쓴 목적
④ 글쓴이가 글을 쓴 의도
⑤ 글쓴이의 생각이 담긴 낱말이나 문장 같은 표현

17 다음은 「기와 조각과 똥 덩어리」에 나타난 글쓴이의 생각을 찾기 위한 모습입니다. 빈칸에 들어갈 알맞은 말은 무엇입니까? ( )

> 글쓴이는 나리가 중국에서 기와 조각과 똥 덩어리를 인상 깊게 봤다고 생각했기 때문에 제목을 「기와 조각과 똥 덩어리」라고 했어.

> 글쓴이는 "내 가치는 내가 만드는 것이니 스스로 노력하는 삶을 살아야 한다." 라고 생각해.

> 조선 후기 사람들에게 신분 제도, 사물의 가치 등에 대해 다른 관점으로도 생각할 수 있게 하려고 이 글을 썼을 것 같아.

「기와 조각과 똥 덩어리」는 글쓴이가 나리의 말로써 자신이 전하고 싶은 [   ]을/를 나타내고 있다.

① 재미
② 줄거리
③ 어려움
④ 의도와 목적
⑤ 기쁨이나 슬픔

18 모둠 친구들에게 좋아하는 책을 추천하려고 합니다. 생각할 점으로 알맞지 <u>않은</u> 것은 무엇입니까?

( )

① 책 제목은 무엇인가?
② 언제, 어디에서 읽었나?
③ 책을 읽은 계기는 무엇인가?
④ 책을 읽기 전에 한 일은 무엇인가?
⑤ 인상 깊었던 표현이나 장면은 무엇인가?

19 어떤 책을 친구들에게 추천하면 좋을지 한 가지 더 쓰시오.

• 감명 깊게 읽었던 책

• _____

5 단원

서술형

20 글쓴이와 대화하고 싶은 책을 선정하는 모습입니다. 슬기가 할 수 있는 말은 무엇인지 쓰시오.

> 글쓴이에게 사건이 왜 그렇게 전개되는지 묻고 싶은 책이면 좋겠어.

> 비슷한 주제를 가진 다른 책과 비교할 수 있는 책이면 좋겠어.

> 글쓴이가 하고 싶은 말과 내 생각이 다른 책은 어떨까?

_____

_____

국어 212~245쪽

1~3

내가 원하는 우리나라

김구

나는 우리나라가 세계에서 가장 아름다운 나라가 되기를 원한다. 가장 부강한 나라가 되기를 원하는 것은 아니다. 내가 남의 침략에 가슴이 아팠으니, 내 나라가 남을 침략하는 것을 원치 아니한다. 우리의 부는 우리 생활을 풍족히 할 만하고, 우리의 힘은 남의 침략을 막을 만하면 족하다. 오직 한없이 가지고 싶은 것은 높은 문화의 힘이다. 문화의 힘은 우리 자신을 행복하게 하고, 나아가서 남에게도 행복을 주기 때문이다. 지금 인류에게 부족한 것은 무력도 아니요, 경제력도 아니다. 자연 과학의 힘은 아무리 많아도 좋으나, 인류 전체로 보면 현재의 자연 과학만 가지고도 편안히 살아가기에 넉넉하다.

인류가 현재에 불행한 근본 이유는 인의가 부족하고, 자비가 부족하고, 사랑이 부족한 때문이다. 이 마음만 발달이 되면, 현재의 물질력으로 인류 20억이 다 편안히 살아갈 수 있을 것이다. 인류에게 이 정신을 배양하는 것은 오직 문화이다. 나는 우리나라가 남의 것을 모방하는 나라가 되지 말고, 이러한 높고 새로운 문화의 근원이 되고, 목표가 되고, 모범이 되기를 원한다.

도움말

☆ 백범 김구 선생이 쓴 「내가 원하는 우리나라」입니다. 김구 선생은 어떤 나라를 원하는지 생각하며 글을 읽을 수 있습니다. 글쓴이의 생각이 무엇인지 살펴보며 읽어야 하는 연설문입니다.

▲백범 김구

1 백범 김구 선생이 글 제목을 「내가 원하는 우리나라」로 정한 까닭은 무엇일지 쓰시오.

_____

_____

1 글 제목은 글쓴이의 생각을 잘 드러낼 수 있어야 합니다.

2 백범 김구 선생은 인류가 현재 불행한 근본 까닭이 무엇이라고 했는지 쓰시오.

_____

_____

2 백범 김구 선생은 '이 마음'만 발달하면 인류가 편안히 살아갈 수 있지만, '이 마음'이 부족하여 현재 인류가 불행하다고 했습니다.

3 이 글에서 글쓴이의 생각이 나타난 부분을 한 가지 찾아 쓰시오.

_____

_____

3 글에는 글쓴이의 생각이 담겨 있습니다. 글쓴이는 글을 읽는 사람에게 자신의 생각을 전하려고 노력합니다.

4~5

로봇세를 도입해야 한다

인공 지능 기술이 발전하면서 로봇이 사람을 대신해 일하는 영역이 늘어나고, 그 규모도 커지고 있다. 이에 따라 외국에서는 로봇을 소유한 기업이나 로봇에게 세금을 부과하자는 주장이 나오고 있다. 우리도 로봇세를 도입하여 인간과 로봇이 함께 살아가는 방법을 찾아야 한다.

세계 경제 포럼은 로봇이나 인공 지능이 이끄는 4차 산업 혁명으로 수많은 사람이 일자리를 잃을 것이라고 전망했다. 로봇 때문에 일자리를 잃고 소득을 얻지 못하는 사람들은 새로운 일자리를 찾기 위해 재교육을 받아야 한다. 로봇세를 도입하면 그 세금으로 일자리를 잃은 사람들에게 진로 상담이나 적성 검사, 기술 교육 등을 할 수 있다. 또 로봇세를 활용하면 일자리를 잃은 사람들이 재교육을 받고 새로운 일자리를 찾는 데 도움을 줄 수 있다.

미래 사회에는 소수의 사람이 로봇으로 소득을 독점할 수 있다. 로봇을 소유하고 이용하는 사람이나 로봇에게 세금을 부과하면 소득의 독점을 막을 수 있다. 그런데 로봇에게 세금을 부과하려면 법적 근거를 마련해야 한다. 법적인 의미에서 자연인과 법인에게만 세금을 부과할 수 있다. 현행법으로는 기계인 로봇에게 세금을 부과할 수 없다. 그래서 2017년에 유럽 의회는 장기적으로 로봇에게 '특수한 권리와 의무를 가진 전자 인간'으로 법적 지위를 부여하는 입법을 집행 위원회가 추진하도록 결의했다. 이는 로봇을 소유하고 이용하는 사람뿐만 아니라 로봇에게도 세금을 부과할 수 있는 근거가 된다. 또 로봇세를 활용하면 소득을 재분배함으로써 국민의 복지 향상에 도움을 줄 수 있다.

최근 과학의 발달에서 로봇의 변화는 눈부시다. 우리나라도 이미 2008년에 「지능형 로봇 개발 및 보급 촉진법」을 제정해 로봇 산업의 법적 기반을 마련했다. 인간과 로봇이 공존하는 방법을 찾을 수 있도록 지금이라도 로봇세를 도입해야 한다.

4 글쓴이가 「로봇세를 도입해야 한다」라고 제목을 정한 까닭은 무엇일지 쓰시오.

_____

_____

5 글쓴이가 글을 쓴 의도와 목적은 무엇일지 쓰시오.

_____

_____

도움말

☆ 법적 근거를 마련해 로봇세를 걷어서 로봇 때문에 일자리를 잃은 사람들에게 재교육 비용으로 사용하자는 생각이 나타난 글입니다.

5
단원

4 글 제목에는 글쓴이의 생각이 담겨 있습니다.

5 글쓴이는 사람들에게 다른 관점을 제공하기 위해 이 글을 썼습니다.

6~7

로봇세 도입을 늦추어야 한다

로봇을 소유한 기업이나 로봇에게 세금을 부과하자는 주장이 나오고 있다. 로봇이 인간의 일거리를 대신 할 수 있기 때문에 인간에게 필요한 비용을 로봇세로 보충하려는 것이다. 하지만 로봇세 도입은 로봇 산업의 발전과 국가의 미래 경쟁력에 부정적인 영향을 끼칠 수 있다.

로봇 산업이 본격적으로 발전하면 로봇은 인간을 대신하여 일을 하게 된다. 이럴 경우에 인간은 위험하거나 단순한 일, 반복적인 일에서 해방될 수 있다. 그런데 인간을 대신하여 일을 할 로봇에게 성급하게 세금을 부과한다면 로봇 산업 발전을 더디게 할 것이다. 특히 로봇 개발자는 개발 비용에 세금까지 더하여 마음의 부담을 느낄 수 있다. 로봇 개발자가 느끼는 마음의 부담은 로봇을 개발하는 과정에서 혁신적인 생각을 발전시키거나 과감한 투자를 하는 데에 걸림돌이 될 수 있다. 로봇세는 이제 발전하려는 로봇 산업에 방해가 된다.

로봇세를 부과하는 근거가 명확하지 않기 때문에 세계의 모든 국가가 동시에 로봇세를 도입하기 어렵다. 서둘러 로봇세를 도입한 국가가 다른 국가에 비해 미래 경쟁력에서 뒤처질 수 있다. 지금도 로봇 기술은 외국의 대기업들이 독차지하고 있다. 그래서 우리의 기술 없이 로봇을 만들면 막대한 특허 사용료를 외국에 지급해야 한다. 그렇게 될 경우 로봇세를 도입한 국가는 다른 국가에 비해 기술 개발이 늦어질 수 있다. 국가의 미래 경쟁력을 기르려면 로봇 기술의 개발이 먼저 이루어져야 한다.

지금은 로봇 산업 발전에 투자해야 할 때이다. 특히 로봇 개발에 필요한 원천 기술에 더 집중해야 한다. 그래야 우리나라의 재산을 지키고 국내 로봇 산업을 이끌 수 있는 힘을 기를 수 있다. 따라서 우리나라의 미래 경쟁력인 로봇 산업을 키울 수 있도록 로봇세 도입을 늦추어야 한다.

6 이 글에서 '부담', '걸림돌', '막대한 특허 사용료를 외국에 지급'과 같은 말을 쓴 까닭은 무엇일지 쓰시오.

_____

_____

7 이 글에 나타난 글쓴이의 생각을 쓰시오.

_____

_____

도움말

🌟 로봇세 도입은 로봇 산업 발전에 걸림돌이 될 수 있으며 지금은 로봇 기술 개발에 더욱 집중할 때이므로 로봇세 도입을 늦추어야 한다는 생각이 나타나 있는 글입니다.

6 글쓴이의 생각이 드러나는 낱말이나 문장 같은 표현을 살펴봅니다.

7 글의 제목, 낱말이나 표현, 예상 독자, 글쓴이의 의도나 목적 등을 살펴봅니다.

8 '착한 사마리아인의 법'에 대한 다음 친구의 생각과 상반된 의견을 근거를 들어 쓰시오.

> 착한 사마리아인의 법: 위험에 처한 사람을 돕지 않으면 처벌할 수 있는 법 제도입니다.

법으로 정해야 해. 당연히 지켜야 할 도덕적 의무이니 따르지 않는다면 법으로 처벌하는 게 옳아.

8 착한 사마리아인의 법은 성서에 강도를 만나 길에서 죽어 가는 사람을 착한 사마리아인이 구해 줬다는 이야기에서 비롯되었습니다.

9 친구에게 추천하고 싶은 책과 그 까닭을 쓰시오.

(1) 책 제목	
(2) 글쓴이	
(3) 추천하는 까닭	

9 책을 읽으며 궁금한 점을 많이 생기거나 사회적으로 관심을 가질 만한 주제가 있는 책을 고르면 좋습니다.

5
단원

10 다음은 자음자로 질문하기를 이용해 글쓴이에게 궁금한 점을 질문하는 방법입니다. 자음자 카드에 맞는 질문을 만들어 쓰시오.

> **활동 방법**
>
> ❶ ㄱ～ㅎ까지 자음자 카드를 상자에 넣는다.
> ❷ 상자에서 자음자 카드를 뽑고 그 자음으로 시작하는 질문을 만든다.
> ❸ 질문은 한 문장 이상 또는 짧은 낱말로 써도 된다.
> ❹ 자음자를 활용해 만든 질문을 모둠에서 모아 묻고 답하기를 한다.

카드	질문
ㄱ	그때 왜 주인공은 그런 행동을 할 수밖에 없었나요?
ㅁ	(1)
ㅇ	(2)

10 글쓴이에게 질문을 던지면 친구가 글쓴이가 되어 답을 하면서 서로 다른 생각을 비교해 보는 것이 목적입니다.

단원 요점 정리 6. 정보와 표현 판단하기

핵심 1 **뉴스와 광고를 보고 세계에 관심 가지기**

• 뉴스를 보고 세계에 관심을 가져 봅니다.

• 뉴스가 우리 생활에 미치는 영향을 생각해 봅니다.

– 사람들에게 새로운 정보를 알려 줍니다.

– 어떤 일을 긍정적이거나 *비판적인 시각으로 보게 합니다.

– 여러 사람의 생각에 영향을 주어 여론을 형성합니다.

• 광고를 보고 세계에 관심을 가져 봅니다.

└→ 공익 광고를 보고 의도를 파악해 봅니다.

핵심 2 **광고에 나타난 표현의 적절성 살펴보기**

• 광고 상품이나 생각을 널리 알리려고 정보를 제공할 뿐만 아니라 사람들이 상품을 선택하도록 설득합니다.

• 광고 내용을 비판적으로 바라보려면 과장하거나 감추는 내용이 무엇인지 살펴봐야 합니다.

• 광고는 상품을 잘 팔리게 하려고 상품 기능을 실제보다 부풀리기도 하는데, 이러한 광고를 과장 광고라고 합니다.

• 있지도 않은 상품 기능을 있는 것처럼 설명하는 광고를 허위 광고라고 합니다.

> **광고의 표현 특성**
> • 인상 깊은 사진이나 그림, 글, 소리를 찾아봅니다.
> • 광고 내용을 두드러지게 하려고 사용한 글씨체, 글씨 크기, 화면, 색, 말도 살펴봅니다.

> **광고를 그대로 믿으면 생기는 문제점**
> • 비판하지 않고 광고를 보면 그 내용을 모두 사실이라고 믿을 수 있기 때문에 위험합니다.
> • 광고 내용을 모두 믿고 제품을 구입하면 피해를 입을 수 있습니다.

> **광고에 나타난 표현의 적절성을 알아보면 좋은 점**
> • 과장 광고나 허위 광고가 무엇인지 판단하며 광고를 볼 수 있어서 좋습니다.
> • 광고를 그대로 수용하지 않고 비판적으로 볼 수 있어서 좋습니다.

핵심 3 **뉴스에 나타난 정보의 타당성 알기**

• 뉴스는 사람들에게 중요하거나 흥미로운 사건을 때에 알맞게 *보도하는 것을 말합니다.

• 뉴스의 타당성을 판단하려면 가치 있고 중요한 내용을 다룬 뉴스인지, 그 뉴스에 대한 근거가 적절한지를 판단해야 합니다.

> **뉴스의 타당성을 판단하는 방법**
> • 가치 있고 중요한 뉴스인지 살피기
> • 뉴스의 관점과 보도 내용이 서로 관련 있는지 살피기 →뉴스의 관점에 맞게 소개하거나 보도했는지 살펴봅니다.
> • 활용한 자료들이 뉴스 관점을 뒷받침하는지 살피기
> • 자료의 출처가 명확한지 살피기

뉴스의 관점과 활용한 자료는 서로 관련이 있을까?

핵심 4 **관심 있는 내용으로 뉴스 만들기**

• 뉴스를 만드는 과정을 알아봅니다.

> ❶ 어떤 내용을 보도할지 회의한다. ➡ ❷ 알리려는 내용을 취재한다. ➡ ❸ 뉴스 원고를 쓴다. ➡ ❹ 취재한 내용을 효과적으로 알릴 수 있게 뉴스 영상을 제작하고 편집한다. ➡ ❺ 사람들에게 전하고 싶은 내용을 뉴스로 보도한다.

• 상황과 관련 있는 뉴스 주제를 생각해 봅니다.

• 관심 있는 내용으로 뉴스를 만들어 봅니다.

> **어떤 내용을 보도할지 회의할 때 주의할 점**
> • 새로운 정보는 무엇인지 생각해 봅니다.
> • 우리 주변에서 최근 일어난 일은 무엇인지 살펴봅니다.

핵심 5 **우리 반 뉴스 발표회 하기**

• 뉴스 발표 계획을 세워 봅니다.

• 우리 반 뉴스 발표회를 해 봅니다.

조금 더 알기

☼ 광고에서 비판적으로 보아야 할 부분

- 과장하거나 감추는 내용을 담은 부분입니다.
- '무조건', '절대로', '최고', '100퍼센트' 같은 표현은 과장된 표현이므로 비판적으로 살펴보아야 합니다.

☼ 뉴스의 짜임

진행자의 도입	뉴스에서 보도할 내용을 유도하거나 전체를 요약해 안내한다.
기자의 보도	시청자의 이해를 도우려고 면담 자료나 통계 자료로 설명한다.
기자의 마무리	전체 내용을 요약하거나 핵심 내용을 강조한다.

☼ 뉴스 원고를 쓸 때 주의할 점

- 사람들이 쉽고 분명하게 그 내용을 느낄 수 있도록 정확한 표현을 사용합니다.
- 짧고 간결한 표현을 사용합니다.
- 타당한 정보를 제시합니다.

낱말 사전

- ★ **비판적** 현상이나 사물의 옳고 그름을 판단하여 밝히거나 잘못된 점을 지적하는. 또는 그런 것.
- ★ **보도** 대중 전달 매체를 통하여 일반 사람들에게 새로운 소식을 알림. 또는 그 소식.

개념을 확인해요

1 뉴스는 사람들에게 새로운 □□를 알려 줍니다.

2 뉴스는 어떤 일을 긍정적이거나 □□적인 시각으로 보게 합니다.

3 뉴스는 여러 사람의 생각에 영향을 주어 □□을 형성합니다.

4 광고 내용을 비판적으로 바라보려면 □□하거나 감추는 내용이 무엇인지 살펴봐야 합니다.

5 광고는 상품을 잘 팔리게 하려고 상품 기능을 실제보다 부풀리기도 하는데, 이러한 광고를 □□ 광고라고 합니다.

6 있지도 않은 상품 기능을 있는 것처럼 설명하는 광고를 □□ 광고라고 합니다.

7 비판하지 않고 광고를 보면 그 내용을 모두 □□이라고 믿을 수 있기 때문에 위험합니다.

8 뉴스는 사람들에게 중요하거나 흥미로운 □□을 때에 알맞게 보도하는 것을 말합니다.

9 뉴스의 타당성을 판단하려면 가치 있고 중요한 내용을 다룬 뉴스인지, 그 뉴스에 대한 □□가 적절한지를 판단해야 합니다.

10 뉴스의 타당성을 판단하려면 활용한 자료들이 뉴스 □□을 뒷받침하는지 살핍니다.

6. 정보와 표현 판단하기

국어 246~271쪽

도움말

1. 광고는 상품을 잘 팔리게 하려고 상품 기능을 실제보다 부풀리기도 하는데, 이러한 광고를 과장 광고라고 합니다.

핵심 2

1 있지도 않은 상품 기능을 있는 것처럼 설명하는 광고를 무엇이라고 합니까? (　　　)

① 과장 광고　② 허위 광고
③ 공익 광고　④ 상품 광고
⑤ 간접 광고

2. 광고는 오래 기억되도록 같은 말을 반복해 사용하거나 효과적으로 표현하려고 강조법을 사용하기도 합니다.

핵심 2

2 광고의 표현 특성을 살펴보려면 어떻게 해야 하는지 두 가지 고르시오. (　　,　　)

① 재미있게 표현한 부분을 살펴본다.
② 부정적으로 표현한 부분을 살펴본다.
③ 광고에 나오는 인물에 대해 알아본다.
④ 인상 깊은 사진이나 그림, 글, 소리를 찾아본다.
⑤ 광고 내용을 두드러지게 하려고 사용한 글씨체, 글씨 크기, 화면, 색, 말도 살펴본다.

3. 뉴스의 짜임은 '진행자의 도입 → 기자의 보도 → 기자의 마무리'로 구성됩니다.

핵심 3

3 다음은 뉴스의 짜임 가운데 무엇에 대한 설명인지 알맞은 것에 ○표를 하시오.

> 자막은 뉴스에서 보도할 내용을 유도하거나 전체를 요약해 안내하는 역할을 한다.

(진행자의 도입 , 기자의 보도 , 기자의 마무리

핵심 3

4 뉴스의 타당성을 판단할 때 살펴볼 점으로 알맞지 <u>않은</u> 것은 무엇입니까?

( )

① 자료의 출처가 명확한지 살피기
② 가치 있고 중요한 뉴스인지 살피기
③ 잘 알려진 인물을 면담했는지 살피기
④ 뉴스 관점과 보도 내용이 서로 관련 있는지 살피기
⑤ 활용한 자료들이 뉴스의 관점을 뒷받침하는지 살피기

4. 뉴스의 타당성을 판단하는 다른 방법을 친구들과 이야기해 볼 수 있습니다.

핵심 4

5 텔레비전 뉴스를 만드는 과정에 맞게 차례대로 번호를 쓰시오.

> ❶ 뉴스 원고를 쓴다.
> ❷ 알리려는 내용을 취재한다.
> ❸ 어떤 내용을 보도할지 회의한다.
> ❹ 사람들에게 전하고 싶은 내용을 뉴스로 보도한다.
> ❺ 취재한 내용을 효과적으로 알릴 수 있게 뉴스 영상을 제작하고 편집한다.

( )

5. 텔레비전을 시청하는 사람들에게 뉴스 내용을 보도하기 위함입니다.

핵심 4

6 어떤 내용을 보도할지 회의할 때 생각하거나 살펴볼 점으로 알맞은 것을 두 가지 고르시오. (,)

① 새로운 정보는 무엇인지 생각해 본다.
② 우리 주변에서 최근 일어난 일은 무엇인지 살펴본다.
③ 십분 이상 길게 보도할 수 있는 내용인지 생각해 본다.
④ 주변에서 자주 접할 수 있고 친근한 정보가 맞는지 살펴본다.
⑤ 여러 번 생각할 수 있는 주제여서 다음에도 반복적으로 보도할 수 있는 내용인지 살펴본다.

6. 뉴스는 사람들에게 새로운 정보를 알려 주어야 합니다.

국어 246~271쪽

1~3 다음을 보고 물음에 답하시오.

「파리 기후 협약 체결, 기온 상승 폭 2도 제한」 뉴스 내용

지구 온난화를 막기 위해 전 세계가 참가한 보편적 기후 변화 협정이 프랑스 파리에서 체결됐습니다.

31쪽 분량의 '파리 협정' 최종 합의문의 핵심은 지구의 기온 상승 폭을 산업화 이전 대비 섭씨 2도 아래로 억제하고, 가능하면 섭씨 1.5도까지 낮추는 것입니다.

또 온실가스 감축을 위해 선진국들이 2020년까지 매년 천억 달러, 우리 돈 118조 원의 기금을 개발 도상국에 지원하도록 하는 내용도 담겼습니다.

파리 협정은 선진국만 온실가스 감축 의무가 있었던 교토 의정서와는 달리, 개발 도상국을 포함한 195개 당사국 모두가 지켜야 하는 구속력 있는 첫 합의입니다.

파리 기후 협약 체결, 기온 상승 폭 2도 제한

1 뉴스를 보고 들었을 생각으로 알맞은 것의 번호를 쓰시오.

❶ 개발 도상국의 기온 상승 폭이 커서 놀랐다.
❷ 전 세계가 지구 온난화를 막으려고 함께 노력하는 모습이 인상적이었다.
❸ 온실가스를 늘리기 위해 우리가 할 수 있는 일이 무엇인지 생각하게 되었다.

(   )

2 뉴스의 내용으로 알맞지 <u>않은</u> 것은 무엇입니까?

(   )

① 선진국만 온실가스 감축 의무가 있다.
② 지구 온난화를 막기 위한 협정이 체결됐다.
③ 지구의 기온 상승 폭을 산업화 이전 대비 섭씨 2도 아래로 억제한다.
④ 195개 당사국 모두가 온실가스 감축을 지켜야 하는 구속력 있는 합의이다.
⑤ 온실가스 감축을 위해 선진국이 2020년까지 매년 천억 달러를 개발 도상국에 지원한다.

중요

3 뉴스를 본 사람들의 반응을 뉴스가 우리 생활에 미치는 영향에 맞게 선으로 이으시오.

(1) ㉮   •   • ㉠   사람들에게 새로운 정보를 알려 준다.

(2) ㉯   •   • ㉡   여러 사람의 생각에 영향을 주어 여론을 형성한다.

(3) ㉰   •   • ㉢   어떤 일을 긍정적이거나 비판적인 시각으로 보게 한다.

4~7 다음 광고를 보고 물음에 답하시오.

뭘 이렇게 많이 시켜?
다 못 먹으면 남기면 되지.

냉장고의 음식들은 다 어쩔
거니?
다 버릴 거예요.

남은 음식 싸 달라고 할까?
싸 가긴 뭘 싸 가, 창피하게.

음식물 쓰레기 경제적 손실
연간 약 20조 원

중형차 100만 대를 버리는 것
과 같습니다.

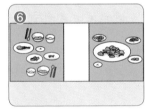

버려야 할 것은
잘못된 음식 문화입니다.

4 한 해에 버려지는 음식물 쓰레기를 무엇과 비교했습
니까? (   )

① 바다
② 냉장고
③ 쓰레기
④ 경제적 손실
⑤ 중형차 100만 대

서술형

5 자동차가 바다에 떨어지는 장면을 보여 준 까닭은
무엇인지 쓰시오.

_____

_____

주의

6 광고를 눈에 쉽게 띄게 하려고 광고의 글자를 어떻
게 표현했습니까? (   )

① 글자로 장면을 가득 채웠다.
② 글자의 크기를 점점 작게 썼다.
③ 장면마다 여러 색의 글자로 표현했다.
④ 중요한 글자를 더 크게 하여 강조했다.
⑤ 모든 글자의 배경을 빨간색으로 표시했다.

7 이 광고에 드러난 의도와 표현 특성을 한 가지 더 쓰
시오.

• 주제가 잘 드러나도록 글, 그림, 사진을 효과적으로
  사용했다.

• _____

중요

8 광고에서 다음 표현을 비판적으로 보아야 하는 까닭
은 무엇입니까? (   )

무조건, 절대로, 최고, 100퍼센트

① 사실이라서
② 재미있어서
③ 긍정적이라서
④ 밝은 내용이라서
⑤ 과장된 표현이라서

서술형

9 광고 내용을 그대로 믿으면 어떤 문제점이 생길지
다음을 참고하여 쓰시오.

옷을 싸게 판다는 광고
를 보고 옷 가게에 들어갔
는데 일부 품목만 싸게 팔
아서 실망한 적이 있어.

10~15 다음 뉴스를 보고 물음에 답하시오.

진행자의 도입	즐거운 성탄절이지만 어려움 속에서 도움을 기다리는 곳도 적지 않습니다. 다행히 기부가 늘어나고 있는데요. 올해 구세군에 모금된 금액은 44억 원으로 지난해보다 4억 원이 많아졌습니다. 사랑의 열매에는 1700억 원 넘게 모여서 목표액의 절반 이상을 채웠고 사랑의 온도 탑도 수은주가 50도를 넘었습니다. 어려운 경기 속에도 이렇게 기부가 늘어난 데는 재미와 감동이 함께하는 이른바 '스마트 기부'가 한몫을 하고 있습니다. 신방실 기자가 전해 드립니다.
기자의 보도	거리에 등장한 자선냄비가 뭔가 색다릅니다. 한 시민이 돼지 저금통을 갈라 모금함에 돈을 넣는가 했더니, 먼저 주사위를 모니터 위에 놓습니다. 선택한 것은 여성과 다문화, 기부 대상을 직접 고를 수 있는 스마트 자선냄비입니다. 〈면담〉○○○(서울시 용산구) "자기가 마음 가는 단체에 기부할 수 있어서 편리한 것 같습니다. 좋은 것 같습니다." 기부 자판기도 새로 등장했습니다. 메뉴판엔 물이나 신발, 약이 있고 2천5백 원 부터 만 원까지 금액도 있어, 원하는 것을 고르면 지구 반대편 어린이에게 그대로 전달됩니다. 이렇게 걷는 것만으로도 기부할 수 있는 스마트폰 앱도 있습니다. 100미터에 10원씩 기부금이 쌓이는 동안 건강까지 챙길 수 있습니다. 게임을 하고 광고 동영상을 시청하면서 기부할 수 있는 앱도 등장했습니다. 〈면담〉하○○(△△△병원 정신건강의학과 교수) "기부에 있어서 마일리지나 포인트 등을 이용할 수 있게 유도한다는 것은 조금 더 사람들이 기부에 손쉽게 다가갈 수 있는 방법 중 하나입니다." 이타적인 동정심으로 기부를 결심하기도 하지만, 기부하면서 느끼는 재미와 보람 같은 개인적 욕구를 채워 주는 점이 요즘 기부의 특징입니다.
기자의 마무리	디지털 기술의 진화가 이웃 사랑을 실천하는 촉매제가 되고 있습니다. KBS 뉴스 신방실입니다.

출처: 한국방송공사, 「KBS 뉴스9」

10 뉴스에서 보도하는 내용은 무엇인지 쓰시오.

· '(   )'가 확산된다는 내용이다.

주의

11 뉴스에서 소개하고 있는 것에 모두 ○ 표를 하시오.

(1) 스마트 기부의 종류 (   )
(2) 스마트 기부의 장점과 특징 (   )
(3) 스마트 기부의 단점과 문제점 (   )

12 뉴스에서 진행자는 어떤 역할을 합니까? (   )

① 간결하게 기사문을 작성한다.
② 자료의 출처가 명확한지 살핀다.
③ 취재한 내용을 뉴스로 보도한다.
④ 뉴스의 핵심 내용을 요약해 안내한다.
⑤ 뉴스에 나타난 정보의 타당성을 판단한다.

13 뉴스의 짜임 가운데 면담 자료나 통계 자료로 설명하는 부분에 ○ 표를 하시오.

(진행자의 도입 , 기자의 보도 , 기자의 마무리)

응용

14 뉴스에서 면담 자료를 보여 주는 까닭은 무엇인지 쓰시오.

(   )

서술형

15 활용한 자료들이 뉴스의 관점을 뒷받침하는지 뉴스의 타당성을 판단해 쓰시오.

_____

16~20 다음 뉴스 원고를 보고 물음에 답하시오.

㉠	독감 때문에 요즘 감염 걱정이 많죠? 하지만 '30초 손 씻기'만 제대로 실천해도 웬만한 감염병은 막을 수 있다고 합니다. '30초의 기적'이라고까지 하는 올바른 손 씻기 방법을 이선주 기자가 알려 드립니다.
㉡	하루에도 몇 번씩 씻는 손, 손을 씻는 방법은 제각각입니다. **면담｜박윤철 6학년 1반 학생** "평소에는 그냥 물로 씻는 편이에요." **면담｜금성혜 6학년 3반 학생** "그냥 물휴지 정도로 닦는 편이에요." 손을 어떻게 씻어야 손에 번식하는 세균을 없앨 수 있을지 알아보려고 손에 형광 물질을 바르고 실험했습니다. 10초 동안 비누로 손바닥과 손가락을 비벼 가며 열심히 씻는 것이 중요합니다. 이렇게 수시로 30초 동안 손을 씻으면 감염병의 70퍼센트는 예방할 수 있습니다. **면담｜하영은 보건 선생님** "감기를 비롯해 장염, 식중독 따위도 모두 손을 깨끗이 씻으면 예방할 수 있습니다."
㉢	특히 중요한 것은 손으로 얼굴을 자주 만지지 않는 것입니다. 우리는 평균 한 시간에 3.6회나 얼굴을 만진다는 연구 결과도 있는데요, 이렇게 자주 얼굴을 만지면 눈, 코, 입으로 세균이 들어가 감염되기 쉽습니다. △△△ 뉴스 이선주입니다.

16 ㉠~㉢에 들어갈 뉴스의 짜임을 쓰시오.

(1) ㉠: (   )

(2) ㉡: (   )

(3) ㉢: (   )

17 뉴스를 보고 알 수 있는 내용은 무엇인지 쓰시오.

• 올바른 (   ) 방법

18 관점을 뒷받침하려고 활용한 자료를 모두 고르시오.
(   )

① 사진 자료

② 전화 상담

③ 관련 실험

④ 전문가 면담

⑤ 주제와 관련한 연구 결과

 서술형

19 만들려는 뉴스가 타당성이 있도록 다음 방법에 맞는 의견을 더해 쓰시오.

가치 있고 중요한 뉴스인지 살피기	
자료의 출처가 명확한지 살피기	전문가와 관련 있는 정보를 정확히 밝히고 있다.

20 뉴스 원고를 쓰는 방법으로 알맞은 것은 무엇입니까? (   )

① 누구나 쉽게 이해할 수 있게 쓴다.

② 원고는 최대한 길게 쓰는 것이 좋다.

③ 인격을 무시하는 말을 사용해도 된다.

④ 쉬운 말을 어려운 한자어로 고쳐 쓴다.

⑤ 모호한 표현을 써서 보는 사람에게 생각을 하게 만든다.

국어 246~271쪽

1~5 다음 광고를 보고 물음에 답하시오.

무료하고 따분하고 재미있는 일이 없을 때, 당신의 일상에 신바람이 일어납니다.

건강해지려고 아령도 들고 줄넘기도 해 보지만 체력이 여전히 바닥일 때, 당신의 건강에 신바람이 일어납니다.

당신의 즐거운 일상과 건강한 체력을 책임져 줄 단 한 가지!
신바람 자전거!

소비자 만족도 1위

독보적인 디자인과 튼튼한 내구성을 인정받아 소비자 만족도 1위를 달성했습니다.

신바람 자전거

기분 최고, 건강 최고, 기술력 최고! 신바람 자전거가 선사합니다.

1 무엇을 광고합니까? ( )

① 아령
② 헬멧
③ 자전거
④ 줄넘기
⑤ 텔레비전

2 반복된 표현을 두 가지 고르시오. (,)

① 최고
② 신바람
③ 여전히
④ 책임져
⑤ 한 가지

3 신바람 자전거는 어떤 점이 좋다고 했습니까?
( )

① 작고 가벼워 휴대가 간편하다.
② 자동차만큼의 속력을 낼 수 있다.
③ 체력을 하루 만에 회복시켜 준다.
④ 달리기를 하는 것보다 건강에 좋다.
⑤ 독보적인 디자인과 튼튼한 내구성이 좋다.

4 "당신의 일상에 신바람이 일어납니다."라는 문구는 왜 과장된 표현입니까? ( )

① '당신'이라는 표현이 과장되어서
② 언제, 어떤 조사인지 정보가 없어서
③ 만족도에 대한 정보를 감추고 있어서
④ 신바람 자전거만 될 수 있는 것이어서
⑤ 자전거를 탄다고 누구나 신바람이 나는 것은 아니어서

서술형

5 광고 화면을 밝고 긍정적으로 표현한 까닭은 무엇을지 쓰시오.

_____

_____

6~7 다음 광고를 보고 물음에 답하시오.

8~10 다음 뉴스를 보고 물음에 답하시오.

6 무엇을 광고하는지 쓰시오.

( )

7 과장된 표현이 있는 광고 문구는 무엇인지 모두 ○ 표를 하시오.

(1) 이보다 가벼울 수는 없다! ( )

(2) 품질을 인정받아 해외로 수출하는 ( )

(3) 교과서를 모두 넣어도 찢어질 염려 없는

( )

8 장면 ❸처럼 뉴스에서 통계 자료를 보여 주는 까닭은 무엇입니까? ( )

① 재미와 웃음을 주려고

② 친근감을 느끼게 하려고

③ 내용을 자세히 길게 설명하려고

④ 시청자에게 경험을 떠올리게 하려고

⑤ 뉴스 내용을 일목요연하게 보여 주려고

9 '기자의 보도'에는 어떤 내용들이 들어갑니까?

(,)

① 면담 자료　　　　② 통계 자료

③ 핵심 내용 강조　　④ 전체 내용 요약

⑤ 보도할 내용 유도

10 뉴스의 핵심 내용을 요약해 안내하는 사람은 누구입니까? ( )

① 기자　　　　　② 진행자

③ 면담자　　　　④ 연출자

⑤ 촬영 기사

11 도윤이는 뉴스의 타당성을 판단하는 방법 가운데 무엇을 떠올리며 판단한 것인지 보기 에서 찾아 기호를 쓰시오.

> **보기**
> ㉮ 자료의 출처가 명확한지 살피기
> ㉯ 가치 있고 중요한 뉴스인지 살피기
> ㉰ 활용한 자료들이 뉴스의 관점을 뒷받침하는지 살피기
> ㉱ 뉴스의 관점과 보도 내용이 서로 관련 있는지 살피기

뉴스의 관점을 뒷받침하려고 시민·전문가와의 면담 자료, 통계 자료를 활용했어.

도윤

(   )

12~13 다음 글을 읽고 물음에 답하시오.

진행자의 도입	독감 때문에 요즘 감염 걱정이 많죠? 하지만 '30초 손 씻기'만 제대로 실천해도 웬만한 감염병은 막을 수 있다고 합니다. '30초의 기적'이라고까지 하는 올바른 손 씻기 방법을 이선주 기자가 알려 드립니다.

12 올바른 손 씻기 방법을 알려 주려고 하는 까닭은 무엇인지 쓰시오.

_____

_____

13 진행자의 도입에 들어갈 자막으로 알맞은 것은 무엇입니까? (   )

① 예방 주사만 맞았더라면…
② 전 세계가 독감으로 '끙끙'
③ 감염병을 막을 수 없는 진짜 이유
④ 30초의 기적, 올바른 손 씻기 방법은?
⑤ 독감 유행 계속, 감염 예방은 철저하게

14~15 뉴스를 만드는 과정을 보고 물음에 답하시오.

① 어떤 내용을 보도할지 회의한다.

② 알리려는 내용을 취재한다.

③ 뉴스 원고를 쓴다.

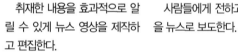
④ 취재한 내용을 효과적으로 알릴 수 있게 뉴스 영상을 제작하고 편집한다.

⑤ 사람들에게 전하고 싶은 내용을 뉴스로 보도한다.

14 뉴스 원고를 쓰기 전에 해야 할 일은 무엇입니까?
(   )

① 뉴스 영상을 제작한다.
② 뉴스 영상을 편집한다.
③ 알리려는 내용을 취재한다.
④ 원고에서 고쳐야 할 점을 찾아본다.
⑤ 전하고 싶은 내용을 뉴스로 보도한다.

15 어떤 내용을 보도할지 회의할 때 생각할 점을 두 가지 고르시오. (,   )

① 새로운 정보는 무엇인가
② 여러 사람이 다 아는 일은 무엇인가
③ 여러 사람에게 친숙한 일은 무엇인가
④ 매일 일어나는 익숙한 일은 무엇인가
⑤ 우리 주변에서 최근 일어난 일은 무엇인가

16~17 다음 글을 읽고 물음에 답하시오.

> 나는 일회용품을 많이 사용해 일어나는 환경 문제를 알아보는 뉴스를 만들고 싶어. 일회용품의 사용을 줄이자는 관점을 제시하고 싶어.
> — 은우

> 나는 갈수록 늘어나는 음식물 쓰레기 문제의 심각성을 알리는 뉴스를 만들고 싶어. 한 해에 버려지는 음식물 쓰레기 양을 조사하고, 어떻게 하면 가정에서 음식물 쓰레기를 줄일 수 있는지 해결책도 함께 제시할 거야.
> — 민재

16 민재가 뉴스를 만들기 위해 조사할 내용은 무엇입니까? (　　　)

①  일회용품의 종류

②  한 해 버려지는 음식물 쓰레기 양

③  여러 나라의 음식 문화

④  일회용품 사용으로 인한 환경 문제

17 은우는 어떤 관점으로 뉴스를 만들고 싶어 합니까? (　　　)

① 음식물 쓰레기를 줄이자.
② 일회용품의 사용을 줄이자.
③ 나무를 심어 자연을 살리자.
④ 쓰레기를 잘 분류해서 버리자.
⑤ 쓰레기를 함부로 버리지 말자.

18 뉴스 원고를 쓸 때 어려운 말은 쉽게 풀어서 써야 하는 까닭은 무엇입니까? (　　　)

① 주제를 드러내지 않으려고
② 의견을 분명하지 않게 말하려고
③ 내용을 짧고 간결하게 표현하려고
④ 뉴스에서 관점을 제시하지 않으려고
⑤ 누구나 쉽게 이해할 수 있도록 하려고

단원

19 뉴스를 발표할 때 '기자'가 하는 일은 무엇입니까? (　　　)

① 뉴스를 영상으로 촬영한다.
② 뉴스의 중요 내용을 안내한다.
③ 다양한 뉴스를 차례에 따라 전달한다.
④ 뉴스 원고를 간결하고 정확하게 고쳐 쓴다.
⑤ 뉴스에서 전문가를 면담하거나 뉴스 내용을 취재해 보도한다.

20 뉴스를 발표하는 방법을 잘못 말한 것은 무엇입니까? (　　　)

① 정확한 내용을 간결하게 전달해야 해.
② 뉴스 원고를 단순히 따라 읽어야 해.
③ 누구나 알아들을 수 있도록 말하는 빠르기가 적절해야 해.
④ 뉴스를 보도할 때에는 진지한 자세로 뉴스 내용을 전해야 해.
⑤ 적절하지 않은 표현이나 부정확한 내용을 뉴스 내용으로 구성하지 않아야 해.

1~3

도움말

★ 해양 쓰레기 중 약 50% 가까이 차지하는 것이 바로 플라스틱입니다. 이 외에도 스티로폼, 유리 등도 그 양이 꽤 많다는 내용의 광고입니다.

1 이 공익 광고는 어떤 광고인지 빈칸에 알맞은 말을 써넣으시오.

((1)   )(으)로 산호를 표현하며
((2)   )을/를 알리는 광고이다.

1 플라스틱 폐기물(숟가락)로 산호를 표현했습니다.

2 이 공익 광고는 어떤 내용을 전하려고 하는지 쓰시오.

_____

_____

2 광고에서 전하려는 것을 광고의 의도라고 합니다.

3 다음 뉴스 내용을 참고하여 어떤 피해가 더 생길 수 있을지 쓰시오.

바닷속 플라스틱 쓰레기로 해양 생물이 생명을 위협받고 있습니다. 죽은 바다거북 한 마리의 내장을 분리해내자, 비닐, 플라스틱 조각 등 쓰레기가 쏟아져 나옵니다.

_____

_____

3 선박 사고의 10분의 1은 해양 쓰레기 때문이며, 생물 서식지가 파괴되면 바다 생물이 죽고 어업 생산량까지 줄어듭니다.

4~5

무료하고 따분하고 재미있는 일이 없을 때, 당신의 일상에 신바람이 일어납니다.

건강해지려고 아령도 들고 줄넘기도 해 보지만 체력이 여전히 바닥일 때, 당신의 건강에 신바람이 일어납니다.

당신의 즐거운 일상과 건강한 체력을 책임져 줄 단 한 가지!
신바람 자전거!

독보적인 디자인과 튼튼한 내구성을 인정받아 소비자 만족도 1위를 달성했습니다.

기분 최고, 건강 최고, 기술력 최고! 신바람 자전거가 선사합니다.

4 광고와 관련 있는 질문을 생각해 쓰시오.

(1) 광고에서 확인할 수 있는 질문	• 어떤 표현이 반복되나요? •_____
(2) 친구들과 생각을 나누고 싶은 질문	• 광고 화면을 밝고 긍정적으로 표현한 까닭은 무엇일까요? •_____

5 광고 문구에서 과장하거나 감추는 내용을 쓰시오.

광고 문구	과장하거나 감추는 내용
당신의 일상에 신바람이 일어납니다.	자전거를 탄다고 누구나 신바람이 나는 것은 아니므로 과장되었다.
당신의 즐거운 일상과 건강한 체력을 책임져 줄 단 한 가지!	(1)
소비자 만족도 1위	(2)
기분 최고, 건강 최고, 기술력 최고! 신바람 자전거가 선사합니다.	(3)

6 다음 광고 문구에서 과장하거나 감추는 내용은 무엇인지 쓰시오.

최대 50퍼센트 할인　　　　　　작은 변화로 당신도 연예인!

원하는 머리 모양이 무엇이든 완벽하게 연출 가능한

멋쟁이 미용실

겨
울
방
학
한
정
!

전속 모델: 연예인 ○○○

• 초등학생 50퍼센트 할인(단 커트 제외, 길이 추가 있음.)
• 첫 방문자 30퍼센트 할인(단 중복 할인 및 일부 품목은 제외함.)
• 모닝 펌 20퍼센트 할인(단 현금 결제 시, 주말은 제외함.)

광고 문구	과장하거나 감추는 내용
(1) 작은 변화로 당신은 연예인!	
(2) 완벽하게 연출 가능한	
(3) 중복 할인 및 일부 품목은 제외함.	

6 광고에서 과장하거나 감추는 내용이 있는 광고 문구를 잘 살펴보고, 광고 문구에서 과장하거나 감추는 내용을 찾아 비판적으로 볼 수 있는지 평가합니다.

7 다음 광고를 보고 정보의 타당성과 표현의 적절성을 판단해 쓰시오.

예쁜 글씨가 술술~ 모르는 문제도 술술~ 참 좋은 연필!
참 좋은 연필은 세계 최고의 나무와 우주 최고의 흑연을 사용합니다.
고르는 재미가 있고 모든 능력을 갖춘, 참 좋은 연필!

7 광고의 적절성을 판단하려면 과장하거나 감추는 내용이 무엇인지 살펴봐야 합니다.

8~10

㉮ 줄넘기를 잘할 수 있는 방법을 알려 주면 좋겠어.

㉯ 독서를 즐겁게 할 수 있는 방법을 알려 주면 좋겠어.

㉰ 등하굣길을 안전하게 다닐 수 있는 방법을 알려 주면 좋겠어.

어린이보호구역
SCHOOL ZONE
여기부터 200m

㉱ 운동장에서 안전하게 노는 방법을 알려 주면 좋겠어.

도움말

☆ 관심 있는 내용으로 뉴스를 만드는 것이 목적입니다.

8 그림 ㉮ ~ ㉱의 상황에 알맞은 뉴스 주제를 쓰시오.

(1) ㉮	
(2) ㉯	
(3) ㉰	
(4) ㉱	

8 우리 주변에서 일어나는 일입니다.

9 자신이 만들고 싶은 뉴스의 주제를 정해 쓰시오.

_____

9 자신이 만들고 싶은 뉴스의 주제를 정하고 어떤 관점으로 뉴스를 만들고 싶은지 이야기해 봅니다.

10 9번의 주제를 바탕으로 취재 계획을 세워 쓰시오.

(1) 취재할 사건이나 정보	
(2) 사전 조사 방법	

10 취재를 나가기 전에 취재할 내용에 대해 충분히 조사하는 것이 중요합니다.

단원 요점 정리   7. 글 고쳐 쓰기

핵심 1 글을 고쳐 쓰면 좋은 점 알기

> 글을 쓰고 나서 내용과 표현이 알맞도록 다시 쓰는 것을 고쳐쓰기라고 합니다.

• 적절하지 않은 낱말이나 틀린 문장이 없으면 읽는 사람이 글을 더 쉽게 이해할 수 있습니다.
• 군더더기 없는 글을 쓰면 자신의 생각을 더 잘 전달할 수 있습니다.
• 필요한 내용을 더 쓰면 자세하고 내용이 풍부한 글이 됩니다. → 고쳐쓰기를 하면 하고 싶은 말이 글에 더 잘 드러나게 됩니다.
• 읽는 사람의 반응을 잘 이끌어 내는 글을 쓸 수 있습니다.

> **고쳐쓰기를 해야 하는 까닭**
> • 더 좋은 글을 쓰기 위해서입니다.
> • 읽는 사람이 이해하기 쉬운 글을 쓰기 위해서입니다.
> • 하고 싶은 말을 명확하게 전달하기 위해서입니다.

핵심 2 글을 고쳐 쓰는 방법 알기

• 쓴 글을 전체적으로 읽습니다.
• 문단 흐름이 자연스러운지, 중심 생각이 잘 나타났는지 살펴봅니다.
• 틀린 문장이나 낱말이 있는지 찾아봅니다.

글 수준	• 글을 쓴 목적과 제목을 생각해 본다. • 글에서 더하거나 뺄 내용이 있는지 생각해 본다.
문단 수준	• 글의 흐름에 맞게 문단 차례를 조정해 본다. • 문단별로 중심 생각을 찾아본다.
문장 수준	• 문장 ★호응이 이루어지지 않은 문장은 고쳐 쓴다. • 표현이 적절하지 않은 문장은 고쳐 쓴다. → 교정 부호를 사용하면 시간을 절약하고 여러 번 옮겨 쓸 필요가 없습니다. • 지나치게 긴 문장은 고쳐 쓴다.

> **고쳐 쓸 부분을 찾는 방법**
> • 글을 전체적으로 다시 읽어 봅니다.
> • 문단의 중심 생각이 무엇인지 찾아봅니다.
> • 틀린 문장이나 낱말이 있는지 살펴봅니다.

핵심 3 자료를 활용해 글 쓰기

• 주장하는 글을 쓰는 과정

> ❶ 문제와 관련한 자신의 주장을 정한다.
> ❷ 주장과 관련해 알고 있는 것을 떠올리거나 자료를 찾아본다.
> ❸ 주장하는 글의 짜임을 생각하며 글을 쓴다.

• 주장하는 글에 들어갈 내용

서론	문제 상황과 문제와 관련한 자신의 주장을 쓴다.
본론	주장의 근거와 뒷받침 자료를 쓴다.
결론	지금까지 쓴 내용을 정리하고 주장을 다시 한번 강조한다.

핵심 4 자신이 쓴 글을 고쳐 쓰고 공유하기

• 글 수준에서 점검할 내용을 쓰고 점검하기

> • 글 전체의 주제가 잘 드러나는지 확인한다.
> • 읽는 사람을 고려해서 썼는지 살펴본다.
> • 글의 목적에 맞는 내용을 썼는지 생각한다.
> • 제목이 글 내용과 어울리는지 확인한다.
> • 서론, 본론, 결론에 알맞은 내용이 들어갔는지 판단해 본다.

• 문단 수준에서 점검할 내용을 쓰고 점검하기

> • 한 문단에 하나의 중심 생각만 있는지 점검한다.
> • 문단의 중심 생각이 잘 나타나 있는지 확인한다.
> • 중심 문장과 뒷받침 문장이 자연스럽게 연결되는지 확인한다.
> • 필요 없는 문장이 있는지 판단해 본다.

• 문장과 낱말 수준에서 점검할 내용을 쓰고 점검하기

> • 문장 호응이 잘 이루어지는지 확인한다.
> • 분명하지 않은 표현을 사용했는지 생각한다.
> • 지나치게 단정적인 표현이 있는지 확인한다.

조금 더 알기

⚙ 글을 고칠 때 사용하는 교정 부호

교정 부호	쓰임
∨	띄어 쓸 때
⌒	붙여 쓸 때
♂	한 글자를 고칠 때
⌣	여러 글자를 고칠 때
⨆	글자를 뺄 때
⋎	글의 내용을 추가할 때

⚙ 글을 고쳐 쓰는 방법

- 주장이 잘 드러나지 않는다.
  ➡ 쓴 글을 전체적으로 읽으면서 자신의 생각을 확인한다.
- 문단 흐름이 자연스럽지 않다.
  ➡ 글의 짜임에 맞게 문단 흐름이 자연스럽도록 차례를 조정하거나 고쳐 쓴다.
- 문단 안에서 중심 문장이 뒷받침 문장과 어울리지 않는다.
  ➡ 문단 내용을 다시 읽고 문단의 중심 생각을 잘 나타내는 문장으로 고쳐 쓴다.
- 앞뒤가 맞지 않는 문장이나 잘못 쓴 낱말이 있다.
  ➡ 글을 다시 읽고 어색한 문장이나 낱말을 바르게 고쳐 쓴다.
- 읽는 사람을 고려하지 못한 부분이 있다.
  ➡ 읽는 사람의 흥미를 끌거나 이해를 돕는 내용을 보충한다.

낱말 사전

★ 호응 앞에 어떤 말이 오면 거기에 응하는 말이 따라옴. 또는 그런 일.

개념을 확인해요

1 글을 고쳐 쓰면 읽는 사람의 ☐☐ 을 잘 이끌어 내는 글을 쓸 수 있습니다.

2 고쳐쓰기를 해야 하는 까닭은 하고 싶은 말을 ☐☐ 하게 전달하기 위해서입니다.

3 글을 고쳐 쓰기 위해서는 문단 흐름이 자연스러운지, ☐☐ 생각이 잘 나타났는지 살펴봅니다.

4 글을 고쳐 쓸 부분을 찾기 위해서는 ☐☐ 의 중심 생각이 무엇인지 찾아봅니다.

5 주장하는 글을 쓸 때에는 우선, 문제와 관련한 자신의 ☐☐ 을 정합니다.

6 주장하는 글을 쓸 때에는 주장하는 글의 ☐☐ 을 생각합니다.

7 주장하는 글은 서론, ☐☐ , 결론으로 이루어집니다.

8 주장하는 글의 본론에는 주장의 ☐☐ 와 뒷받침 자료를 씁니다.

9 글 수준에서 점검할 때에는 글 전체의 ☐☐ 가 잘 드러나는지 확인합니다.

10 문장과 낱말 수준에서 점검할 때에는 ☐☐ 호응이 잘 이루어지는지 확인합니다.

국어 272~295쪽

도움말

1. 글을 고쳐 쓰면 읽는 사람이 좀 더 이해하기 쉽고 자신이 하고 싶은 말을 잘 전달할 수 있습니다.

핵심 1

1 글을 고쳐 쓰면 좋은 점으로 알맞지 <u>않은</u> 것을 두 가지 고르시오.

(,)

① 자신의 생각을 잘 전달할 수 있다.
② 주제에 대해 여러 번 강조할 수 있다.
③ 읽는 사람이 글을 더 쉽게 이해할 수 있다.
④ 읽는 사람에게 다양한 정보를 전달할 수 있다.
⑤ 읽는 사람의 반응을 잘 이끌어 내는 글을 쓸 수 있다.

2. 고쳐 쓰면 좋은 점과 연관 시켜 공부할 수 있습니다.

핵심 1

2 고쳐쓰기를 해야 하는 까닭으로 알맞은 것을 모두 고르시오.

( )

① 더 좋은 글을 쓰기 위해서이다.
② 자신의 생각을 강조하기 위해서이다.
③ 글을 빠른 시간 안에 쓰기 위해서이다.
④ 하고 싶은 말을 명확하게 전달하기 위해서이다.
⑤ 읽는 사람이 이해하기 쉬운 글을 쓰기 위해서이다.

3. 글을 고쳐 쓸 때는 쓴 글을 전체적으로 읽어 보고 어색한 문장이 있는지 찾아봅니다.

핵심 2

3 글을 고쳐 쓰는 방법으로 알맞지 <u>않은</u> 것은 어느 것입니까? ( )

① 쓴 글을 전체적으로 읽어 본다.
② 어색한 문장이 있는지 찾아본다.
③ 중심 생각이 잘 나타났는지 살펴본다.
④ 한 문장이 아닌 것이 있는지 살펴본다.
⑤ 문단의 흐름이 자연스러운지 살펴본다.

핵심 2

4 다음 글에서 밑줄 그은 문장을 바르게 고쳐 쓴 것은 무엇입니까?

( )

> 선생님께서 방과 후에 교무실로 오라고 하셨습니다. 다음 주에 환경미화 심사가 있습니다. <u>아마 그것 때문에 선생님께서 부르셨다.</u>

① 아마 그것 때문에 선생님이 부르셨다.
② 아마 그것 때문에 선생님께서 불렀다.
③ 아마 이것 때문에 선생님께서 부르셨다.
④ 아마 이것 때문에 선생님께서 불렀습니다.
⑤ 아마 그것 때문에 선생님께서 부르셨을 것입니다.

4. 앞 문장의 내용과 흐름을 살피며 어울리게 수정합니다.

핵심 3

5 다음은 주장하는 글의 짜임 가운데 어느 부분에 해당하는지 ○ 표를 하시오.

> 지금까지 쓴 내용을 정리하고 주장을 다시 한번 강조한다.

⑴ 서론 ( )   ⑵ 본론 ( )   ⑶ 결론 ( )

5. 주장하는 글은 서론, 본론, 결론으로 나뉩니다.

핵심 4

6 자신이 쓴 글에서 고쳐 쓸 점을 생각할 때 글 수준에서는 어떤 점을 점검해야 합니까? ( )

① 무엇을 쓴 글인지 알 수 있는가?
② 한 문단에 하나의 중심 생각만 있는가?
③ 중심 문장과 뒷받침 문장이 자연스럽게 연결되는가?
④ 분명하지 않거나 지나치게 단정적인 표현이 있는가?
⑤ 문장 호응이 잘 이루어졌고, 알맞은 낱말을 사용했는가?

6. 자신이 쓴 글을 고쳐 쓸 때에는 글 전체의 주제가 잘 드러나야 하고, 글의 목적에 맞는 내용을 썼는지 생각하여야 합니다.

국어 272~295쪽

1~3 다음 그림을 보고 물음에 답하시오.

1 불량 식품을 먹으면 안 된다고 말하고 싶어.
도현

2 불량 식품을 먹으면 아플 수도 있어.

3 불량 식품을 먹고 쓰레기를 함부로 버리는구나.

4 불량 식품을 먹지 말자는 주장을 글로 쓰고 싶어.

5 불량 식품에는 유통 기한도 적혀 있지 않구나.

6 내가 본 내용과 찾아본 내용을 바탕으로 하여 글을 써야지.

1 도현이는 친구들이 무엇을 먹는 것을 보았는지 쓰시오.

( )

2 도현이가 글을 쓰려고 더 알아본 것에 ○표를 하시오.

(1) 불량 식품의 종류와 파는 곳 ( )
(2) 불량 식품에는 유통 기한이 적혀 있지 않다는 사실 ( )

3 도현이가 말하고자 하는 것으로 알맞은 것은 무엇입니까? ( )

① 불량 식품을 먹지 말자.
② 친구와 사이좋게 지내자.
③ 불량 식품을 만들지 말자.
④ 길에 쓰레기를 버리지 말자.
⑤ 다양한 종류의 책을 많이 읽자.

4~6 다음 글을 읽고 물음에 답하시오.

㉠쓰레기가 되는 불량 식품

여러분, 불량 식품을 먹지 맙시다. ㉡불량 식품을 먹고 나서 쓰레기를 버리는 사람이 많습니다. 그렇게 버린 쓰레기들이 우리 학교 주변을 더럽혀 보기에도 좋지 않고, 악취도 납니다. 불량 식품에는 무엇이 들어갔는지, 그리고 유통 기한은 언제까지인지 정확히 적혀 있지 않습니다. 불량 식품을 먹으면 해로운 물질이 몸에 들어가 병에 걸리기 쉽습니다. 불량 식품은 ㉢아무리 맛있어서 먹으면 안 됩니다.

4 ㉠을 주제를 잘 드러내는 제목으로 바꿔 쓰시오.

_____

5 ㉡을 고쳐 쓰는 방법으로 알맞은 것은 무엇입니까?

( )

① 앞 문장을 자세히 설명한다.
② '그렇게'를 '이렇게'로 바꾼다.
③ 두 문장을 한 문장으로 붙여 쓴다.
④ 주제와 관련이 없으므로 삭제한다.
⑤ 뒤 문장을 두 문장으로 나누어 쓴다.

6 ㉢의 문장을 알맞게 고쳐 쓴 것은 무엇입니까?

( )

① 아무리 맛있어서 먹으면 됩니다.
② 아무리 맛있어서 먹어도 안 됩니다.
③ 아무리 맛있어서 먹어 보아야 합니다.
④ 아무리 맛있어도 먹지 말아야 합니다.
⑤ 아무리 맛있어도 먹어 보면 알게 됩니다.

❶ ㉠요즘 많은 어린이가 이야기할 때 은어나 비속어를 사용했다. 국립국어원 조사에 따르면 조사 대상 초등학생의 93퍼센트가 비속어를 사용한 적이 있다고 한다. ㉡만약 학생 열 명이 있기 때문에 적어도 아홉 명은 비속어를 사용한 적이 있는 것이다. 비속어가 아닌 고운 말을 사용해야 하는 까닭은 무엇일까?

❷ 고운 말을 사용하면 서로 존중하는 마음을 전할 수 있다. 흔히 말이 눈에 보이지 않는 마음임을 표현할 때 "말은 마음의 거울"이라는 격언을 사용한다. 고운 말을 사용해야 하는 것은 어린이만이 아니다. 존중하는 마음이 없다면 고운 말도 나오지 않는다.

❸ 고운 말은 다른 사람을 존중하는 마음을 전할 수 있게 하고, 다른 사람과 대화를 원활하게 할 수 있게 한다. 또 ㉢무조건 고운 말을 사용하는 것만이 우리말을 아름답게 가꾸고 지키는 일이다. ㉣이제라도 고운 말을 사용하는 바른 언어 습관을 기르려고 노력하면 좋을 수도 있다.

❹ 고운 말을 사용하면 다른 사람과 원활하게 대화할 수 있다. 은어나 비속어는 대화를 어렵게 하고 오해를 불러일으킨다. 단순히 재미있으려고 은어나 비속어를 사용했다가 친구들끼리 투쟁으로 이어지는 경우도 있고, 어른과 어린이의 일상적인 대화가 어려워지는 경우도 있다.

❺ ㉤고운 말을 사용하면 친구 관계가 좋아진다. 말은 우리 민족의 혼이 담긴 소중한 문화유산이다. 은어나 비속어를 사용한다면 그것이 우리 후손에게 그대로 전해질 것이다. 고운 말을 사용해 아름다운 우리말을 지켜야 한다.

7 글의 흐름에 맞게 문단 ❶~❺의 차례를 정해 쓰시오.

❶ ➡ ❷ ➡ (   ) ➡ (   ) ➡ (   )

8 이 글을 쓴 목적은 무엇입니까? (   )

① 어린이가 쓰는 은어를 알아보려고
② 고운 말을 써야 한다고 주장하려고
③ 인터넷 사용을 줄이자고 주장하려고
④ 국어사전을 활용하자고 알려 주려고
⑤ 친구와 사이좋게 지내자고 주장하려고

🖐서술형

9 다음을 참고하여 문단 ❷에서 필요 없는 문장을 찾아 쓰시오.

고운 말을 사용하면 서로 존중하는 마음을 전할 수 있다는 중심 문장의 내용과 관련 없는 문장이 있는지 살펴봐요.

――――――――――――――――――

――――――――――――――――――

10 ㉠~㉤을 바르게 고쳐 쓰지 <u>못한</u> 것은 무엇입니까? (   )

① ㉠ 요즘 많은 어린이가 이야기할 때 은어나 비속어를 사용한다.
② ㉡ 만약 학생 열 명 때문에 아홉 명은 비속어를 사용한 적이 있는 것이다.
③ ㉢ 고운 말을 사용하는 것은 우리말을 아름답게 가꾸고 지키는 일이다.
④ ㉣ 이제라도 고운 말을 사용하는 바른 언어 습관을 기르려고 노력하자.
⑤ ㉤ 고운 말을 사용하는 것은 우리말을 지키는 것과 같다.

11~14 다음을 보고 물음에 답하시오.

동물 실험 영상

이후 계속되어 온 인류의 '동물 실험'

소아마비, 결핵, 풍진, 홍역 등 치명적 질병들에 대한 예방 백신을 개발

전 세계에서 한 해 동안 사용되는 실험동물은 약 5억 마리

| 자료 1 | 동물의 희생, 동물 실험을 반대한다 |

　의약품 따위를 만드는 실험으로 전 세계에서 해마다 약 6억 마리의 동물이 희생되고 있다. 개발한 약품을 사람에게 바로 사용하지 않고 동물을 대상으로 먼저 실험해 보기 때문이다. 예를 들면 피부에 사용하는 약품을 개발할 때 토끼의 눈에 화학 물질을 넣어 부작용이 생기는지 확인한다. 토끼는 눈 깜빡임과 눈물이 적어 실험 결과를 오래 관찰할 수 있기 때문이다. 눈에 화학 물질이 들어간 토끼는 눈에서 피가 나기도 하고 심한 경우 눈이 멀기도 한다.

　동물 실험을 반대하는 사람들이 늘어나고 있다. 사람과 동물의 몸은 차이가 크기 때문에 이러한 동물 실험은 소용이 없다고 주장한다. 실제로 동물 실험을 통과한 신약 후보 열 개 가운데 아홉 개는 효과가 없거나 부작용을 일으킨다고 한다.

　동물 실험을 다른 방법으로 대체해야 한다는 목소리도 높다. 한 국민 의식 조사에 따르면 동물 실험을 대체할 수 있도록 사회적 지원을 하는 데 응답자 대부분이 찬성했다. 특히 동물 실험을 대체하는 연구에 자신이 내는 세금을 사용할 수 있도록 하는 데 85 퍼센트가 동의했다.

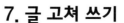 주의

11 영상을 보고 내용을 확인하는 질문을 만든 것은 무엇입니까? (　　　)

① 동물의 생명도 똑같이 소중한가요?
② 동물 실험으로 개발한 백신에는 무엇이 있나요?
③ 동물의 생명보다 인간의 생명이 더 소중한가요?
④ 동물 실험을 대신할 수 있는 대체 실험에는 무엇이 있나요?
⑤ 동물과 사람에게 나타나는 반응은 어떤 점에서 똑같지 않나요?

12 자료 1의 주장은 무엇입니까? (　　　)

① 동물을 학대하지 말자.
② 동물 실험을 해야 한다.
③ 동물을 버리는 사람이 많다.
④ 동물 실험을 해서는 안 된다.
⑤ 동물이 질병에 걸리면 치료해야 한다.

13 자료 1에서 알 수 있는 사실을 두 가지 고르시오.
(　　,　　)

① 대체 실험에 비용이 많이 든다.
② 실험 때문에 수많은 동물이 희생된다.
③ 동물 실험을 통과한 약은 부작용이 없다.
④ 동물 실험을 대체할 수 있는 방법도 있다.
⑤ 동물 실험을 하지 않고 개발한 약은 없다.

서술형

14 자료 1의 주장과 같은 견해로 글을 쓰려고 합니다. 뒷받침할 수 있는 근거를 쓰시오.

_____

_____

15 주장하는 글을 쓸 때 서론에는 어떤 내용이 들어갑니까? (   )

① 구체적이고 사실적인 자료
② 주장의 근거와 뒷받침 자료
③ 주장을 실천했을 때의 효과
④ 문제 상황과 문제에 대한 자신의 주장
⑤ 읽는 사람의 흥미를 불러일으키는 제목

16 고쳐쓰기를 할 때 글 수준에서는 어떤 점을 점검해야 합니까? (   )

① 필요 없는 문장이 있는지 판단한다.
② 무엇을 쓴 글인지 알 수 있는지 살펴본다.
③ 문단의 중심 생각이 잘 나타나 있는지 확인한다.
④ 한 문단에 하나의 중심 생각만 있는지 점검한다.
⑤ 중심 문장과 뒷받침 문장이 자연스럽게 연결되는지 확인한다.

17 다음 친구들은 어떤 수준에서 쓴 글을 점검한 내용인지 보기 에서 찾아 각각 쓰시오.

> 보기
>
> 글 수준   문단 수준   문장과 낱말 수준

(1)
글 전체 주제가 잘 드러났는지 확인해야 해.
글의 목적에 맞는 내용을 썼는지 점검해야 해.

(   )

(2)
문장 호응이 잘 이루어지지 않는 부분이 있는지 확인해야 해.
분명하지 않거나 지나치게 단호한 표현은 없는지도 확인하면 좋겠어.

(   )

18~20 다음 그림을 보고 물음에 답하시오.

❶ 콘크리트로 덮여 있던 복개 하천이나 생활 하수로 악취가 나던 하천들을 복원하고 있어.

❷ 내복도 입고, 찬 바람도 막아서 따뜻하게 지내자.

18 그림에 나타난 실천 방안은 무엇인지 각각 쓰시오.

(1) 그림 ❶: _____

_____

(2) 그림 ❷: _____

_____

19 자연과 조화를 이루며 발전할 수 있는 실천 방안으로 알맞지 <u>않은</u> 것에 × 표를 하시오.

(1) 장바구니를 사용한다.   (   )
(2) 친환경 제품을 사용한다.   (   )
(3) 물을 아끼기 위해 씻지 않는다.   (   )

20 그림의 주장을 뒷받침 할 수 있는 자료로 알맞은 것의 기호를 쓰시오.

> ㉠ 댐을 건설해서 홍수를 막은 사례
> ㉡ 인간과 자연이 조화를 이루며 발전한 나라의 사례
> ㉢ 도로와 다리를 만들어 교통 시설이 편리해진 나라의 사례

(   )

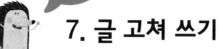
국어 272~295쪽

1~5 다음 고쳐 쓴 글을 읽고 물음에 답하시오.

(가) 처음에 쓴 글

쓰레기가 되는 불량 식품

여러분, 불량 식품을 먹지 맙시다. 불량 식품을 먹고 나서 쓰레기를 버리는 사람이 많습니다. 그렇게 버린 쓰레기들이 우리 학교 주변을 더럽혀 보기에도 좋지 않고, 악취도 납니다. 불량 식품에는 무엇이 들어갔는지, 그리고 유통 기한은 언제까지인지 정확히 적혀 있지 않습니다. 불량 식품을 먹으면 해로운 물질이 몸에 들어가 병에 걸리기 쉽습니다. 불량 식품은 아무리 맛있어서 먹으면 안 됩니다.

주제를 생각해서 제목을 바꾸면 좋겠어.

어색한 문장을 고치면 좋겠어.

필요 없는 내용을 삭제하면 좋겠어.

(나) 고쳐 쓴 글

건강을 해치는 불량 식품

여러분, 불량 식품을 먹지 맙시다. 불량 식품에는 무엇이 들어갔는지, 그리고 유통 기한은 언제까지인지 정확히 적혀 있지 않습니다. 불량 식품을 먹으면 해로운 물질이 몸에 들어가 병에 걸리기 쉽습니다. <u>그리고 유통 기한을 알 수 없어 신선하지 않은 식품을 먹게 될 수도 있습니다.</u> 불량 식품은 아무리 맛있어도 먹지 말아야 합니다.

1 글쓴이는 이 글을 누가 읽었으면 좋겠다고 생각했겠습니까? (   )

① 채소를 싫어하는 친구들
② 불량 식품을 먹는 친구들
③ 불량 식품을 만드는 어른들
④ 불량 식품을 판매하는 어른들
⑤ 음식을 골고루 안 먹는 친구들

2 글쓴이의 주장은 무엇인지 쓰시오.

(   )

3 글 **(가)**의 문제점으로 알맞은 것을 두 가지 고르시오.

(,   )

① 제목이 너무 길다.
② 문장의 흐름이 자연스럽다.
③ 주장에 대한 근거가 여러 개다.
④ 주제와 관련 없는 내용이 있다.
⑤ 문장 호응에 맞지 않는 부분이 있다.

4 밑줄 그은 부분은 추가한 내용입니다. 왜 그렇게 고쳐 썼겠습니까? (   )

① 글의 재미를 주기 위해서
② 주제를 잘 드러내는 제목이라서
③ 문장의 호응이 자연스럽지 않아서
④ 글의 주제와 관련이 없는 내용이어서
⑤ 앞 문장을 더 자세히 설명하기 위해서

5 글 **(가)**에서 글 **(나)**로 고쳐 쓸 때 생각할 점으로 알맞지 않은 것은 무엇입니까? (   )

① 틀린 문장이 있는지 확인한다.
② 적절하지 않은 낱말이 있는지 확인한다.
③ 문장의 수를 세어 보고 한 문장은 무조건 두 문장으로 나눈다.
④ 내용이 풍부한 글이 되기 위해서 더 필요한 내용이 있으면 알맞은 곳에 써넣는다.
⑤ 군더더기 없는 글을 쓰기 위해서 중심 생각과 관련이 없는 부분이 있는지 확인한다.

6~10 다음 글을 읽고 물음에 답하시오.

(가) 요즘 많은 어린이가 이야기할 때 은어나 비속어를 사용했다. 국립국어원 조사에 따르면 조사 대상 초등학생의 97퍼센트가 비속어를 사용한 적이 있다고 한다. ㉮만약 학생 열 명이 있기 때문에 적어도 아홉 명은 비속어를 사용한 적이 있는 것이다.

(나) ㉠고운 말을 사용하면 서로 존중하는 마음을 전할 수 있다. ㉡흔히 말이 눈에 보이지 않는 마음임을 표현할 때 "말은 마음의 거울"이라는 격언을 사용한다. ㉢고운 말을 사용해야 하는 것은 어린이만이 아니다. ㉣존중하는 마음이 없다면 고운 말도 나오지 않는다.

(다) 고운 말은 다른 사람을 존중하는 마음을 전할 수 있게 하고, 다른 사람과 대화를 원활하게 할 수 있게 한다. 또 고운 말을 사용하는 것은 우리말을 아름답게 가꾸고 지키는 일이다. 이제라도 고운 말을 사용하는 바른 언어 습관을 기르려고 ㉯노력하면 좋을 수도 있다.

6 ㉮를 문장의 흐름에 맞게 고쳐 쓰시오.

_____

_____

7 ㉯를 바르게 고쳐 쓴 것은 무엇입니까? (   )

> 이제라도 고운 말을 사용하는 바른 언어 습관을 기르려고 ㉯노력하면 좋을 수도 있다.

① 노력했다.
② 노력하자.
③ 노력해 준다.
④ 노력할 수 있다.
⑤ 노력할 수도 있다.

8 ㉠~㉣ 가운데 필요 없는 문장의 기호를 쓰시오.

(   )

9 글쓴이가 이 글을 쓴 목적은 무엇이겠습니까?

(   )

① 한글의 위대함에 대해 설명하기 위해서
② 우리말의 우수성을 세계에 알리기 위해서
③ 고운 말을 쓰자고 읽는 사람을 설득하기 위해서
④ 은어나 비속어를 사용하면 좋은 점을 알리기 위해서
⑤ 외래어를 사용하면 안 되는 까닭에 대해 설명하기 위해서

10 보기 처럼 긴 문장을 두 문장으로 고쳐 쓰시오.

> **보기**
> • 은어나 비속어를 사용한다면 그것이 우리 후손에게 그대로 전달질 것이므로 고운 말을 사용해 아름다운 우리말을 지켜야 한다.
> ➡ 은어나 비속어를 사용한다면 그것이 우리 후손에게 그대로 전해질 것이다. 고운 말을 사용해 아름다운 우리말을 지켜야 한다.

• 고운 말은 다른 사람을 존중하는 마음을 전할 수 있게 하고, 다른 사람과 대화를 원활하게 할 수 있게 한다.

➡ _____

_____

_____

11 다음 문장의 빈칸 안에 들어갈 낱말을 보기 에서 찾아 쓰시오.

보기

편리한   지나친   원활한

• 은어나 비속어는 (   ) 대화를 어렵게 하고 오해를 불러일으킨다.

12 다음 문장의 어색한 낱말을 바르게 고친 것은 무엇입니까? (   )

단순히 재미있으려고 은어나 비속어를 사용했다가 친구들끼리 투쟁으로 이어지는 경우도 있고, 어른과 어린이의 일상적인 대화가 어려워지는 경우도 있다.

① 투쟁 → 싸움
② 경우 → 생활
③ 어린이 → 초등학생
④ 일상적인 → 일반적인
⑤ 어려워지는 → 이해되는

13 교정 부호 '⌢'의 쓰임으로 알맞은 것은 무엇입니까? (   )

사랑 ⌢ 하는 사람을

① 띄어 쓸 때
② 붙여 쓸 때
③ 한 글자를 고칠 때
④ 여러 글자를 고칠 때
⑤ 글의 내용을 추가할 때

〔14~16〕 다음 글을 읽고 물음에 답하시오.

하루 세 끼 가운데에서 가장 중요한∨것이 아침밥이다. 부모님께서는 건강하려면 아침밥을 먹어야 한다고 말씀하신다. 비록 한 끼라서 아침밥을 거르거나 대충 때우면 하루 온종일 열량과 영양소가 부족해 건강을 잃게 된다. 아침밥을 거르면 영양소가 부족해 몸도 마음도 힘들어진다. 그렇다면 아침밥을 먹어야 하는 까닭은 무엇일까?

아침밥은 장수의 필수 조건이다. 날마다 아침밥을 거르면 밤새 분비된 위산이 중화되지 않아 위가 불편해졌다. 이런 습관이 오래지속되면 위염이나 위궤양으로 진행될 수 있다. 또 밤새 써 버린 수분을 보충하기 어렵고 체내에 저장해 두었던 영양소가 소모된다. 그래서 피부는 푸석 푸석해지고 주름에 빈혈까지 생겨 건강이 나빠진다.

아침밥을 먹으면 몸도 건강해지고 하루를 활기차게 시작할 수 있다. 우리 모두 아침밥을 거르지 말고 꼭 먹자.

14 '불편해졌다'를 바르게 고쳐 쓴 것은 무엇입니까? (   )

① 편하다
② 편해졌다
③ 불편했다
④ 불편해진다
⑤ 불편해질 것이다

15 빨간색으로 쓰인 부분 가운데 교정 부호 '∨'를 사용해야 하는 곳을 쓰고 바르게 고치시오.

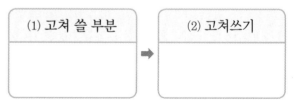

(1) 고쳐 쓸 부분		(2) 고쳐쓰기
	➡	

✍️ 서술형

16 글을 고쳐 쓸 때 교정 부호를 사용하면 좋은 점은 무엇인지 쓰시오.

17~20 다음 자료를 읽고 물음에 답하시오.

자료 1

의약품 따위를 만드는 실험으로 전 세계에서 해마다 약 6억 마리의 동물이 희생되고 있다. 개발한 약품을 사람에게 바로 사용하지 않고 동물을 대상으로 먼저 실험해 보기 때문이다. 예를 들면 피부에 사용하는 약품을 개발할 때 토끼의 눈에 화학 물질을 넣어 부작용이 생기는지 확인한다. 토끼는 눈 깜빡임과 눈물이 적어 실험 결과를 오래 관찰할 수 있기 때문이다. 눈에 화학 물질이 들어간 토끼는 눈에서 피가 나기도 하고 심한 경우 눈이 멀기도 한다.

동물 실험을 반대하는 사람들이 늘어나고 있다. 사람과 동물의 몸은 차이가 크기 때문에 이러한 동물 실험은 소용이 없다고 주장한다. 실제로 동물 실험을 통과한 신약 후보 열 개 가운데 아홉 개는 효과가 없거나 부작용을 일으킨다고 한다.

동물 실험을 다른 방법으로 대체해야 한다는 목소리도 높다. 한 국민 의식 조사에 따르면 동물 실험을 대체할 수 있도록 사회적 지원을 하는 데 응답자 대부분이 찬성했다.

자료 2

최근 미국 ○○대학교 연구진은 전 세계적으로 680여 명이 희생된 중동호흡기증후군[메르스]의 백신을 개발했다. 연구진이 동물 실험으로 그 효과를 확인하려고 백신을 원숭이에게 투여했다. 그리고 이 백신이 중동호흡기증후군[메르스]을 예방할 수 있다는 확신을 가졌다. 이렇게 동물 실험은 새로운 약 개발에 중요한 역할을 한다.

동물 실험도 하지 않고 개발한 약을 사람들에게 사용하면 부작용이 발생할 수 있다. 1937년에 한 제약 회사에서 술파닐아미드라는 약을 새롭게 개발했다. 그런데 동물 실험을 거치지 않고 사람들에게 이 약을 판매했다. 그 결과, 이 약을 복용한 많은 사람이 부작용으로 사망하는 불행한 일이 일어났다.

일부 사람들은 동물 실험을 당장 다른 방법으로 대체해야 한다고 주장한다. 그러나 대체 방법을 개발하는 데 6년 이상의 시간과 약 400억 원 이상의 비용이 필요하다. 이처럼 오랜 개발 기간과 막대한 비용 때문에 빠른 시일 안에 동물 실험을 대체하기는 어렵다.

17 자료 1 과 자료 2 의 제목으로 알맞은 것은 무엇인지 보기 에서 찾아 각각 쓰시오.

보기

- 동물 실험을 없애도 괜찮을까
- 동물 실험은 언제부터 시작되었나
- 동물의 희생, 동물 실험을 반대한다

(1) 자료 1 : _____

(2) 자료 2 : _____

18 자료 2 의 글쓴이의 주장은 무엇입니까? ( )

① 동물 실험을 해야 한다.
② 대체 실험을 해야 한다.
③ 실험 과정을 공개해야 한다.
④ 동물 실험을 해서는 안 된다.
⑤ 동물 실험을 당장 없애야 한다.

19 자료 2 의 글쓴이의 견해에 반대하는 근거를 두 가지 고르시오. (,)

① 대체 실험에 비용이 많이 든다.
② 동물의 생명도 똑같이 소중하다.
③ 동물보다 인간의 생명이 더 소중하다.
④ 동물과 사람에게 나타나는 반응이 똑같지 않다.
⑤ 동물 실험에 사용되는 동물을 잘 돌보면 문제가 없다.

서술형

20 동물 실험에 대한 자신의 의견을 쓰시오.

_____

_____

7 단원

국어 272~295쪽

도움말

⭐ 불량 식품의 해로움에 대해 설명하며 불량 식품을 먹지 말자고 주장하는 글입니다.

1~3

쓰레기가 되는 불량 식품

여러분, 불량 식품을 먹지 맙시다. 불량 식품을 먹고 나서 쓰레기를 버리는 사람이 많습니다. 그렇게 버린 쓰레기들이 우리 학교 주변을 더럽혀 보기에도 좋지 않고, 악취도 납니다. 불량 식품에는 무엇이 들어갔는지, 그리고 유통 기한은 언제까지인지 정확히 적혀 있지 않습니다. 불량 식품을 먹으면 해로운 물질이 몸에 들어가 병에 걸리기 쉽습니다. 불량 식품은 아무리 맛있어서 먹으면 안 됩니다.

1 글쓴이가 말하고자 하는 것은 무엇인지 쓰시오.

1 ㉮와 ㉯를 통해 글쓴이가 불량 식품에 대해 이야기하고 있음을 알 수 있습니다.

2 제목을 다음과 같이 고쳐 썼다면 그 까닭은 무엇일지 쓰시오.

건강을 해치는 불량 식품

2 글의 제목은 글의 내용이 잘 드러나는 것을 함축적으로 표현해야 좋은 제목이라고 할 수 있습니다.

3 글을 고쳐 쓰려는 글쓴이를 도우려면 할 수 있는 일은 무엇인지 쓰시오.

• 주제를 생각해서 제목을 바꾸면 좋겠다.

•

•

3 글을 고쳐 쓸 때에는 문장의 앞뒤 흐름을 파악하여 고치고, 제대로 고쳐 졌는지 확인해 봅니다.

다른 사람을 존중하자

요즘 많은 어린이가 이야기할 때 은어나 비속어를 사용한다. 국립국어원 조사에 따르면 조사 대상 초등학생의 93퍼센트가 비속어를 사용한 적이 있다고 한다. 만약 학생 열 명이 있다면 적어도 아홉 명은 비속어를 사용한 적이 있는 것이다. 비속어가 아닌 고운 말을 사용해야 하는 까닭은 무엇일까?

고운 말을 사용하면 서로 존중하는 마음을 전할 수 있다. 흔히 말이 눈에 보이지 않는 마음임을 표현할 때 "말은 마음의 거울"이라는 격언을 사용한다. 고운 말을 사용해야 하는 것은 어린이만이 아니다. 존중하는 마음이 없다면 고운 말도 나오지 않는다.

고운 말을 사용하면 다른 사람과 원활하게 대화할 수 있다. 은어나 비속어는 대화를 어렵게 하고 오해를 불러일으킨다. 단순히 재미있으려고 은어나 비속어를 사용했다가 친구들끼리 투쟁으로 이어지는 경우도 있고, 어른과 어린이의 일상적인 대화가 어려워지는 경우도 있다.

<u>고운 말을 사용하면 친구 관계가 좋아진다.</u> 말은 우리 민족의 혼이 담긴 소중한 문화유산이다. 은어나 비속어를 사용한다면 그것이 우리 후손에게 그대로 전해질 것이다. 고운 말을 사용해 아름다운 우리말을 지켜야 한다.

고운 말은 다른 사람을 존중하는 마음을 전할 수 있게 하고, 다른 사람과 대화를 원활하게 할 수 있게 한다. 또 고운 말을 사용하는 것은 우리말을 아름답게 가꾸고 지키는 일이다. 이제라도 고운 말을 사용하는 바른 언어 습관을 기르려고 노력하자.

도움말

☆ 고운 말을 쓰자고 읽는 사람을 설득하려고 주장하는 글입니다.

7 단원

4 글쓴이의 생각이 잘 드러나도록 글 제목을 알맞게 바꾸어 쓰시오.

4 글 제목은 글쓴이의 생각을 나타내거나 글 내용에 대해 궁금증을 유발하는 것으로 정할 수 있습니다.

5 밑줄 그은 중심 문장을 뒷받침 문장들과 어울리게 고쳐 쓰시오.

5 뒷받침 문장들을 읽어 보고 그 내용을 대표하는 문장으로 고쳐 씁니다.

6 글에서 더하고 싶은 내용을 쓰시오.
- 인터넷 매체에서 비속어를 접하는 학생들의 실태 추가하기
-

6 결론에 글쓴이의 주장을 다시 한번 강조하는 말을 쓸 수도 있습니다.

7~8

동물 실험을 없애도 괜찮을까

최근 미국 ○○대학교 연구진은 전 세계적으로 680여 명이 희생된 중동호흡기증후군[메르스]의 백신을 개발했다. 연구진이 동물 실험으로 그 효과를 확인 하려고 백신을 원숭이에게 투여했다. 그리고 이 백신이 중동호흡기증후군[메르스]을 예방할 수 있다는 확신을 가졌다. 이렇게 동물 실험은 새로운 약 개발에 중요한 역할을 한다.

동물 실험도 하지 않고 개발한 약을 사람들에게 사용하면 부작용이 발생할 수 있다. 1937년에 한 제약 회사에서 술파닐아미드라는 약을 새롭게 개발했다. 그런데 동물 실험을 거치지 않고 사람들에게 이 약을 판매했다. 그 결과, 이 약을 복용한 많은 사람이 부작용으로 사망하는 불행한 일이 일어났다.

일부 사람들은 동물 실험을 당장 다른 방법으로 대체해야 한다고 주장한다. 그러나 대체 방법을 개발하는 데 6년 이상의 시간과 약 400억 원 이상의 비용이 필요하다. 이처럼 오랜 개발 기간과 막대한 비용 때문에 빠른 시일 안에 동물 실험을 대체하기는 어렵다.

도움말

☆ 글쓴이는 새로운 약 개발에 동물 실험이 중요한 역할을 하기 때문에 동물 실험을 해야 한다고 주장하고 있습니다.

7 글쓴이의 주장을 쓰고, 이 글에서 알 수 있는 사실은 무엇인지 쓰시오.

(1) 글쓴이의 주장	
(2) 이 글에서 알 수 있는 사실	• 동물 실험은 새로운 약 개발에 중요한 역할을 한다. •　　　　　　　　　　　　　 　　　　　　　　　　　　　 •

7 글쓴이는 동물 실험을 해야 한다는 입장임을 알 수 있습니다.

8 보기 와 같이 동물 실험에 찬성하거나 반대하는 근거를 알 수 있는 질문을 만들어 쓰시오.

보기
동물 실험에 찬성하는 사람들은 왜 동물 실험이 필요하다고 할까요?

8 동물 실험에 찬성하거나 반대하는 근거를 써 봅니다. 이 글에서 알 수 있는 사실로도 쓸 수 있고, 자신이 아는 내용을 생각해 자유롭게 쓸 수 있습니다.

9~10

㉮

콘크리트로 덮여 있
던 복개 하천이나 생활
하수로 악취가 나던 하
천들을 복원하고 있어.

㉯

4~6C°

내복도 입고,
찬 바람도 막아서
따뜻하게 지내자.

7
단원

9 그림 ㉮와 ㉯를 보고 인간과 자연이 조화를 이루며 발전하려면 우리가 어떻게 해야 할지 생각해 쓰시오.

_____

_____

10 다음은 그림 ㉮와 ㉯를 보고 글로 쓰려고 정리한 내용입니다. 자연과 조화를 이루며 발전할 수 있는 실천 방안을 글로 쓰시오.

글 제목	함께 행복한 삶
(1) 자연과 조화를 이루며 발전해야 하는 까닭	• 동물에게도 행복하게 살 권리가 있기 때문입니다. • _____
(2) 실천 방안	• 장바구니를 사용합니다. • _____ • 동물들의 삶의 터전을 보존합니다.
(3) 글에 활용할 수 있는 자료	• _____

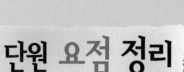

단원 요점 정리

8. 작품으로 경험하기

핵심 1 영상을 보고 경험한 내용 이야기하기

• 여행 갈 곳을 떠올리며 영상을 봅니다.
• 여행 가고 싶은 곳의 자료를 수집해 정리합니다.
• 여행 계획을 세워 발표합니다.
　– 도서관에 있는 책, 누리집에 있는 사진 자료와 영상 자료, 지역 소개 자료 따위에서 정보를 얻어서 여행 계획서를 작성해 봅니다.
　– 정리한 자료를 활용해 여행 기간과 장소, 같이 가고 싶은 사람과 준비할 일, 여행 일정, 여행 비용 따위의 계획을 세워 봅니다.
• 자신이 여행 가고 싶은 곳을 정하고 여행지에서 체험하고 싶은 문화를 친구들과 이야기해 봅니다.

핵심 2 영화 감상문 쓰기

• 영화 속 내용과 비슷한 자신의 경험을 떠올려 씁니다. →자신의 경험과 영화 속 내용을 비교해 씁니다.
• 영화를 보게 된 까닭을 씁니다.
• 영화 감상문의 내용을 잘 드러내거나 읽는 사람의 관심을 끌 수 있는 제목을 씁니다.
• 자신이 주인공이라고 생각하고 씁니다.
• 영화 줄거리를 씁니다. →인물의 성격, 인물들의 관계도 이해해야 합니다.
• 자신이 본 영화나 책을 함께 떠올려 씁니다.
• 영화를 본 뒤의 전체적인 느낌이나 영화 주제도 씁니다.

> **영화 감상문에 들어갈 내용 예**
> • 제목과 줄거리
> • 전체적인 느낌이나 주제
> • 영화와 비슷한 자신의 경험
> • 영화를 보게 된 까닭, 인물에게 하고 싶은 말

> **영화 감상문을 읽고 고쳐 쓸 부분 확인하기**
> • 제목은 내용을 드러내거나 읽는 사람의 관심을 끄나요?
> • 영화 내용이나 소개가 잘 담겨 있나요?
> • 영화를 본 느낌과 감상이 잘 드러나나요?
> • 문단에는 중심 문장이 잘 담겨 있나요?
> • 문장 호응이 잘 이루어지나요?

핵심 3 자신의 경험을 떠올리며 작품 감상하기 →독서 감상문 쓰기

• 작품 속 내용과 비슷한 경험을 떠올려 씁니다.
• 작품을 읽게 된 동기를 씁니다.
• 주인공을 자신이라고 생각해 보고 씁니다.
• 제목은 작품을 읽고 난 뒤 소감을 가장 잘 표현하는 문장이나 문구로 정합니다.
• 줄거리를 간략하게 적습니다.
• 비슷한 영화나 책의 내용과 비교해 씁니다.

> **작품과 자신의 경험을 비교하며 개요 짜기**
> • 작품 속 인물의 말이나 행동, 줄거리, 작품과 관련 있는 경험, 작품과 비슷한 영화나 책, 작품을 보고 난 느낌 등을 포함해 어떤 내용으로 독서 감상문을 쓸지 메모해 봅니다.
> • 독서 감상문의 시작, 중간, 끝에 각각 어떤 내용을 쓸지 메모를 보며 정리해 봅니다.

> **작품과 자신의 경험을 비교하며 독서 감상문을 쓰면 좋은 점**
> • 작품을 읽고 새로운 경험을 할 수 있습니다.
> • 작품을 더 잘 이해할 수 있습니다.

핵심 4 경험한 내용을 영화로 만들기

❶ 주제 정하기	자신의 경험을 떠올려 주제를 정한다.
❷ 자료를 수집하고 정리하기	정한 주제에 맞는 사진이나 그림, 영상을 수집해 영화 장면의 차례대로 ★나열한다.
❸ 설명할 내용 정하기	사진이나 그림, 영상에 어울리는 설명을 간단히 기록한다.
❹ 사진이나 영상 넣기	편집 프로그램을 활용해 사진이나 그림, 영상을 넣는다.
❺ 음악과 자막 넣기	편집 프로그램을 활용해 음악과 자막을 넣는다.
❻ 보완하기	만든 영화를 보면서 부족한 부분을 찾아 보완해 완성한다.

조금 더 알기

● 영화 「피부 색깔 = 꿀색」를 보고 친구들과 감상하는 방법을 이야기하기 예

이 영화는 감독이 실제 자신의 이야기를 영화로 만든 거야.

이 영화는 만화와 촬영한 영상을 함께 사용해서 과거와 현재의 모습을 비교하며 살펴볼 수 있도록 구성했어.

흑백처럼 표현한 만화를 보고 인물이 겪은 시대의 모습을 더 잘 이해할 수 있었어.

● 「대상주 홍라」를 읽고 질문을 만들어 묻고 답하기

• 이야기 구조를 확인하는 질문: 이야기는 어떻게 시작하나요?, 어느 부분에서 긴장감이 도나요?
• 이야기 내용을 추론하는 질문: 제목에서 홍라를 '대상주'라고 부른 까닭은 무엇일까요?, 홍라는 비녕자가 함께 간다고 하자 왜 애써 엄한 표정을 지었을까요?
• 친구들 생각을 알고 싶은 질문: 자신이 홍라라면 장안으로 길을 떠날 때 어떤 마음일까요?, 장사를 떠나는 홍라에게 어떤 말을 해 주고 싶나요?

낱말 사전

★ 나열 죽 벌여 놓음. 또는 죽 벌여 있음.

개념을 확인해요

1 영화 감상문을 쓸 때에는 전체 내용을 잘 드러내거나 읽는 사람의 관심을 끌 수 있는 ☐☐을 씁니다.

2 영화 감상문을 쓸 때에는 자신이 ☐☐☐이라고 생각하며 씁니다.

3 영화 감상문에는 영화와 비슷한 자신의 ☐☐이 들어갈 수 있습니다.

4 독서 감상문의 제목은 작품을 읽고 난 뒤 소감을 가장 잘 표현하는 ☐☐이나 문구로 정합니다.

5 작품을 읽고 독서 감상문을 쓸 때에는 ☐☐☐를 간략하게 적습니다.

6 작품과 자신의 경험을 비교하며 독서 감상문을 쓰면 작품을 읽고 새로운 ☐☐을 할 수 있습니다.

7 작품과 자신의 경험을 비교하며 독서 감상문을 쓰면 ☐☐을 더 잘 이해할 수 있습니다.

8 경험한 내용을 영화로 만들 때에는 자신의 ☐☐을 떠올려 주제를 정합니다.

9 경험한 내용을 영화로 만들 때에는 ☐☐ 프로그램을 활용해 음악과 자막을 넣습니다.

10 경험한 내용을 영화로 만들 때에는 만든 영화를 보면서 부족한 부분을 찾아 ☐☐해 완성합니다.

국어 296~321쪽

도움말

1. 영화 감상문은 자신이 본 영화나 책을 함께 쓰는 것이 좋습니다.

핵심 2

1 영화 감상문을 쓰는 방법으로 알맞지 <u>않은</u> 것의 기호를 쓰시오.

> ㉠ 자신이 본 영화나 책을 함께 떠올려 쓴다.
> ㉡ 읽는 사람에게 강요하는 말을 제목으로 쓴다.
> ㉢ 영화를 본 뒤의 전체적인 느낌이나 주제도 쓴다.

(   )

2. 영화 감상문에는 영화의 제목과 줄거리 등 전체 내용을 알 수 있는 내용을 쓰는 것이 좋습니다.

핵심 2

2 영화 감상문에 들어갈 내용으로 알맞지 <u>않은</u> 것은 어느 것입니까?

(   )

① 제목과 줄거리
② 전체적인 느낌이나 주제
③ 영화와 비슷한 자신의 경험
④ 자신이 본 책이나 다른 영화
⑤ 영화를 관람한 영화관의 자세한 위치

3. 영화를 감상한 후에는 영화를 보며 알게 된 내용과 자신의 느낌을 적절히 섞어 영화 감상문을 씁니다.

핵심 2

3 자신이 쓴 영화 감상문을 읽고 고쳐 쓸 부분을 확인할 점으로 알맞지 <u>않은</u> 것은 무엇입니까? (   )

① 문장 호응이 잘 이루어지나요?
② 영화 대사를 빠짐없이 적었나요?
③ 문단에는 중심 문장이 잘 담겨 있나요?
④ 글에는 영화 내용이나 소개가 잘 담겨 있나요?
⑤ 글 제목은 내용을 드러내거나 읽는 사람의 관심을 끄나요?

핵심 3

4 작품과 자신의 경험을 비교하며 독서 감상문을 쓰면 좋은 점은 무엇입니까? (　　　)

① 작품의 종류를 파악할 수 있다.
② 등장인물의 나이를 알 수 있다.
③ 작품의 제목을 파악할 수 있다.
④ 작품을 읽고 새로운 경험을 할 수 있다.
⑤ 작품에서 글쓴이가 하고자 하는 이야기를 파악하기 어렵다.

도움말

4. 작품과 자신의 경험을 비교하며 독서 감상문을 쓰면 작품을 더 잘 이해할 수 있습니다.

핵심 4

5 경험한 내용을 영화로 만들려고 합니다. 영화를 만드는 차례에 맞게 번호를 쓰시오.

❶ 자신의 경험을 떠올려 주제를 정한다.
❷ 편집 프로그램을 활용해 음악과 자막을 넣는다.
❸ 편집 프로그램을 활용해 사진이나 그림, 영상을 넣는다.
❹ 만든 영화를 보면서 부족한 부분을 찾아 보완해 완성한다.
❺ 사진이나 그림, 영상에 어울리는 설명을 간단히 기록한다.
❻ 정한 주제에 맞는 사진이나 그림, 영상을 수집해 영화 장면의 차례대로 나열한다.

❶ ➡ (　　　) ➡ (　　　) ➡ (　　　) ➡ (　　　) ➡ ❹

5. 경험한 내용을 영화로 만들 때는 자신의 경험을 떠올려 주제를 정하고 편집 프로그램을 이용하는 것이 효과적입니다.

핵심 4

6 경험한 내용을 영화로 만드는 방법 가운데 다음은 어느 부분에 해당합니까? (　　　)

정한 주제에 맞는 사진이나 그림, 영상을 수집해 영화 장면의 차례대로 나열한다.

① 주제 정하기　　　　② 내용 정하기
③ 음악과 자막 넣기　　④ 사진이나 영상 넣기
⑤ 자료를 수집하고 정리하기

6. 경험한 내용을 영화로 만드는 과정을 정리해 봅니다.

국어 296~321쪽

1~3 다음 영상을 보고 물음에 답하시오.

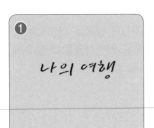
❶
❷ 여행 가서 난 뭘 했지?

❸ 여행은 단순한 장소의 이동이 아니라 자신이 쌓아 온 생각의 성을 벗어나는 것이다.
❹ 정말 가고 싶은 곳인가?

❺ 다른 문화를 존중하고 배려하는 서로 공정한 여행
❻ 다시 돌아온 삶의 자리에서 오래도록 힘이 되어 주는

1 영상에서는 여행에 대해 어떻게 생각하고 있습니까?
( )

① 단순한 장소의 이동이다.
② 단순히 먹고, 자고, 노는 것이다.
③ '나'에 대한 생각만 하는 시간이다.
④ 자신이 쌓아 온 생각을 무시하는 것이다.
⑤ 다시 돌아온 삶의 자리에서 오래도록 힘이 되어 주는 것이다.

2 공정한 여행으로 알맞지 <u>않은</u> 것은 무엇이겠습니까?
( )

① 현지 주민의 삶을 배척하는 것
② 사진을 찍을 때도 허락을 얻는 것
③ 다른 문화를 존중하고 배려하는 것
④ 그 지역의 문화와 종교를 존중하는 것
⑤ 여행자, 여행사가 대등한 관계에서 함께 행복을 나누는 것

3 자신이 갔던 여행과 「나의 여행」에서의 여행을 비교하여 말한 사람은 누구인지 쓰시오.

저는 여행을 갈 때마다 어디에서 자고, 어디에서 먹을지를 가장 많이 신경 썼습니다.

저는 여행을 가서 무엇을 먹고 무엇을 할 것인가에만 관심을 기울였던 것 같습니다. 하지만 「나의 여행」에서는 현지 문화를 체험해 보고 그 체험으로 다른 문화를 존중하고 배려하는 여행을 하는 것이 다른 것 같습니다.

여행은 휴식을 위한 것입니다. 쉴 수 있을 만큼 쉬는 게 좋습니다. 「나의 여행」에서도 여행은 단순한 장소의 이동이며, 힘이 되어 주는 것이라고 했습니다. 오직 쉬는 것이 답입니다.

도윤   지우   시윤

( )

 서술형

4 여행 갈 때 어떤 마음이 드는지 쓰시오.

_____

_____

중요 ✦

5 여행 계획서를 쓸 때에 다음과 같은 생각을 해야 할 부분은 어디입니까? ( )

여행 일정처럼 날마다 사용할 돈을 입장료, 교통비, 식비 따위로 나누어 생각해.

① 여행 기간   ② 여행 장소
③ 여행 일정   ④ 여행 비용
⑤ 같이 가고 싶은 사람과 준비할 일

6~10 다음 감상문을 읽고 물음에 답하시오.

「피부 색깔=꿀색」이라는 영화를 보았다. 제목부터가 뭔가 전하고 싶은 이야기가 많은 영화라고 생각했다. 이 영화는 벨기에에 입양된 우리 동포 융이라는 사람이 어린 시절을 회상하며 이야기가 시작된다.

㉠융은 다섯 살에 해외로 입양된다. 하지만 융은 벨기에의 가족과 자신의 피부색이 다르다는 사실과 한국에 친부모가 있을지도 모른다는 생각에 잘 적응하지 못하고 힘들어한다. ㉡게다가 융의 가족은 한국에서 여자아이를 한 명 더 입양한다. 융은 한국에서 새로 입양된 여동생과 자신이 닮았다는 말을 듣기 싫어하며 동생과 가족을 멀리한다. 그리고 융은 학교에서 말썽을 일으키고 집에서 거짓말까지 하면서 점점 더 엇나가는 행동을 한다.

㉢융의 장난만큼은 아니지만 나도 가끔은 친구나 동생에게 심한 장난을 한다. 하지만 융의 행동이 주위의 관심과 사랑을 받고 싶고 자신이 누구인지를 찾으려는 몸부림이라는 것을 알았을 때 마음이 많이 아팠다. 자신이 누구인지 알 수 없어 방황하던 융은 영화의 마지막에 이렇게 말한다. "엄마, 누가 내 고향을 물으면 여기도 되고 거기도 된다고 하세요." 나는 융의 말을 모두 이해할 수는 없지만 '꿀색'이라는 말이 따뜻하게 느껴졌다.

예전에 「국가 대표」라는 영화를 보았다. 그 영화에서 주인공은 엄마를 찾으려고 국가 대표가 되려고 했다. 해외 입양 문제는 우리나라의 아픈 역사를 보여 주는 한 부분이다.

이 영화를 보면서 나는 융이라는 사람에게 이런 말을 해 주고 싶었다. "비록 우리나라의 아픈 역사 때문에 벨기에에서 살지만 우리는 똑같은 한국인입니다."라고 말이다. 영화를 보는 내내 나는 입양된 사람들이 우리 역사에서 겪은 아픔을 생각했다. 본인의 의지와 상관없이 다른 나라에서 살아야 하는 사람들, 그리고 우리나라에 온 사람들까지. 나는 우리가 지금 서로를 따뜻하게 감싸 안아야 할 때라고 생각한다.

6 주인공의 이름은 무엇인지 쓰시오.

( )

7 주인공이 입양된 나라는 어디인지 쓰시오.

( )

8 주인공이 먼 나라에 가서 살아야 했던 까닭으로 알맞은 것은 무엇입니까? ( )

① 외국으로 입양되어서
② 공부를 잘해서 유학을 가게 되어서
③ 가정 형편 때문에 친척에게 맡겨져서
④ 부모님이 일 때문에 해외로 나가야 하는 상황이 생겨서
⑤ 보다 좋은 기회를 찾으려고 가족이 이민을 가게 되어서

9 주인공이 힘들어한 까닭으로 알맞은 것은 무엇입니까? ( )

① 친구들보다 덩치가 작아서
② 언어 습득의 어려움을 느껴서
③ 외국 음식이 입에 맞지 않아서
④ 부모님의 관심이 너무 지나쳐서
⑤ 자신의 정체성에 대한 혼란이 생겨서

10 ㉠~㉢ 가운데 영화 속 내용과 비슷한 글쓴이의 경험이 나타난 곳의 기호를 쓰시오.

( )

11~14 다음 글을 읽고 물음에 답하시오.

앞부분 이야기

열세 살인 홍라는 금씨 상단 대상주의 딸이다. 대상주인 어머니를 따라 일본으로 교역을 갔다가 바다에서 풍랑을 만난다. 그래서 홍라는 어머니와 헤어지고 겨우 살아남아 집으로 돌아온다. 상단으로 돌아온 홍라에게 남은 건 교역의 실패로 생긴 엄청난 빚뿐이다. 홍라는 아무것도 할 수 없다고 생각한다. 그러다가 위급할 때 열어 보라고 어머니께서 주신 묘원의 열쇠를 기억한다. 묘원에는 숨겨 둔 소그드의 은화가 있었다. 이제 홍라는 솔빈으로 가서 그 은화를 바꾸어 이문을 남길 수 있는 교역을 하려고 한다.

홍라는 탁자 위에 지도를 펼쳤다. 오래된 가죽 냄새를 맡으니 어머니에 대한 그리움이 밀려들었다. 어머니는 지도를 펼치는 것으로 하루를 시작했다. 어머니 손길로 반들반들해진 지도였다. 지도에 새겨진 길을 손끝으로 더듬자 어머니의 목소리가 들려오는 것 같았다.

보아라, 길이다. 세상 모든 곳으로 통하는 길이다.

돈피 지도의 윗부분에는 금씨 상단이라는 네 글자와 목단꽃 그림이 새겨져 있었다. 그 아래에는 발해에서 사방으로 뻗어 나가는 교역로가 있었다.

상경에서 동경을 거쳐 뱃길로 가는 일본도, 상경에서 서쪽으로 곧장 뻗어 나가는 거란도, 상경에서 동경을 거쳐 해안을 따라 남하하는 신라도, 그리고 상경에서 출발하여 서경을 지나 압록강 하구의 박작구에서 배를 타고 등주를 거쳐 장안으로 가는 압록도, 상경에서 거란의 영주를 거쳐 육로를 통해 장안으로 가는 영주도가 있었다.

「대상주 홍라」, 이현

11 '앞부분 이야기'에서 홍라가 겪은 일은 무엇입니까?

( )

① 일본에서 교역에 성공했다.
② 소그드의 은화를 도둑맞았다.
③ 풍랑을 만나 어머니와 헤어졌다.
④ 아버지를 따라 일본으로 교역을 갔다.
⑤ 어머니는 바다에서 겨우 살아남으셨다.

12 '앞부분 이야기' 다음에 이 이야기는 어떻게 시작합니까? ( )

① 홍라가 상단의 모든 빚을 갚는다.
② 홍라가 좋아하는 친구들과 함께 세계 여행을 떠난다.
③ 홍라가 배를 타고 무역을 떠나 많은 돈을 벌어 온다.
④ 홍라가 어머니와 함께 상단을 꾸리기 위한 회의를 한다.
⑤ 홍라가 어머니 말씀을 떠올리며 세상으로 나아가려는 생각을 한다.

13 지도를 보면서 홍라는 왜 어머니를 그리워했겠습니까? ( )

① 어머니가 그리다 만 지도이기 때문이다.
② 어머니가 홍라에게 선물한 지도이기 때문이다.
③ 어머니와 함께 갔던 교역로만 표시되어 있는 지도이기 때문이다.
④ 어머니와 함께 일본으로 교역을 갔다가 사 온 것이기 때문이다.
⑤ 헤어져서 소식이 끊긴 어머니의 것으로, 어머니의 손때가 묻어 있기 때문이다.

14 홍라가 본 교역로가 아닌 곳은 어디입니까?

( )

① 일본도 ② 거란도
③ 고려도 ④ 압록도
⑤ 영주도

15~20 다음 글을 읽고 물음에 답하시오.

(가) 그렇다고 표 나게 사람을 모을 수는 없었다. 빚쟁이들의 눈총이 무서웠다.

(나) "장안으로 교역을 나설 거야. 월보, 비녕자, 같이 갈 수 있지?"

선심 쓰는 듯 말했지만, 속으로 좀 걱정이 되었다. 월보에게도 아직 품삯을 주지 못했다. 상단이 망해 간다는 소문이 파다한데, 월보가 따라나서 줄지 걱정이었다. 비녕자의 불만에 찬 표정도 마음에 걸렸다.

하지만 월보는 반색해 주었다.

"자, 장안이라고요? 네! 네, 갈게요. 가겠습니다!"

비녕자는 여전히 뚱한 얼굴이지만 그래도 고개를 끄덕였다.

반가워서 손이라도 잡아 주고 싶었다. 하지만 대상주답게 굴어야 했다. 홍라는 애써 엄한 표정을 지었다.

"수선 피우지 마. 요란하게 떠날 입장이 아니야. 그러니 출발할 때까지 입조심해. 교역에 성공하면 둘 다 크게 한몫 챙겨 줄게."

그렇게 교역을 떠날 상단이 꾸려졌다. 대상주 자격으로 상단을 이끄는 홍라, 무사 친샤, 천문생 월보, 일꾼 비녕자, 초라하기 그지없지만, 중요한 임무를 띠고 있었다. 금씨 상단을 지키기 위한 마지막 기회인지도 몰랐다.

이틀 동안 길 떠날 준비를 했다. 준비랄 것도 없었다. 집안 일꾼들 모르게 몇 가지를 챙기는 게 전부였다.

15 홍라가 교역을 나서기 위해 가려는 곳은 어디인지 쓰시오.

(   )

> 서술형

16 이 글에서 긴장감 도는 부분을 쓰시오.

_____

_____

17 홍라는 비녕자가 함께 간다고 하자 왜 애써 엄한 표정을 지었겠습니까? (   )

① 비녕자가 평소에 일을 잘 못해서
② 비녕자에게 줘야 할 품삯이 없어서
③ 월보와 비녕자의 사이가 좋지 않아서
④ 대상주로서 여러 명의 하인이 필요해서
⑤ 속으로는 좋았지만 대상주로서의 위엄을 갖추기 위해서

> 주의

18 홍라가 교역을 떠날 준비를 몰래한 까닭으로 알맞은 것은 무엇이겠습니까? (   )

① 도와줄 사람이 많지 않아서
② 교역에 성공하면 혼자 한몫 챙기고 싶어서
③ 교역을 떠나는 것을 반대하는 사람들이 없어서
④ 많은 일꾼들이 함께 떠나겠다고 자원할 것 같아서
⑤ 빚쟁이들이 몰려와 교역을 떠나는 것을 막을 것 같아서

19 교역을 떠날 상단에 포함된 사람이 아닌 것은 누구입니까? (   )

① 무사 친샤   ② 천문생 월보
③ 일꾼 비녕자   ④ 대상주 홍라
⑤ 홍라의 어머니

> 주요

20 길을 떠나는 홍라의 마음가짐을 짐작한 것으로 알맞은 것을 두 가지 고르시오. (,   )

① 설렌다.   ② 걱정된다.
③ 억울하다.   ④ 화가 난다.
⑤ 원망스럽다.

1 우리나라에서 여행을 가고 싶은 곳과 그 곳을 가고 싶은 까닭을 쓰시오.

(1) 가고 싶은 곳: _____

(2) 가고 싶은 까닭: _____

_____

2~5 다음 자료를 보고 물음에 답하시오.

영화 「피부 색깔=꿀색」의 내용

　6.25 전쟁이 끝나고 벨기에로 입양된 뒤 사십 대가 되어 모국을 찾은 융 에냉 감독의 현재 모습과 어린 시절에 촬영된 실사 영상이 부드러운 갈색 톤으로 이루어진 애니메이션과 혼합되어 담담하게 펼쳐진다. 고아가 되어 거리를 전전하던 사내아이는 경찰에 의해 고아원에 가게 된다. 그 뒤 해외로 입양되어 양부모 품에서 자라게 되지만 자신의 정체성에 대한 혼란을 겪는다. 사내아이 고유의 솔직한 감정은 어린 시절을 담은 애니메이션 장면에서 순진하게, 때로는 예민하게 표출되며 작품의 이야기 속으로 자연스럽게 관객을 끌어들인다.

　「피부 색깔=꿀색」이라는 독특한 영화 제목은 융 에냉 감독이 1970년에 다섯 살의 나이로 벨기에에 입양될 당시 그의 입양 서류에 적혀 있던 표현이다.

　「피부 색깔=꿀색」은 실사 영상과 애니메이션으로 표현된 영상이 번갈아 가며 등장하는 작품이다. 실사 영상의 삽입은 애니메이션 작품이 허구가 아니라 사실이라는 것이 잘 드러나도록 하는 역할을 한다.

 이 영화는 감독이 실제 자신의 이야기로 영화로 만든 거야.

 이 영화는 만화와 촬영한 영상을 함께 사용해서 과거와 현재의 모습을 비교할 수 있도록 구성했어.

 흑백처럼 표현한 만화를 보고 인물이 겪은 시대의 모습을 더 잘 이해할 수 있었어.

2 영화 「피부 색깔=꿀색」의 내용으로 알맞지 않은 것은 무엇입니까? (　　　)

① 주인공은 벨기에로 입양되었다.

② 만화와 촬영한 영상을 함께 사용했다.

③ 여자아이 고유의 감정이 드러나 있다.

④ 감독이 실제 자신의 이야기로 만들었다.

⑤ 영화 제목은 감독의 입양 서류에 적혀 있던 표현이다.

3 주인공은 외국에 갔을 때 어떤 마음이 들었을지 쓰시오.

(　　　　　　　　　　　)

4 영화는 왜 흑백 만화가 함께 있겠습니까? (　　　)

① 실제 겪은 일임을 표현하기 위해서

② 현실과 상상을 구분해 나타내기 위해서

③ 주인공의 즐거운 마음을 표현하기 위해서

④ 주인공의 행복한 모습을 빨리 표현하기 위해서

⑤ 흑백으로 된 부분이 그 당시 시절을 알려 주거나 분위기를 알려 줄 수 있어서

5 주인공을 만난다면 어떤 말을 해 주고 싶은지 쓰시오.

_____

_____

6~8 다음 감상문을 읽고 물음에 답하시오.

㉠예전에 「국가 대표」라는 영화를 보았다. 그 영화에서 주인공은 엄마를 찾으려고 국가 대표가 되려고 했다. 해외 입양 문제는 우리나라의 아픈 역사를 보여 주는 한 부분이다.

이 영화를 보면서 나는 용이라는 사람에게 이런 말을 해 주고 싶었다. "비록 우리나라의 아픈 역사 때문에 벨기에에서 살지만 우리는 똑같은 한국인입니다."라고 말이다. 영화를 보는 내내 나는 입양된 사람들이 우리 역사에서 겪은 아픔을 생각했다. 본인의 의지와 상관없이 다른 나라에서 살아야 하는 사람들, 그리고 우리나라에 온 사람들까지. 나는 우리가 지금 서로를 따뜻하게 감싸 안아야 할 때라고 생각한다.

6 글쓴이는 영화를 본 뒤에 한 생각이나 느낌으로 알맞은 것에 ○표를 하시오.

(1) 입양된 사람이 겪은 행복을 생각했다. (　　　)

(2) 해외 입양 문제는 우리나라만의 문제가 아니다.
(　　　)

(3) 우리가 서로를 따뜻하게 감싸 안아야 할 때이다.
(　　　)

7 영화 감상문에서 ㉠에 해당하는 내용으로 알맞은 것은 무엇입니까? (　　　)

① 영화를 보게 된 까닭이다.
② 영화를 본 뒤의 느낌이다.
③ 영화의 줄거리와 사건이다.
④ 예전에 보았던 영화를 떠올려 썼다.
⑤ 영화 속 내용과 비슷한 자신의 경험이다.

8~9 다음 글을 읽고 물음에 답하시오.

가자. 교역을 하러 가자. 어머니가 돌아오기 전에 빚을 갚는 거야. 상단을 지키는 거야. 대상주 금기옥의 딸답게.

홍라는 눈물을 닦았다. 언제부터인가 울고 있었던 것이다. 하지만 이제는 울지 않을 생각이었다. 상단을 이끌고 교역을 떠나야 했다. 상단을 지켜야 했다.

따로 상단의 일을 배운 적은 없지만, 상단의 딸이다. 나면서부터 교역에 대해 보고 들었다. 어떻게 해야 하는지 알 수 있었다.

"친샤!"

홍라가 부르자 곧 친샤가 검으로 마루를 툭툭 쳐서 기척을 보냈다. 홍라는 밖으로 나갔다.

"월보는 떠났어?"

상단의 믿음직한 일꾼들은 지난 풍랑으로 거의 잃었다. 상단에 남아 있던 일꾼들은 대상주를 찾기 위해 동경에 가 있었다. 그러고도 남아 있던 일꾼들은 나이가 많거나 혹은 너무 어렸다. 그렇다고 표 나게 사람을 모을 수는 없었다. 빚쟁이들의 눈총이 무서웠다.

8 홍라에 대한 설명으로 알맞지 않은 것은 어느 것입니까? (　　　)

① 상단은 빚을 안고 있다.
② 대상주 금기옥의 딸이다.
③ 홍라가 상단을 지켜야 한다.
④ 교역을 하러 떠나려고 한다.
⑤ 따로 상단의 일을 배운 적이 있다.

9 홍라가 결심한 것은 무엇입니까? (　　　)

① 빚쟁이를 피해 도망가자.
② 빚을 갚고 상단을 지키자.
③ 상단의 일을 열심히 배우자.
④ 어머니를 찾으러 동경으로 떠나자.
⑤ 교역을 하기 위해 경력자를 모으자.

10~15 다음 글을 읽고 물음에 답하시오.

이틀 동안 길 떠날 준비를 했다. 준비랄 것도 없었다. 집안 일꾼들 모르게 몇 가지를 챙기는 게 전부였다. 창고 점검을 한다는 핑계로 말린 고기며 곡식 가루를 좀 챙겼다. 노숙을 해야 할지도 모르니 음식을 조리할 도구도 필요했다. 집에 있는 걸 가져가려니 일꾼들이 알아챌까 걱정스러웠다. 결국 친샤가 시장에서 몇 가지를 사왔다. 그리고 돈피도 몇 장 챙겼다.

말은 모두 다섯 마리를 준비했다. 홍라와 친샤의 말에 월보와 비녕자가 탈 말도 필요했다. 짐 실을 말도 한 마리 있어야 했다.

홍라는 하인들에게 말을 팔 거라는 핑계를 대고 세 마리를 미리 빼돌렸다. 출발하는 날 아침에 조용히 집을 나서려고 미리 준비해 둔 것이다. 월보가 말들을 성문 근처의 객줏집에 맡겨 두었다. 홍라의 말 하늬와 친샤의 말은, 팔 거라는 핑계를 댈 수 없으니 그냥 집에 두었다.

홍라는 월보를 은밀히 불렀다.

"내일 새벽, 성문을 여는 북소리가 울릴 때 만나자. 말을 맡겨 둔 객줏집에서."

비녕자와 월보는 그 객줏집에서 밤을 보내기로 했다.

10 홍라가 길을 떠나기 위해 챙기지 <u>않은</u> 것은 어느 것입니까? (   )

① 말린 고기
② 곡식 가루
③ 돈피 몇 장
④ 말 일곱 마리
⑤ 음식을 조리할 도구

🖐️서술형

11 친샤가 집에 물건이 있는데도 시장에서 몇 가지 사온 까닭은 무엇인지 쓰시오.

12 홍라는 말을 미리 빼돌리기 위해 하인들에게 무엇이라고 말했습니까? (   )

① 말이 병들었다.
② 말을 팔 것이다.
③ 교역을 떠날 것이다.
④ 다른 곳에 빌려줄 것이다.
⑤ 마구간에 묶어 둘 것이다.

13 홍라는 월보에게 언제 만나자고 말했습니까?

(   )

① 하인들이 낮잠을 잘 때
② 하인들이 점심 먹을 때
③ 말에게 아침을 먹인 뒤
④ 성문을 여는 북소리가 들릴 때
⑤ 하인들이 모두 집으로 돌아간 뒤

14 홍라가 월보와 만나기로 한 곳은 어디인지 쓰시오.

• 말을 맡겨 둔 (   )

🖐️서술형

15 금씨 상단을 지키기 위해 홍라는 대상주의 자격으로 상단을 이끌어야 합니다. 장사를 떠나는 홍라에게 어떤 말을 해 주고 싶은지 쓰시오.

16~19 다음 글을 읽고 물음에 답하시오.

홍라가 어머니를 따라 먼 교역길에 나서 본 게 세 번이었다. 신라, 일본, 그리고 당나라의 장안이었다.

서라벌에 갔던 건 너무 어려서라 기억에 남아 있는 게 없었다. 다만 그때 어머니가 사 준 신라 모전이 아직도 홍라 침상에 깔려 있었다. 그리고 이번에 일본에 다녀왔고, 이 년 전에는 장안에 간 적이 있었다.

장안. 당나라 황제의 대명궁이 있는 장안은 인구 백 만이 넘는 대도시로 비단처럼 화려한 빛깔로 눈부셨다. 푸른 하늘로 날아오를 듯 맵시 있는 기와지붕들이 물결치며 이어졌고, 밤이면 색색의 등불이 별빛보다 더 아름답게 반짝였다. 온갖 나라의 사람들이 저마다의 멋을 뽐내며 거리거리를 수놓았다. 동방의 상인들이 장사하는 동부 시장도 그랬지만, 서역 상인들의 서부 시장은 더욱 경이로웠다. 소그드 상인은 물론이고 페르시아나 로마에서 온 상인들도 진귀한 물건을 내놓고 팔았다. 장안은 세계적인 교역 도시였다.

홍라는 장안을 떠나며 언젠가 자신의 상단을 이끌고 다시 오겠다고 다짐했다.

16 홍라가 어머니를 따라 교역을 하기 위해 나서 본 곳은 어디어디인지 쓰시오.

• (   ), (   ), 장안

17 장안에 대한 설명으로 알맞지 **않은** 것은 어느 것입니까? (   )

① 세계적인 교역 도시이다.
② 당나라 황제의 대명궁이 있다.
③ 인구 백 만이 넘는 대도시이다.
④ 밤이면 색색의 등불이 반짝인다.
⑤ 동부 시장에는 서역의 상인들이, 서부 시장은 동방의 상인들이 장사를 한다.

18 어머니가 서라벌에서 홍라에게 사 주신 것은 무엇입니까? (   )

① 비단
② 침상
③ 기와지붕
④ 신라 모전
⑤ 색색의 등불

19 홍라가 장안을 떠나며 한 다짐은 무엇입니까?
(   )

① 어머니의 선물을 사러 오겠다.
② 어머니와 대명궁 구경을 오겠다.
③ 자신의 상단을 이끌고 다시 오겠다.
④ 장안의 밤거리를 멋을 뽐내며 거닐겠다.
⑤ 로마에서 온 상인들의 진귀한 물건을 사러 오겠다.

20 다음 그림은 경험한 내용을 영화로 만드는 차례 가운데 하나입니다. 무엇을 하는 모습입니까? (   )

6학년 축구 대

① 자신의 경험을 떠올려 주제를 정한다.
② 편집 프로그램을 활용해 음악과 자막을 넣는다.
③ 만든 영화를 보면서 부족한 부분을 찾아 보완해 완성한다.
④ 정한 주제에 맞는 사진이나 그림을 수집해 차례대로 나열한다.
⑤ 사진이나 그림, 영상에 어울리는 설명을 공책에 간단히 기록한다.

국어 296~321쪽

1 세계 지도에서 여행을 가고 싶은 곳은 어디이며, 왜 그곳에 여행을 가고 싶은지 까닭을 들어 쓰시오.

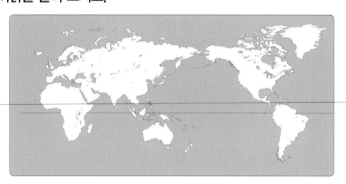

도움말

☆ 우리나라 지도와 세계 지도를 보고 여행을 가 본 곳과 가고 싶은 곳을 친구들과 이야기할 수 있습니다.

1 세계 지도를 보며 여행 가고 싶은 곳을 말해 봅니다.

2 오른쪽 우리나라 지도를 보며 여행을 가고 싶은 곳과 그 까닭을 쓰시오.

(1) 여행 가고 싶은 곳	
(2) 그 까닭	

2 평소 가고 싶었던 곳을 떠올려 그 까닭과 함께 정리해 씁니다.

3 **2**를 중심으로 여행 계획서를 쓰시오.

(1) 여행 기간과 장소	
(2) 같이 가고 싶은 사람과 준비할 일	
(3) 여행 일정	

3 여행을 가기 전에는 언제, 어디로, 누구와 함께, 무엇을 준비해 갈지 정리하는 표를 작성하는 것이 좋습니다.

융은 다섯 살에 해외로 입양된다. 하지만 융은 벨기에의 가족과 자신의 피부색이 다르다는 사실과 한국에 친부모가 있을지도 모른다는 생각에 잘 적응하지 못하고 힘들어한다. 게다가 융의 가족은 한국에서 여자아이를 한 명 더 입양한다. 융은 한국에서 새로 입양된 여동생과 자신이 닮았다는 말을 듣기 싫어하며 동생과 가족을 멀리한다. 그리고 융은 학교에서 말썽을 일으키고 집에서 거짓말까지 하면서 점점 더 엇나가는 행동을 한다.

융의 장난만큼은 아니지만 나도 가끔은 친구나 동생에게 심한 장난을 한다. 하지만 융의 행동이 주위의 관심과 사랑을 받고 싶고 자신이 누구인지를 찾으려는 몸부림이라는 것을 알았을 때 마음이 많이 아팠다. 자신이 누구인지 알 수 없어 방황하던 융은 영화의 마지막에 이렇게 말한다. "엄마, 누가 내 고향을 물으면 여기도 되고 거기도 된다고 하세요." 나는 융의 말을 모두 이해할 수는 없지만 '꿀색'이라는 말이 따뜻하게 느껴졌다.

예전에 「국가 대표」라는 영화를 보았다. 그 영화에서 주인공은 엄마를 찾으려고 국가 대표가 되려고 했다. 해외 입양 문제는 우리나라의 아픈 역사를 보여 주는 한 부분이다.

이 영화를 보면서 나는 융이라는 사람에게 이런 말을 해 주고 싶었다. "비록 우리나라의 아픈 역사 때문에 벨기에에서 살지만 우리는 똑같은 한국인입니다."라고 말이다. 영화를 보는 내내 나는 입양된 사람들이 우리 역사에서 겪은 아픔을 생각했다. 본인의 의지와 상관없이 다른 나라에서 살아야 하는 사람들, 그리고 우리나라에 온 사람들까지. 나는 우리가 지금 서로를 따뜻하게 감싸 안아야 할 때라고 생각한다.

💬 1970년에 다섯 살의 나이로 벨기에에 입양된 융 헤넨 감독의 자전적 영화 「피부 색깔=꿀색」을 보고 쓴 감상문입니다.

8 단원

4 이 영화 감상문에 어울릴 제목을 생각하여 쓰시오.

_____

_____

4 영화 감상문의 제목은 감상문의 전체 내용을 잘 드러내거나 읽는 사람의 호기심을 불러일으킬 수 있도록 정하는 것이 좋습니다.

5 글쓴이가 쓴 영화 감상문을 평가하려고 합니다. 잘한 점은 무엇인지 쓰시오.

_____

_____

5 영화 감상문에서 기억에 남는 부분을 찾아 자신의 생각을 정리해 봅니다.

⭐ 작품 속 내용과 자신의 경험을 비교하며 글을 쓰는 것이 목적입니다.

6~7

(가) 홍라는 소그드의 은화를 가만히 들여다보았다. 그러다 다시 지도로 눈길을 돌렸다.

솔빈으로 가서 은화를 팔고……. 그래! 솔빈의 말을 사자!

솔빈의 말은 당나라까지 널리 알려진 명마다. 솔빈의 말을 장안으로 가져가면 비싼 값에 팔 수 있다. 그리고 장안에서 비단을 싸게 사서 온 다면……. 가만히 앉아 있으면 묘원의 은화는 비단 오백 필 값. 그러나 길을 나선다면 천 필, 아니 이천 필 값이 될 수 있다.

가자. 교역을 하러 가자. 어머니가 돌아오기 전에 빚을 갚는 거야. 상단을 지키는 거야. 대상주 금기옥의 딸답게.

홍라는 눈물을 닦았다. 언제부터인가 울고 있었던 것이다. 하지만 이제는 울지 않을 생각이었다. 상단을 이끌고 교역을 떠나야 했다. 상 단을 지켜야 했다.

따로 상단의 일을 배운 적은 없지만, 상단의 딸이다. 나면서부터 교 역에 대해 보고 들었다. 어떻게 해야 하는지 알 수 있었다.

(나) 홍라는 장안을 떠나며 언젠가 자신의 상단을 이끌고 다시 오겠다고 다짐했다. 장안까지, 아니 세상의 끝까지 가 보고 싶었다. 그 누구의 발도 닿지 않은 새로운 길로 떠나고 싶었다.

그런 날이 생각보다 빨리 왔다. 생각했던 것과는 달리 너무도 초라 한 출발이었다. 그러나 반드시 금씨 상단에 걸맞은 모습으로 돌아오리 라. 홍라는 목에 건 소동인과 열쇠를 꼭 쥐었다. 쿵쿵쿵쿵. 힘차게 뛰 는 심장 박동이 느껴졌다. 아버지와 어머니가 보내는 응원의 소리인지 도 몰랐다.

• 상단: 무역을 하기 위해 만든 사람들 단체
• 소동인: 구리로 만든 작은 도장.

6 홍라는 교역에서 어떤 성과를 올릴 것 같은지 생각해 쓰시오.

_____

_____

6-7 홍라가 은화를 바라 보며 생각하는 장면, 즉 솔빈으로 가서 은화를 팔아 솔빈의 말을 사고 그것을 장안에서 팔아 장안의 비 단을 싸게 사 오는 등의 계획을 세우 며 상단을 꾸려 떠날 결심을 하는 장면이 인 상 깊습니다. 홍라는 "가자. 교역을 하러 가자. 어 머니가 돌아오기 전에 빚을 갚는 거야. 상단을 지키는 거야. 대상주 금기옥 의 딸답게."라고 다짐합니다. 그러면서 울 지 않겠다며 상단을 지키려고 노력하는 홍라의 모습에서 감동을 받았습니다.

7 이 글을 읽고 떠오르는 자신의 경험을 비교해 쓰시오.

❶ 주제 정하기

❷ 자료 수집하고 정리하기

❸ 설명할 내용 정하기

❹ 사진이나 영상 넣기

❺ 음악과 자막 넣기

6학년 축구 대

❻ 보완하기

도움말

☆ 직접 체험으로 경험한 내용을 영화로 만들어 보는 것이 목적입니다.

8 단원

8 경험한 내용을 영화로 만들려고 합니다. 사진이나 그림, 영상에 어울리는 문구를 간단히 기록하기 전에 해야 할 일은 무엇인지 쓰시오.

_____

_____

8 '주제 정하기 → 자료를 수집하고 정리하기 → 설명할 내용 정하기 → 사진이나 영상 넣기 → 음악과 자막 넣기 → 보완하기'의 차례로 영화를 만듭니다.

9 영화로 만들고 싶은 경험을 떠올리며 알맞은 내용을 쓰시오.

⑴ 영화 제목: (   )

⑵ 주제: (   )

9 기억에 남는 경험을 떠올려 영화 내용을 구성해보고 거기에 어울리는 제목을 붙여 봅니다.

10 9번의 내용을 바탕으로 영화를 만들려고 할 때, 들어갈 수 있는 사진이나 영상 자료의 내용을 쓰시오.

_____

10 경험과 관련 있는 사진이나 영상, 어울리는 음악을 찾아 넣으면 영화가 효과적입니다.

관련 단원 2. 관용 표현을 활용해요

우리 몸과 관련한 관용구

- 눈에 띄다: 두드러지게 드러나다.
- 눈을 돌리다: 관심을 돌리다.
- 눈을 붙이다: 잠을 자다.
- 눈이 높다: 정도 이상의 좋은 것만 찾는 버릇이 있다.

- 입을 모으다: 여러 사람이 같은 의견을 말하다.
- 입을 막다: 시끄러운 소리나 자기에게 불리한 말을 하지 못하게 하다.
- 입만 아프다: 여러 번 말해도 받아들이지 아니해 말 한 보람이 없다.
- 입맛대로 하다: 저 좋은 대로 마음대로 하다.

- 코가 높다: 잘난 체하고 뽐내는 기세가 있다.
- 코를 납작하게 만들다: 기를 죽이다.
- 코 묻은 돈: 어린아이가 가진 적은 돈.
- 코가 꿰이다: 약점이 잡히다.

- 귀가 얇다: 남의 말을 쉽게 받아들인다.
- 귀가 아프다: 너무 여러 번 들어서 듣기 싫다.
- 귀에 익다: 들은 기억이 있다.
- 귀를 세우다: 듣기 위해 신경을 곤두세우다.

- 손에 익다: 일이 손에 익숙해지다.
- 손을 거치다: 어떤 사람을 경유하다.
- 손을 끊다: 교제나 거래 따위를 중단하다.
- 손을 뻗치다: 이제까지 하지 아니하던 일까지 활동 범위를 넓히다.

- 발을 구르다: 매우 안타까워하거나 다급해하다.
- 발을 끊다: 오가지 않거나 관계를 끊다.
- 발을 디디다: 단체에 들어가거나 일의 계통에 참여 하다.
- 발을 빼다: 어떤 일에서 관계를 완전히 끊고 물러나다.

관련 단원 4. 효과적으로 발표해요

다양한 매체 자료

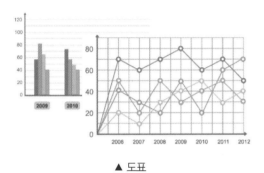

▲ 도표

▲ 지도

▲ 영상

▲ 사진

▲ 정보 그림

100점
예상문제

국어 6-2

5~6
학년군

1~2 다음 글을 읽고 물음에 답하시오.

(가) **앞부분 이야기**

　　항일 의병 운동의 자금을 지원하려고 숯을 구워서 팔던 윤희순은 독립 운동에 남녀 구분이 없음을 알리려고 「안사람 의병가」를 만든다. 어느 날 윤희순은 숯 굽는 일을 도와주는 옆집 처녀 담비가 「안사람 의병가」를 흥얼거리는 것을 듣고, 사람들에게 그 노래를 가르쳐 주라고 담비에게 부탁한다.

(나) "노래란 것이 참 신기해."

"그러게 말이야."

"나도 노래를 부르다 보면 뭔가 해야겠다는 생각이 들어."

　　담비가 마을 아낙네들한테 「안사람 의병가」를 가르친 보람은 생각보다 크게 나타났다. 노래 하나가 사람들의 마음을 한 덩어리로 모았을 뿐만 아니라 전에 없던 용기마저 불끈 솟아나게 했던 것이다.

1. 작품 속 인물과 나

1 (가)에서 알 수 있는 윤희순의 마음으로 알맞은 것은 무엇입니까? (　　　)

① 부자가 되고 싶다.
② 장인이 되고 싶다.
③ 의병을 돕고 싶다.
④ 가수가 되고 싶다.
⑤ 공부를 하고 싶다.

1. 작품 속 인물과 나

2 「안사람 의병가」는 사람들에게 어떤 영향을 주었는지 두 가지 고르시오. (　　,　　)

① 많은 사람이 숯을 사겠다고 나섰다.
② 전에 없던 용기마저 솟아나게 했다.
③ 사람들의 마음을 한 덩어리로 모았다.
④ 의병들의 사기를 떨어뜨리는 역할을 했다.
⑤ 남녀 구분 없이 총을 들고 의병 운동을 했다.

3~5 다음 글을 읽고 물음에 답하시오.

　　"경민이에게 당신이 어제 화재 현장에서 고생하신 얘기를 들려주었어요. 그랬더니 글쎄, 우리 아버지가 다시 태어나신 거나 마찬가지라고 저렇게 야단이랍니다."

　　경민이는 아버지의 잔과 자기의 콜라 잔을 부딪치며 힘차게 "브라보!"를 외쳤다.

　　"우리 아들, 고맙고 기특하구나. ㉠이 아빠가 막 눈물이 날 것 같아."

　　화재 현장에 갈 때마다 얼마나 많은 위기를 맞았던가!

　　화재 진압을 마치고 나서 동료들끼리 늘 하는 말이 ㉡"우리는 오늘도 다시 태어났다."였는데……

　　이렇게 사랑하고 이해하는 가족이 있기에, 남들이 다 위험하다지만 그 만큼 큰 자부심을 얻는다고 큰소리를 칠 수 있는 것이었다.

1. 작품 속 인물과 나

3 ㉠으로 보아, 아버지는 경민이의 행동에 어떤 마음이 들었습니까? (　　　)

① 안타깝다.　　　　② 감동했다.
③ 어색했다.　　　　④ 괴로웠다.
⑤ 껄끄러웠다.

1. 작품 속 인물과 나

4 ㉡의 의미로 알맞은 것에 ○표를 하시오.

(1) 화재 현장에서 사람을 구했다.　　(　　　)
(2) 위험한 화재 현장에서 살아남았다.　(　　　)

서술형

1. 작품 속 인물과 나

5 아버지가 한 말이나 행동을 보며 아버지의 삶과 관련 있는 가치와 그 까닭을 쓰시오.

_____

_____

6~8 다음 대화를 읽고 물음에 답하시오.

(가) 남자아이: 정민아, 내일이 벌써 개학이야. 정말 시간이 빠르지 않니?

정민: 내일이 개학이라고? ㉠눈이 번쩍 뜨인다! 해야 할 일이 아직도 많은데 큰일이네.

(나) 남자아이: 소진아, 제주도에 다녀왔다며? 재미있었어?

소진: 제주도에 다녀온 것 말이야? 아까 민진이에게만 말했는데 넌 어떻게 알았어? 정말 ㉡발 없는 말이 천 리 가는구나.

2. 관용 표현을 활용해요

6 ㉠, ㉡과 같은 표현을 무엇이라고 하는지 쓰시오.

( )

2. 관용 표현을 활용해요

7 ㉠, ㉡의 뜻을 찾아 알맞게 선으로 이으시오.

(1) ㉠ • • ① 정신이 갑자기 든다.

(2) ㉡ • • ② 말은 비록 발이 없지만 천 리 밖까지 순식간에 퍼진다.

2. 관용 표현을 활용해요

8 ㉠, ㉡과 같은 표현을 활용하면 좋은 점으로 알맞지 않은 것의 번호를 쓰시오.

❶ 일반적인 설명이라서 이해하기 쉽다.

❷ 전하고 싶은 말을 쉽게 표현할 수 있다.

❸ 재미있는 표현이어서 듣는 사람의 관심을 불러일으킬 수 있다.

( )

9~10 다음 광고를 보고 물음에 답하시오.

❶ 물을

❷ 물 쓰듯 쓰다

❸ "물 쓰듯 쓰다"라는 말, 이제는 바뀌어야 합니다.

2. 관용 표현을 활용해요

9 이 광고에 쓰인 '물 쓰듯'이라는 말은 어떤 뜻일지 두 가지 고르시오. (,)

① 물건을 헤프게 쓰다.

② 물건을 깨끗하게 쓰다.

③ 돈 따위를 흥청망청 낭비하다.

④ 비 따위가 몹시 세차게 내리다.

⑤ 모습이 아주 매끈하여 보기 좋다.

서술형

2. 관용 표현을 활용해요

10 이 광고에서 관용 표현을 활용한 까닭은 무엇일지 다음을 참고해 쓰시오.

말하는 사람은 듣는 사람이 자신의 이야기를 귀 기울여 듣고, 이야기에 흥미를 느끼게 하려는 의도로 관용 표현을 활용할 수 있어요.

_____

_____

11~12 다음 글을 읽고 물음에 답하시오.

자기 안에 물음표가 없어서 아무것도 묻지 못하는 사람은 건전지를 넣고 단추를 누르면 그냥 북을 쳐 대는 곰 인형과 별로 다를 것이 없어. 아무 생각 없이 모든 순간을 습관적으로 기계적으로 살아가는 사람은 이야기 속 할아버지와 똑같아. 자기 것이지만 자기 것이 아닌 수염을 달고 있으니까 말이야.

'그냥 수염'을 달고 있는 사람은 어느 날 누가 "왜?" 또는 "어떻게?" 하고 물으면 아무 대답도 하지 못해. 아무리 자기가 한 일을 뒤돌아보고 생각해 내려고 애써도 지나온 날들은 이미 멀리 사라져 버려서 흔적조차 찾을 길이 없기 때문이지. 어느 날엔가 너한테도 누군가 물어 올지 몰라. 그때를 위해서라도 '그냥'이라는 대답이 아닌 무언가를 준비해야겠지?

3. 타당한 근거로 글을 써요

11 자기 안에 물음표가 없어서 아무것도 묻지 못하는 사람을 무엇에 비유했습니까? (   )

① 수염이 없는 할아버지
② 생각을 많이 하는 과학자
③ 모든 순간에 호기심을 갖는 사람
④ 다른 사람에게 질문을 많이 하는 사람
⑤ 단추를 누르면 그냥 북을 쳐 대는 곰 인형

3. 타당한 근거로 글을 써요

12 글쓴이의 주장으로 알맞은 것은 무엇입니까?
(   )

① 호기심을 가지고 살아가자.
② 아무 생각 없이 사는 연습을 하자.
③ 모든 순간을 습관적으로 살아가자.
④ '그냥'이라고 생각하지 말고 '왜' 또는 '어떻게'를 생각하자.
⑤ 자기가 한 일을 뒤돌아보고 반성하는 시간을 갖도록 하자.

13~15 다음 글을 읽고 물음에 답하시오.

겉으로 보기에는 모두 똑같아 보이지만 그 초콜릿이 우리 손에 들어오기까지의 과정은 제품에 따라 매우 다를 수 있습니다. 그것을 만들려고 노력한 사람들이 학교도 못 다니고 음식도 제대로 먹지 못한, 여러분보다 어린 동생들이라면 그 초콜릿을 정말 맛있게 먹을 수 있을까요? 가난한 나라에 일시적인 원조를 제공하는 데 그치지 않고 자립하도록 도와주는 방법이자 우리 환경을 보호할 수 있는 공정 무역 제품, 이제는 우리가 관심을 기울이고 사용할 때입니다.

3. 타당한 근거로 글을 써요

13 글쓴이의 주장은 무엇입니까? (   )

① 초콜릿 소비를 줄이자.
② 간식을 많이 먹지 말자.
③ 공정 무역 제품을 사용하자.
④ 어려운 어린이들에게 관심을 갖자.
⑤ 가난한 나라에 일시적으로 원조를 늘리자.

3. 타당한 근거로 글을 써요

14 주장에 대한 근거로 알맞은 것은 무엇이겠습니까?
(   )

① 중간 유통 단계를 늘릴 수 있다.
② 가난한 나라의 사람들을 도울 수 있다.
③ 아이들에게 일할 수 있는 기회를 준다.
④ 낮은 임금으로 생산 비용을 낮출 수 있다.
⑤ 제값을 주지 않고 물건을 싸게 살 수 있다.

서술형
3. 타당한 근거로 글을 써요

15 다음 근거는 주장을 뒷받침하는지 판단해 쓰시오.

공정 무역 인증 표시는 국제기구가 생산지에서 공정 무역의 주요 원칙이 잘 지켜졌는지를 점검한 물건들에 붙일 수 있다.

_____

_____

_____

16~18 다음 그림을 보고 물음에 답하시오.

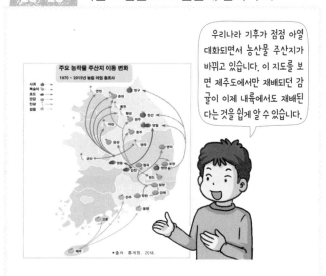

4. 효과적으로 발표해요

16 이 발표에서 활용한 매체 자료는 무엇입니까?

( )

① 도표　　　　　② 영상
③ 사진　　　　　④ 그림지도
⑤ 정보 그림(인포그래픽)

4. 효과적으로 발표해요

17 이 매체 자료를 통해 알 수 <u>없는</u> 것은 무엇입니까?

( )

① 감귤 주산지의 변화
② 사과 주산지의 변화
③ 인삼 주산지의 변화
④ 복숭아 주산지의 변화
⑤ 바나나 주산지의 변화

서술형

4. 효과적으로 발표해요

18 폴란드의 민속춤을 친구들에게 소개하려고 할 때, 영상을 활용하면 어떤 점이 좋은지 쓰시오.

_____

_____

19~20 다음 그림을 보고 물음에 답하시오.

4. 효과적으로 발표해요

19 발표 목적은 무엇인지 바르게 말한 친구를 찾아 이름을 쓰시오.

재경　　　　　성군　　　　　강은

( )

100점 예상 문제

4. 효과적으로 발표해요

20 전교생을 대상으로 발표하려고 할 때, 고려할 점으로 알맞지 <u>않은</u> 것은 무엇입니까? ( )

① 내용이 새로우면 좋다.
② 주제가 흥미로워야 한다.
③ 건강에 도움을 줄 수 있어야 한다.
④ 1~6학년까지 모두 이해하기 쉬워야 한다.
⑤ 전교생이 재미를 느끼도록 줄임 말이나 비속어를 많이 써야 한다.

1~3
다음 글을 읽고 물음에 답하시오.

(가) 인류가 현재에 불행한 근본 이유는 인의가 부족하고, 자비가 부족하고, 사랑이 부족한 때문이다. 이 마음만 발달이 되면, 현재의 물질력으로 인류 20억이 다 편안히 살아갈 수 있을 것이다. 인류에게 이 정신을 배양하는 것은 오직 문화이다.

(나) ㉠이 일을 하기 위하여 우리가 할 일은 사상의 자유를 확보하는 정치 양식의 건립과 국민 교육의 완비이다. 내가 위에서 자유의 나라를 강조하고, 교육의 중요성을 말한 것도 이 때문이다. 최고의 문화를 건설하는 사명을 달성할 민족은 한마디로 말하면 국민 모두를 성인으로 만드는 데 있다. 대한 사람이라면 간 데마다 신용을 받고 대접을 받아야 한다.

5. 글에 담긴 생각과 비교해요

1 글쓴이는 인류가 현재 불행한 근본 까닭이 무엇이라고 했는지 찾아 쓰시오.

_____

_____

5. 글에 담긴 생각과 비교해요

2 ㉠은 무엇이겠습니까? (   )

① 권력을 갖는 것
② 문화를 높이는 것
③ 자본을 모으는 것
④ 자유롭게 사는 것
⑤ 부강한 나라가 되는 것

5. 글에 담긴 생각과 비교해요

3 글쓴이가 중요하게 생각하는 것을 두 가지 고르시오.
(,   )

① 돈   ② 교육
③ 문화   ④ 계급
⑤ 투쟁

4~5
다음 글을 읽고 물음에 답하시오.

로봇을 소유한 기업이나 로봇에게 세금을 부과하자는 주장이 나오고 있다. 로봇이 인간의 일거리를 대신 할 수 있기 때문에 인간에게 필요한 비용을 로봇세로 보충하려는 것이다. 하지만 로봇세 도입은 로봇 산업의 발전과 국가의 미래 경쟁력에 부정적인 영향을 끼칠 수 있다.

로봇 산업이 본격적으로 발전하면 로봇은 인간을 대신하여 일을 하게 된다. 이럴 경우에 인간은 위험하거나 단순한 일, 반복적인 일에서 해방될 수 있다. 그런데 인간을 대신하여 일을 할 로봇에게 성급하게 세금을 부과한다면 로봇 산업 발전을 더디게 할 것이다. 특히 로봇 개발자는 개발 비용에 세금까지 더하여 마음의 부담을 느낄 수 있다. 로봇 개발자가 느끼는 마음의 부담은 로봇을 개발하는 과정에서 혁신적인 생각을 발전시키거나 과감한 투자를 하는 데에 걸림돌이 될 수 있다.

5. 글에 담긴 생각과 비교해요

4 글쓴이가 로봇세 도입을 늦추어야 한다고 주장한 까닭은 무엇입니까? (   )

① 로봇이 인간의 일자리를 빼앗아서
② 로봇 개발자가 사회에 많지 않아서
③ 로봇에게 지능을 부여하면 위험해서
④ 로봇 산업 발전에 도움이 되지 않아서
⑤ 로봇은 세금을 낼 자격이 되지 않아서

5. 글에 담긴 생각과 비교해요

5 글쓴이가 이 글을 쓴 의도와 목적을 생각할 때 다음 빈 곳에 들어갈 알맞은 말은 무엇입니까? (   )

> [   ]에게 다른 관점으로도 생각할 수 있게 하려고 이 글을 썼다.

① 로봇을 좋아하는 사람
② 로봇 개발을 바라는 기업인
③ 로봇 개발을 반대하는 사람
④ 로봇세 도입에 반대하는 사람
⑤ 로봇세 도입이 필요하다고 생각하는 사람

6~8 다음을 보고 물음에 답하시오.

지구 온난화를 막기 위해 전 세계가 참가한 보편적 기후 변화 협정이 프랑스 파리에서 체결됐습니다.

31쪽 분량의 '파리 협정' 최종 합의문 핵심은 지구의 기온 상승 폭을 산업화 이전 대비 섭씨 2도 아래로 억제하고, 가능하면 섭씨 1.5도까지 낮추는 것입니다.

또 온실가스 감축을 위해 선진국들이 2020년까지 매년 천억 달러, 우리 돈 118조 원의 기금을 개발 도상국에 지원하도록 하는 내용도 담겼습니다.

파리 협정은 선진국만 온실가스 감축 의무가 있었던 교토 의정서와 달리, 개발 도상국을 포함한 195개 당사국 모두가 지켜야 하는 구속력 있는 첫 합의입니다.

6. 정보와 표현 판단하기

6 어떤 문제와 관련 있는 뉴스입니까? (   )

① 산업화 발전   ② 지구 온난화
③ 선진국 지원   ④ 에너지 부족
⑤ 개발 도상국 확대

6. 정보와 표현 판단하기

7 ㉮의 여자아이는 무엇을 궁금해하는지 쓰시오.

(   )

6. 정보와 표현 판단하기

8 뉴스가 우리 생활에 미치는 영향에 맞게 뉴스를 본 사람의 기호를 쓰시오.

뉴스가 우리 생활에 미치는 영향	뉴스를 본 사람
⑴ 사람들에게 새로운 정보를 알려 준다.	
⑵ 어떤 일을 긍정적이거나 비판적인 시각으로 보게 한다.	
⑶ 여러 사람의 생각에 영향을 주어 여론을 형성하게 한다.	

6. 정보와 표현 판단하기

9 광고에서 다음과 같은 표현을 비판적으로 보아야 하는 까닭은 무엇입니까? (   )

무조건, 절대로, 최고, 100퍼센트

① 과장된 표현이라서
② 긍정적인 표현이라서
③ 반복되는 부분이 있어서
④ 주제가 잘 드러나지 않아서
⑤ 오래 기억될 수 있는 말이라서

6. 정보와 표현 판단하기

10 뉴스의 짜임 가운데 다음은 어디에 들어갈 내용인지 쓰시오.

뉴스의 짜임

진행자의 도입 – 기자의 보도 – 기자의 마무리

시청자의 이해를 도우려고 면담 자료나 통계 자료로 설명하기

(   )

100점 예상 문제

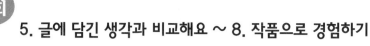
11~13 다음 글을 읽고 물음에 답하시오.

┌─────────────────────────┐
│   ㉠   │
└─────────────────────────┘

여러분, 불량 식품을 먹지 맙시다. 불량 식품에는 무엇이 들어갔는지, 그리고 유통 기한은 언제까지인지 정확히 적혀 있지 않습니다. 불량 식품을 먹으면 해로운 물질이 몸에 들어가 병에 걸리기 쉽습니다. 그리고 유통 기한을 알 수 없어 신선하지 않은 식품을 먹게 될 수도 있습니다. 불량 식품은 ㉡아무리 맛있어서 먹으면 안 됩니다.

7. 글 고쳐 쓰기

11 이 글을 쓴 목적은 무엇이겠습니까? (   )

① 편식하지 말자는 주장을 하려고
② 여러 식품에 대한 정보를 주려고
③ 유통 기한의 중요성을 알려 주려고
④ 불량 식품을 먹지 말자고 설득하려고
⑤ 신선한 식품을 사는 법을 안내하려고

7. 글 고쳐 쓰기

12 ㉠에 들어갈 알맞은 제목은 무엇입니까? (   )

① 냄새나는 불량 식품
② 맛이 좋은 불량 식품
③ 건강을 해치는 불량 식품
④ 쓰레기가 되는 불량 식품
⑤ 신선하고 깨끗한 불량 식품

7. 글 고쳐 쓰기

13 ㉡을 문장 성분의 호응이 잘 이루어지도록 고쳐 쓰시오.

(   )

7. 글 고쳐 쓰기

14 다음 문장을 고쳐 써야 하는 까닭은 무엇입니까?

(   )

요즘 많은 어린이가 이야기할 때 은어나 비속어를 사용했다.

① '요즘'은 불확실한 표현이기 때문이다.
② '요즘'은 줄임 말이므로 '요즈음'으로 써야하기 때문이다.
③ '요즘'은 과거를 나타내는 말이고 '사용했다'는 현재를 나타내는 말이기 때문이다.
④ '요즘'은 현재를 나타내는 말이고 '사용했다'는 과거를 나타내는 말이기 때문이다.
⑤ '요즘'은 미래를 나타내는 말이고 '사용했다'는 과거를 나타내는 말이기 때문이다.

7. 글 고쳐 쓰기

15 글을 고쳐 쓰는 방법으로 알맞지 <u>않은</u> 것의 번호를 쓰시오.

고쳐 쓸 부분	고쳐 쓰는 방법
❶ 고운 말을 사용하자는 주장이 잘 드러나지 않는다.	쓴 글을 전체적으로 읽으면서 자신의 생각을 확인한다.
❷ 문단 흐름이 자연스럽지 않다.	글의 짜임에 맞게 문단 흐름이 자연스럽도록 차례를 조정하거나 고쳐 쓴다.
❸ 문단 안에서 중심 문장이 뒷받침 문장과 어울리지 않는다.	읽는 사람의 흥미를 끌거나 이해를 돕는 내용을 보충한다.
❹ 앞뒤가 맞지 않는 문장이나 잘못 쓴 낱말이 있다.	글을 다시 읽고 어색한 문장이나 낱말을 바르게 고쳐 쓴다.

(   )

16~17 다음 글을 읽고 물음에 답하시오.

❶ 「피부 색깔=꿀색」이라는 영화를 보았다. 제목부터가 뭔가 전하고 싶은 이야기가 많은 영화라고 생각했다. 이 영화는 벨기에에 입양된 우리 동포 융이라는 사람이 어린 시절을 회상하며 이야기가 시작된다.

❷ 융은 다섯 살에 해외로 입양된다. 하지만 융은 벨기에의 가족과 자신의 피부색이 다르다는 사실과 한국에 친부모가 있을지도 모른다는 생각에 잘 적응하지 못하고 힘들어한다. 게다가 융의 가족은 한국에서 여자아이를 한 명 더 입양한다. 융은 한국에서 새로 입양된 여동생과 자신이 닮았다는 말을 듣기 싫어하며 동생과 가족을 멀리한다. 그리고 융은 학교에서 말썽을 일으키고 집에서 거짓말까지 하면서 점점 더 엇나가는 행동을 한다.

❸ 융의 장난만큼은 아니지만 나도 가끔은 친구나 동생에게 심한 장난을 한다.

8. 작품으로 경험하기

16 다음은 이 영화 감상문을 쓴 방법입니다. 내용에 맞는 문단 번호를 각각 쓰시오.

영화 감상문을 쓸 때 들어간 내용	문단
⑴ 영화 줄거리	
⑵ 영화를 보게 된 까닭	
⑶ 영화 속 내용과 비슷한 자신의 경험	

8. 작품으로 경험하기

17 글쓴이는 영화 속 주인공과 자신의 어떤 점이 비슷하다고 생각했습니까? (   )

① 부모님께 거짓말을 하는 모습
② 자신이 누구인지 고민하는 모습
③ 관심을 받으려고 노력하는 모습
④ 부모님께 인정받고 싶어 하는 모습
⑤ 친구나 가족에게 심한 장난을 하는 모습

18~20 다음 글을 읽고 물음에 답하시오.

드디어 떠난다. 홍라의 가슴이 세차게 고동쳤다. 대상주가 되어 교역을 떠난다. 빚을 갚고 상단을 구할 것이다. 걱정거리가 없지 않지만, 다 이겨 낼 수 있을 것만 같았다. 이겨 내야만 했다.

홍라가 어머니를 따라 먼 교역길에 나서 본 게 세 번이었다. 신라, 일본, 그리고 당나라의 장안이었다.

서라벌에 갔던 건 너무 어려서라 기억에 남아 있는 게 없었다. 다만 그때 어머니가 사 준 신라 모전이 아직도 홍라 침상에 깔려 있었다. 그리고 이번에 일본에 다녀왔고, 이 년 전에는 장안에 간 적이 있었다.

8. 작품으로 경험하기

18 홍라가 교역을 떠난 까닭은 무엇이겠습니까?
(   )

① 모전을 사려고
② 외국에 나가려고
③ 상단을 구하려고
④ 부모님을 뵈려고
⑤ 대상주 시험을 치르려고

8. 작품으로 경험하기

19 홍라가 어머니를 따라 교역을 하기 위해 이 년 전에 가 본 곳을 찾아 쓰시오.

(   )

8. 작품으로 경험하기

20 이 글의 홍라는 어떤 마음이겠습니까? (   )

① 불길하다.   ② 불행하다.
③ 짜증이 난다.   ④ 희망에 차 있다.
⑤ 예감이 좋지 않다.

1~2 다음 글을 읽고 물음에 답하시오.

"이모, 이모는 꿈이 뭐예요?"

이모는 퐁을 우물 속으로 던지고는 입을 삐죽거렸다.

"내 꿈? 나는 어른인데?"

"어른들도 꿈이 있잖아요. 꿈이 없는 사람이 어디 있어요?"

이모는 성큼성큼 다가와 진진의 눈앞에 쪼그려 앉더니 진진을 빤히 쳐다봤다. 빨간 안경 속 이모의 눈은 콩알만큼 작아 보였다.

"흥, 이젠 그렇게 생각한다는 말이지? 너도 꽤 똑똑해졌구나."

그러고는 진진에게만 들리도록 조그맣게 속살거렸다.

"꿈꾸는 집, 이 집이 바로 내 꿈이야."

"이 집이 이모의 꿈이라고요?"

"그럼, 내 꿈은 이 세상 재미있는 책들을 모두 불러 모아서 함께 노는 거야. 낄낄대며 웃는 재미, 콩닥콩닥 가슴 뛰는 재미, 두근두근 설레는 재미, 눈물 나게 가슴 아린 재미, 궁금한 것들을 알게 되는 재미, 생각하지도 못 했던 것을 상상하는 재미…… 재미있는 책들만 올 수 있는 집, 꿈꾸는 아이들만 올 수 있는 집, 이 집이 내 꿈이야."

1. 작품 속 인물과 나

1 이모가 진진에게 "너도 꽤 똑똑해졌구나."라고 말한 까닭은 무엇인지 쓰시오.

_____

_____

1. 작품 속 인물과 나

2 이모의 꿈은 무엇입니까? (   )

① 책을 읽거나 글을 쓰는 방

② 세상의 모든 책들로 가득찬 방

③ 혼자 생각을 할 수 있는 아늑한 방

④ 아이들이 뛰어놀 수 있을 만큼 넓은 집

⑤ 재미있는 책들과 꿈꾸는 아이들이 오는 집

3~4 다음 대화를 읽고 물음에 답하시오.

지현: 안나야!

안나: 아이고, 깜짝이야! ㉠간 떨어질 뻔했잖니.

지현: 미안해. 문구점에 같이 가자! 내일 미술 시간에 필요한 준비물을 사야 하지? 일단 어떤 준비물이 있는지 확인해 보자. 난 색 도화지 두 장, 색종이 한 묶음, 딱풀을 사야겠다.

안나: 난 좀 넉넉하게 사야겠어. 색 도화지 열 장, 색종이 여덟 묶음, 딱풀이랑 물 풀이랑…….

지현: 너 정말 [㉡   ]

2. 관용 표현을 활용해요

3 ㉠은 무슨 뜻이겠습니까? (   )

① 매우 놀라다.

② 두드러지게 드러나다.

③ 재미나 의욕이 없어진다.

④ 매우 기쁘고 만족스럽다.

⑤ 남의 말을 쉽게 받아들인다.

2. 관용 표현을 활용해요

4 ㉡에 들어갈 관용 표현은 무엇입니까? (   )

① 손이 크구나.   ② 손을 끊었구나.

③ 손에 익었구나.   ④ 손을 거쳤구나.

⑤ 손을 뻗쳤구나.

2. 관용 표현을 활용해요

5 다음 문장에 활용할 수 있는 관용 표현은 무엇입니까? (   )

> 저는 어릴 적부터 겁이 없고 새로운 활동을 좋아해 [   ]는 말을 많이 들었습니다.

① 귀가 얇다   ② 간이 크다

③ 눈이 높다   ④ 코가 높다

⑤ 입만 아프다

6~8 다음 자료를 보고 물음에 답하시오.

내용	종류
○○ 신문 20○○년 ○○월 ○○일	기사문
이산화 탄소 먹는 하마는 상수 리나무	출처
국립산림과학원의 연구 결과 우리나라의 가정이나 기업에서 1인당 평생 배출하는 이산화 탄 소는 약 12.7톤이다. 개인이 배 출한 이산화 탄소를 흡수하려면 평생 나무를 심어야 할지도 모른 다. 이산화 탄소를 특히 잘 흡수 하는 것은 상수리나무이다.	『○○ 신문』 20○○. ○○. ○○.
	알려 주는 것
많은 양의 이산화 탄소를 흡수 하고 지구 온난화 예방에도 큰 역할을 하는 나무 심기에 관심을 가지자. (◇◇◇ 기자)	㉠

6 3. 타당한 근거로 글을 써요

㉠ 안에 들어갈 알맞은 말에 ○표를 하시오.

(1) 숲은 미세 먼지를 잡아 준다. ( )

(2) 국립산림과학원은 여러 가지 자연에 대한 연구
를 하는 시설이다. ( )

(3) 나무를 심으면 나무가 이산화 탄소를 흡수해 지
구 온난화 예방에 도움이 된다. ( )

7 3. 타당한 근거로 글을 써요

이 자료는 어떤 근거를 뒷받침하고 있습니까?
( )

① 숲이 미세 먼지를 잡아 준다.

② 사람들이 숲을 파괴하고 있다.

③ 숲이 제공해 주는 자원이 많다.

④ 숲이 홍수와 산사태를 막아 준다.

⑤ 숲이 지구 온난화 예방에 도움이 된다.

8 진아가 활용할 수 있는 매체 자료는 무엇입니까?
( )

폴란드 민속춤의 움직임이나 특
징을 더 자세하게 알고 싶어. 민속
춤을 따라 출 수 있으면 좋겠어.

진아

① 표   ② 영상

③ 도표   ④ 지도

⑤ 그림지도

9 4. 효과적으로 발표해요

다음은 영상 자료를 제작하고 발표하는 과정입니다.
㉠, ㉡ 안에 들어갈 말로 알맞은 것은 무엇입니까?
( )

발표 상황 파악하기 ➡ ㉠ ➡ 내용 및 장
면 정하기 ➡ 촬영 계획 세우기 ➡ 촬영하기 ➡ 편집
하기 ➡ ㉡

	㉠	㉡
①	주제 정하기	발표하기
②	주제 정하기	평가하기
③	제목 정하기	편집하기
④	제목 정하기	촬영하기
⑤	발표자 정하기	촬영하기

100점
예상
문제

10 4. 효과적으로 발표해요

영상 자료를 만들어서 인터넷에 올리는 방법으로 알
맞지 않은 것은 무엇입니까? ( )

① 인용한 내용은 출처를 넣지 않는다.

② 영상에 나오는 사람의 동의를 얻는다.

③ 매체 자료를 넣을 때에는 출처를 밝힌다.

④ 격식에 맞지 않는 언어는 사용하지 않는다.

⑤ 영상 자료가 보는 사람들에게 좋은 영향을 주는
지 생각한다.

11~12 다음 자료를 보고 물음에 답하시오.

나는 우리나라가 세계에서 가장 아름다운 나라가 되기를 원한다. 가장 부강한 나라가 되기를 원하는 것은 아니다. 내가 남의 침략에 가슴이 아팠으니, 내 나라가 남을 침략하는 것을 원치 아니한다. 우리의 부는 우리 생활을 풍족히 할 만하고, 우리의 힘은 남의 침략을 막을 만하면 족하다. 오직 한없이 가지고 싶은 것은 높은 문화의 힘이다. 문화의 힘은 우리 자신을 행복하게 하고, 나아가서 남에게도 행복을 주기 때문이다. 지금 인류에게 부족한 것은 무력도 아니요, 경제력도 아니다. 자연 과학의 힘은 아무리 많아도 좋으나, 인류 전체로 보면 현재의 자연 과학만 가지고도 편안히 살아가기에 넉넉하다.

5. 글에 담긴 생각과 비교해요

11 이 글은 백범 김구 선생이 쓴 「내가 원하는 우리나라」의 일부입니다. 김구 선생의 생각으로 가장 알맞은 것은 무엇입니까? (   )

① 침략 당하는 것보다 침략하는 것이 낫다.
② 우리 생활을 풍족히 하는 것이 우선이다.
③ 가장 부강한 나라가 되기 위해서 힘써 왔다.
④ 아름다운 나라가 되기 위해서 우리 민족이 노력해야 한다.
⑤ 자연 과학의 힘은 우리 미래를 준비하기에는 턱없이 부족하다.

5. 글에 담긴 생각과 비교해요

12 김구 선생이 문화의 힘을 가지고 싶다고 한 까닭은 무엇입니까? (   )

① 남의 침략을 막을 수 있기 때문에
② 우리 생활을 풍족하게 하기 때문에
③ 부족한 무력을 충족시킬 수 있기 때문에
④ 자연 과학의 힘을 대신할 수 있기 때문에
⑤ 우리 자신뿐만 아니라 남에게도 행복을 주기 때문에

6. 정보와 표현 판단하기

13 다음 광고 문구에서 과장하거나 감추는 내용으로 알맞은 것에 ○표를 하시오.

소비자 만족도 1위

독보적인 디자인   튼튼한 내구성

독보적인 디자인과 튼튼한 내구성을 인정받아 소비자 만족도 1위를 달성했습니다.

⑴ 자전거의 크기가 과장되었다. (   )
⑵ 누가, 어떻게, 왜 만든 자전거인지에 대한 정보를 감추고 있다. (   )
⑶ 언제, 어떤 조사에서 소비자 만족도가 1위였는지와 관련한 정보를 감추고 있다. (   )

6. 정보와 표현 판단하기

14 있지도 않은 상품 기능을 있는 것처럼 설명하는 광고를 무엇이라고 합니까? (   )

① 공익 광고   ② 과장 광고
③ 허위 광고   ④ 구인 광고
⑤ 지면 광고

6. 정보와 표현 판단하기

15 뉴스의 타당성을 판단할 때 살펴볼 점으로 알맞지 않은 것은 무엇입니까? (   )

① 자료의 출처가 명확한가?
② 가치 있고 중요한 뉴스인가?
③ 재미있고 긍정적인 뉴스인가?
④ 활용한 자료들이 뉴스의 관점을 뒷받침하는가?
⑤ 뉴스의 관점과 보도 내용이 서로 관련 있는가?

16 다음 빈칸에 들어갈 중심 문장으로 알맞은 것은 무엇입니까? ( )

7. 글 고쳐 쓰기

>
>
> 말은 우리 민족의 혼이 담긴 소중한 문화유산이다. 은어나 비속어를 사용한다면 그것이 우리 후손에게 그대로 전해질 것이다. 고운 말을 사용해 아름다운 우리말을 지켜야 한다.

① 우리 민족은 고운 말을 사용했다.
② 은어나 비속어를 사용한 적이 있다.
③ 고운 말을 사용하면 친구 관계가 좋아진다.
④ 고운 말을 사용하는 것은 우리말을 지키는 것과 같다.
⑤ 고운 말을 사용하면 다른 사람과 대화를 원활하게 대화할 수 있다.

17 다음 문장에서 밑줄 그은 부분을 바르게 고친 것은 무엇입니까? ( )

7. 글 고쳐 쓰기

> 비록 <u>한 끼라서</u> 아침밥을 거르거나 대충 때우면 온종일 열량과 영양소가 부족해 건강을 잃게 된다.

① 한 끼이고
② 한 끼이지만
③ 한 끼이어서
④ 한 끼일지라도
⑤ 한 끼일 것이라서

18 자신이 쓴 글을 문단 수준에서 점검할 내용으로 알맞은 것은 무엇입니까? ( )

7. 글 고쳐 쓰기

① 읽는 사람을 고려했는가?
② 문장 호응이 잘 이루어지는가?
③ 무엇을 쓴 글인지 알 수 있는가?
④ 지나치게 단정적인 표현이 있는가?
⑤ 한 문단에 하나의 중심 문장만 있는가?

19~20 다음 글을 읽고 물음에 답하시오.

> "아가씨, 비녕자이옵니다. 동경의 해안에서 우리를 구해 주었던……."
> "아!"
> 홍라는 그제야 기억이 났다. 비녕자. 말값으로 금가락지를 주고 떠나며 금씨 상단으로 찾아오라 했다. 목숨 구해 준 값도 후하게 치르겠다고 약속했다.
> "그런데 우리가 떠나고 얼마 되지 않아 비녕자의 아비와 어미가 그만 세상을 버렸다고 합니다. 작은 고깃배를 타고 바다에 나갔다가 풍랑에 휩쓸려서 그만……. 그래서 금씨 상단에 의지하고 지낼 수 있을까 해서 왔다고 합니다."
> 언제든 찾아오라고 큰소리쳤다. 더구나 지금은 한 사람이 아쉬운 상황이었다. 비녕자는 소리 소문 없이 데려가기에 적당한 일꾼이었다. 망설일 이유가 없었다.
> "장안으로 교역을 나설 거야. 월보, 비녕자, 같이 갈 수 있지?"
> 선심 쓰는 듯 말했지만, 속으로 좀 걱정이 되었다. 월보에게도 아직 품삯을 주지 못했다. 상단이 망해 간다는 소문이 파다한데, 월보가 따라나서 줄지 걱정이었다.

19 홍라는 비녕자를 어떻게 알게 되었습니까?

8. 작품으로 경험하기

( )

① 장안으로 교역을 가서 만났다.
② 비녕자에게 말을 산 적이 있다.
③ 홍라 일행의 목숨을 구해 주었다.
④ 홍라에게 금가락지를 찾아 주었다.
⑤ 비녕자가 상단에서 일한 적이 있다.

20 홍라는 왜 월보가 교역을 따라 나서 줄지 걱정이 되었는지 쓰시오.

8. 작품으로 경험하기

>
>

1~2 다음 시를 읽고 물음에 답하시오.

그래 살아 봐야지
너도 나도 공이 되어
떨어져도 튀는 공이 되어

살아 봐야지
쓰러지는 법이 없는 둥근
공처럼, 탄력의 나라의
왕자처럼

가볍게 떠올라야지
곧 움직일 준비 되어 있는 꼴
둥근 공이 되어

옳지 최선의 꼴
지금의 네 모습처럼
떨어져도 튀어 오르는 공
쓰러지는 법이 없는 공이 되어.

1. 작품 속 인물과 나

1 다음은 시에서 말하는 이가 어떤 삶의 모습을 추구하는지 쓴 것입니다. 빈칸에 알맞은 말을 써넣으시오.

> ((1)   )처럼 쓰러지는 법이 없이 계속
> 해서 ((2)   ) 삶을 추구
> 한다.

1. 작품 속 인물과 나

2 말하는 이는 왜 공처럼 살아 봐야겠다고 생각했겠습니까? (   )

① 여유 없이 바쁘게 살고 싶어서
② 창의적인 생각을 갖고 살고 싶어서
③ 따뜻한 마음을 지니며 살고 싶어서
④ 좌절하지 않고 도전하며 살고 싶어서
⑤ 주변 사람들과 어울리며 살고 싶어서

3~5 다음 그림을 보고 물음에 답하시오.

2. 관용 표현을 활용해요

3 이 그림 속 친구들이 나누는 대화의 주제는 무엇인지 쓰시오.

• (   )을/를 사용하자.

2. 관용 표현을 활용해요

4 고운이와 혜선이가 사용한 관용 표현의 뜻은 무엇입니까? (   )

① 용기 있고 담대하다.
② 두드러지게 드러나다.
③ 매우 기쁘고 만족스럽다.
④ 남의 말을 쉽게 받아들인다.
⑤ 자기가 남에게 말이나 행동을 좋게 하여야 남도 자기에게 좋게 한다.

2. 관용 표현을 활용해요

5 혜선이처럼 말을 끝낼 때 관용 표현을 사용하면 어떤 효과를 얻을 수 있을지 쓰시오.

6~7 다음 글을 읽고 물음에 답하시오.

공정 무역 제품을 사용해야 하는 까닭은 다음과 같습니다. 첫째, 생산자에게 돌아갈 정당한 이익을 지켜 줍니다. 흔히 볼 수 있는 과일 가운데 하나인 바나나의 경우, 우리가 3천 원짜리 바나나 한 송이를 산다면 약 45원만이 생산자인 농민에게 이익으로 돌아갑니다. 그 까닭은 바나나 생산국에서 우리 손에 오기까지 바나나 농장 주인, 수출하는 회사, 수입하는 회사, 슈퍼마켓 등이 총수익의 98.5퍼센트를 가져가기 때문입니다. 공정 무역에서는 생산자 조합과 공정 무역 회사를 만들어 이러한 중간 유통 단계를 줄이고 실제로 바나나를 재배하는 생산자의 이익을 보장해 주었습니다.

3. 타당한 근거로 글을 써요

6 공정 무역 제품을 사용하면 좋은 점은 무엇입니까?
( )

① 생산자의 이익을 보장해 준다.
② 생산물의 소비를 늘릴 수 있다.
③ 중간 유통 단계를 늘릴 수 있다.
④ 슈퍼마켓의 수익을 늘릴 수 있다.
⑤ 바나나 농장 주인의 이익을 지켜 준다.

3. 타당한 근거로 글을 써요

7 근거를 뒷받침하기 위해 활용할 수 있는 자료로 알맞은 것은 무엇입니까? ( )

① 바나나 농장 체험을 쓴 여행 잡지
② 유명한 초콜릿 판매 회사의 누리집
③ 공정 무역 인증 표시 그림이 실린 책
④ 과자와 초콜릿을 먹는 모습이 담긴 영상
⑤ 일반 무역 유통 단계와 공정 무역 유통 단계 비교 그림

8~9 다음 그림을 보고 물음에 답하시오.

4. 효과적으로 발표해요

8 그림 ❶에서 세미가 친구에게 보여 준 매체 자료는 무엇입니까? ( )

① 사진　　　　　② 영상
③ 도표　　　　　④ 신문
⑤ 그림지도

4. 효과적으로 발표해요

9 그림 ❷에서 세미가 보여 준 매체 자료를 활용하면 좋은 점은 무엇입니까? ( )

① 율동하는 까닭을 알 수 있다.
② 율동하는 지역의 특징을 알 수 있다.
③ 율동하는 사람들의 취미를 알 수 있다.
④ 중요 율동 동작을 한눈에 파악할 수 있다.
⑤ 율동 동작을 더욱 생생하게 잘 알 수 있다.

서술형

4. 효과적으로 발표해요

10 영상 자료를 만들어서 인터넷에 올릴 때 주의할 점은 무엇일지 쓰시오.

11~12 다음 글을 읽고 물음에 답하시오.

로봇세를 도입해야 한다

인공 지능 기술이 발전하면서 로봇이 사람을 대신해 일하는 영역이 늘어나고, 그 규모도 커지고 있다. 이에 따라 외국에서는 로봇을 소유한 기업이나 로봇에게 세금을 부과하자는 주장이 나오고 있다. 우리도 로봇세를 도입하여 ⬚⬚⬚⬚⬚ ㉠ ⬚⬚⬚⬚⬚ 을 찾아야 한다.

세계 경제 포럼은 로봇이나 인공 지능이 이끄는 4차 산업 혁명으로 수많은 사람이 일자리를 잃을 것이라고 전망했다. 로봇 때문에 일자리를 잃고 소득을 얻지 못하는 사람들은 새로운 일자리를 찾기 위해 재교육을 받아야 한다. 로봇세를 도입하면 그 세금으로 일자리를 잃은 사람들에게 진로 상담이나 적성 검사, 기술 교육 등을 할 수 있다. 또 로봇세를 활용하면 일자리를 잃은 사람들이 재교육을 받고 새로운 일자리를 찾는 데 도움을 줄 수 있다.

5. 글에 담긴 생각과 비교해요
11 ㉠ 안에 들어갈 글쓴이의 생각이 드러난 표현은 무엇입니까? (   )

① 여러 종류의 다양한 로봇
② 인류에게 도움이 되는 로봇
③ 인간과 로봇이 함께 살아가는 방법
④ 로봇세 도입으로 얻을 수 없는 것들
⑤ 로봇에게 세금을 부과할 수 없는 까닭

5. 글에 담긴 생각과 비교해요
12 이 글에 나타난 글쓴이의 생각을 쓰시오.

• (   )를 걷으면 일자리를 잃은 사람들이 재교육을 받고 새로운 일자리를 찾는 데 도움을 줄 수 있다.

6. 정보와 표현 판단하기
13 다음은 「파리 기후 협약 체결, 기온 상승 폭 2도 제한」 뉴스를 본 사람들의 반응입니다. 뉴스가 우리 생활에 미치는 영향 가운데 무엇인지 기호를 쓰시오.

㉮ 사람들에게 새로운 정보를 알려 준다.
㉯ 어떤 일을 긍정적이거나 비판적인 시각으로 보게 한다.
㉰ 여러 사람의 생각에 영향을 주어 여론을 형성하게 한다.

(   )

6. 정보와 표현 판단하기
14 민재는 어떤 주제의 뉴스를 만들지 쓰시오.

나는 갈수록 늘어나는 음식물 쓰레기 문제의 심각성을 알리는 뉴스를 만들고 싶어. 한 해에 버려지는 음식물 쓰레기 양을 조사하고, 어떻게 하면 가정에서 음식물 쓰레기를 줄일 수 있는지 해결책도 함께 제시할 거야.

민재

(   )

서술형
6. 정보와 표현 판단하기
15 뉴스를 발표할 때 주의할 점을 한 가지 더 쓰시오.

누구나 알아들을 수 있도록 말하는 빠르기가 적절해야 해.

16~17 다음 글을 읽고 물음에 답하시오.

(가) 동물 실험을 반대하는 사람들이 늘어나고 있다. 사람과 동물의 몸은 차이가 크기 때문에 이러한 동물 실험은 소용이 없다고 주장한다. 실제로 동물 실험을 통과한 신약 후보 열 개 가운데 아홉 개는 효과가 없거나 부작용을 일으킨다고 한다.

(나) 동물 실험도 하지 않고 개발한 약을 사람들에게 사용하면 부작용이 발생할 수 있다. 1937년에 한 제약 회사에서 술파닐아미드라는 약을 새롭게 개발했다. 그런데 동물 실험을 거치지 않고 사람들에게 이 약을 판매했다. 그 결과, 이 약을 복용한 많은 사람이 부작용으로 사망하는 불행한 일이 일어났다.

7. 글 고쳐 쓰기

16 글 ⑺와 ⑼ 가운데 '동물 실험을 해야 한다.'는 생각이 나타나 있는 글의 기호를 쓰시오.

글 ( )

7. 글 고쳐 쓰기

17 글 ⑺와 같은 견해의 근거는 무엇입니까? ( )

① 동물 실험으로 부작용을 막을 수 있다.
② 동물 실험은 약 개발에 큰 역할을 한다.
③ 동물 실험을 대체할 수 있는 실험도 있다.
④ 동물 실험으로 많은 예방 백신을 개발했다.
⑤ 동물 실험의 대체 방법을 개발하는 데는 비용이 많이 든다.

7. 글 고쳐 쓰기

18 다음 점검 질문은 어떤 수준에서 점검할 내용인지 ○표를 하시오.

• 읽는 사람을 고려했는가?
• 무엇을 쓴 글인지 알 수 있는가?

(글 , 문단 , 문장과 낱말)

19~20 다음 글을 읽고 물음에 답하시오.

장안. 당나라 황제의 대명궁이 있는 장안은 인구 백만이 넘는 대도시로 비단처럼 화려한 빛깔로 눈부셨다. 푸른 하늘로 날아오를 듯 맵시 있는 기와지붕들이 물결치며 이어졌고, 밤이면 색색의 등불이 별빛보다 더 아름답게 반짝였다. 온갖 나라의 사람들이 저마다의 멋을 뽐내며 거리거리를 수놓았다. 동방의 상인들이 장사하는 동부 시장도 그랬지만, 서역 상인들의 서부 시장은 더욱 경이로웠다. 소그드 상인은 물론이고 페르시아나 로마에서 온 상인들도 진귀한 물건을 내놓고 팔았다. 장안은 세계적인 교역 도시였다.

홍라는 장안을 떠나며 언젠가 자신의 상단을 이끌고 다시 오겠다고 다짐했다. 장안까지, 아니 세상의 끝까지 가 보고 싶었다. 그 누구의 발도 닿지 않은 새로운 길로 떠나고 싶었다.

8. 작품으로 경험하기

19 장안의 모습으로 알맞지 <u>않은</u> 것은 무엇입니까?

( )

① 밤이면 색색의 등불이 반짝였다.
② 기와지붕들이 물결치며 이어졌다.
③ 비단처럼 화려한 빛깔로 눈부셨다.
④ 푸른 하늘 위에 오색의 연을 올렸다.
⑤ 온갖 나라의 사람들이 저마다 멋을 뽐냈다.

8. 작품으로 경험하기

20 장안의 여러 모습을 본 뒤 홍라는 어떤 생각을 했을지 두 가지 고르시오. (,)

① 경이롭고 진귀한 물건이 많구나.
② 언젠가 내 상단을 이끌고 다시 와야지.
③ 당나라 황제가 되어 대명궁에 살아야겠어.
④ 이 곳은 너무 화려해서 나와는 맞지 않아.
⑤ 서역 상인들의 물건보다 동방의 상인들이 파는 물건이 훨씬 멋져.

교과서에 실린 작품

실린 단원	제재 이름	지은이	나온 곳
1 작품 속 인물과 나	의병장 윤희순	정종숙	『의병장 윤희순』, ㈜한솔수북, 2010.
	구멍 난 벼루	배유안	『구멍 난 벼루』, 토토북, 2016.
	마지막 숨바꼭질	백승자	『열두 사람의 아주 특별한 동화』, 파랑새, 2016.
	이모의 꿈꾸는 집	정옥	『이모의 꿈꾸는 집』, 문학과지성사, 2010.
	떨어져도 튀는 공처럼	정현종	『노래의 자연』, 시인생각, 2013.
2 관용 표현을 활용해요	1번 광고(물 쓰듯 쓰다)	방성운 외 2	한국방송광고진흥공사, 2009.
	도산 안창호 선생의 연설 (원제목: 대혁명당을 조직하고 임시 정 부를 유지하자는 연설)	안창호	도산안창호온라인기념과 누리집
3 타당한 근거로 글을 써요	'그냥'이 아니라 '왜'	이어령	『생각 깨우기』, 푸른숲주니어, 2012.
	1번 만화(가난한 것은 내 잘못이 아니 에요!)	한수정	『지구촌 아름다운 거래 탐구 생활』, 파란자전거, 2016.
	자료2(나무가 미세 먼지 흡수 … 도심 숲은 공기 청정기)		「KBS 뉴스」, 한국방송공사, 2017. 5. 29.
4 효과적으로 발표해요	매체 자료 ㉮ 공익 광고(중독)	홍수경 외 2	한국방송광고진흥공사, 2014.
	2번 동영상(온라인 언어폭력: 능력자)		한국방송광고진흥공사, 2017.
연극 단원	배낭을 멘 노인	박현경 · 김운기	『배낭을 멘 노인』, 문공사, 2005.
	샬럿의 거미줄	조셉 로비넷 글 김정호 옮김	『완희와 털복숭이 괴물』, 도서출판 연극, 놀이 그 리고 교육, 2011.
5 글에 담긴 생각과 비교해요	1번 광고(무엇으로 보이십니까?)	오승준 외 2	한국방송광고진흥공사, 2001.
	내가 원하는 우리나라	김구	『쉽게 읽는 백범 일지』, 돌베개, 2005.
	기와 조각과 똥 덩어리	박지원 원작 강민경 글	『장복이, 창대와 함께하는 열하일기』, 한국고전 번역원, 2013.
	1번 영상(착한 사마리아인의 법: 필요성)		「배움 너머」, 한국교육방송공사, 2012.
6 정보와 표현 판단하기	파리 기후 협약 체결, 기온 상승 폭 2도 제한		「MBC 뉴스투데이」, ㈜문화방송, 2015. 12. 13.
	4번 광고		필리핀 세계자연보호기금
	1번 광고(중형차 백만 대를 버렸다)		한국방송광고진흥공사, 2011.
	디지털 자선냄비 등장 (원제목: 디지털 자선냄비 등장, 스마트 기부 확산)		「KBS 뉴스 9」, 한국방송공사, 2015. 12. 25.
7 글 고쳐 쓰기	동물 실험		「지식 채널 e」, 한국교육방송공사, 2008.
8 작품으로 경험해요	피부 색깔=꿀색	융 에냉	『피부 색깔=꿀색』, 2012.
	나의 여행		「지식 채널 e」, 한국교육방송공사, 2012.

선생님이 **강력 추**천하는

개념 **PLUS** +
단원평가

국어

정답과 풀이

6·2

5~6학년군

교육의 길잡이·학생의 동반자
(주)교학사

정답과 풀이

1. 작품 속 인물과 나

9쪽

개념을 확인해요

1 말 **2** 말 **3** 가치 **4** 구조 **5** 말 **6** 삶 **7** 경험 **8** 삶 **9** 사건 **10** 삶

개념을 다져요

10~11쪽

1 ⑤ **2** (1) 상황 (2) 행동 (3) 까닭 (4) 관련 **3** ④, ⑤ **4** ④, ⑤ **5** ④, ⑤ **6** ③

풀이

1 인물이 살아가며 겪는 문제는 무엇이며, 인물이 문제를 대하는 태도는 어떠한지를 살펴봐야 합니다.

2 인물이 추구하는 삶을 파악하려면 인물이 처한 상황을 알아봅니다. 인물이 처한 상황에서 어떻게 말하고 행동하는지 찾아봅니다.

3 인물의 말이나 행동에서 관련 있는 가치를 찾으면 인물이 추구하는 삶을 파악할 수 있습니다.

4 인물이 어떻게 문제를 해결했는지 잘 살펴봅니다. 인물이 한 말이나 행동에서 관련 있는 가치를 찾아야 합니다.

5 자신이 인물과 같은 상황에 처한다면 어떻게 행동할지 떠올려 봅니다. 인물이 추구하는 삶과 자신의 삶에서 비슷한 점이나 다른 점이 있는지 생각해 봅니다.

6 자신이 꿈꾸는 삶을 명함으로 나타낸 모습입니다. 이름과 연락처가 있습니다.

1회 단원 평가 도전

12~15쪽

1 안사람 의병가 **2** ③ **3** ③ **4** ④ **5** 예 정의, 올바른 행동을 하려고 많은 문제와 어려움을 이겨 냈기 때문이다. **6** ① **7** ② **8** ② **9** ④ **10** ③ **11** ⑤ **12** ⑤ **13** ② **14** (가) 훌륭한 (나) 행복한 **15** 예 행복한 피아니스트와 연주하는 것 **16** ② **17** ② **18** ③, ⑤ **19** 재경 **20** ④

풀이

1 담비는 마을 아낙네들한테 윤희순이 만든 「안사람 의병가」를 가르쳤습니다.

더 알아볼까요!

안사람 의병가
아무리 왜놈들이 포악하고 강성한들
우리도 뭉쳐지면 왜놈 잡기 쉬울세라
아무리 여자인들 나라 사랑 모를소냐
남녀가 유별한들 나라 없이 소용 있나
의병 하러 나가 보세 의병대를 도와주세
금수에게 붙잡힌들 왜놈 시정 받을소냐
우리 의병 도와주세 우리나라 성공하면
우리나라 만세로다 안사람들 만만세라

2 사람들의 마음을 한 덩어리로 모으고, 전에 없던 용기마저 불끈 솟아나게 했습니다.

3 "우리도 사내들처럼 다 함께 의병 운동에 나서야 할 것입니다."라고 하였습니다.

4 조정 대신이 나라를 팔아먹는다는 말에서 을사늑약이 강제로 체결된 뒤라는 것을 알 수 있습니다.

더 알아볼까요!

을사 의병
러·일 전쟁에서 승리한 일본은 우리나라를 본격적으로 침략하려고 무력을 앞세워 1905년 11월 17일에 을사늑약('을사보호조약'이라는 이름으로 체결했으나, 강제로 체결했으므로 '을사늑약'이라고도 함.)을 강제로 체결하고 한국의 외교권을 박탈했습니다. 그 결과 민족 저항은 여러 가지 형태의 항일 운동으로 나타났습니다. 시민들은 조약을 체결한 대신들을 습격하기도 했고 전국적으로 항일 의병이 봉기했습니다.

5 '도전, 정의, 열정, 용기, 봉사' 등 다양한 가치를 쓸 수 있습니다.

6 아버지는 어제 화재 현장에 출동했고, 질식한 사람들을 업고 나왔으며 또한 동료를 잃었습니다.

7 희생과 봉사의 마음이 느껴집니다.

8 불이 난 재래시장의 낡은 건물 속으로 뛰어들었고, 건물에 갇힌 사람들을 업어 내오셨습니다.

9 끝까지 포기하지 않는 의지와 도전 정신이 있는 삶, 자신의 안전보다 남을 위해 희생하는 삶을 추구합니다.

10 동료를 잃고 뜨거운 눈물을 쏟은 모습에서 안타까움을 느낄 수 있습니다.

11 ㉠을 말한 인물인 상수리는 피아니스트가 되기 위해 노력했습니다. 열심히 노력하는 삶을 추구합니다.

12 "아마 꿈을 꾸는 것보다 꿈을 이루고 싶은 마음이 더 커서 그랬나 봐."라고 하였습니다.

13 상수리는 꿈을 이루는 데 급급한 나머지, 행복하게 꿈을 꾸는 것을 잊어버렸다는 것을 깨닫게 되었습니다.

14 ㉮의 상수리는 훌륭한 피아니스트를 꿈꿨고, ㉯의 상수리는 행복한 피아니스트가 되길 꿈꿨을 것입니다.

15 "네 피아노의 꿈도 훌륭한 피아니스트와 연주하는 거라던?"과 "넌 아마 내가 행복한 피아니스트가 되길 꿈꾸었을 거야."를 참고하여 써 봅니다.

16 힘들어도 포기하거나 좌절하지 않고 다시 일어서서 도전하는 삶의 모습입니다.

17 둥근 공처럼 살아 봐야겠다고 했습니다.

18 '~야지', '공이 되어'라는 말이 반복됩니다.

19 힘들어도 포기하거나 좌절하지 않고 다시 일어서서 도전하는 삶의 모습을 추구하고 있습니다. 그런 모습을 떠올리며 말한 인물은 재경입니다.

20 ④를 제외한 질문은 사실을 묻는 질문입니다.

침략 세력을 물리치려고 하며, 의병 운동에 동참했습니다.

5 허련은 끈기와 열정을 가지고 끊임없이 꿈을 향해 노력하는 삶을 추구합니다.

6 아버지는 불에 대한 두려움과 부모님의 반대를 이겨 내기 위해 끈기 있게 노력하고 도전하는 삶을 추구합니다.

7 사고로 아버지의 동생이 죽고 난 뒤에 동생을 죽게 한 불길과 싸워 이기겠다는 결심을 하셨습니다.

8 아버지의 가슴 속에 자리 잡은 확실한 꿈 하나는 소방관이 되어 불길과 싸워 이기겠다는 것입니다.

9 어린 시절 무서운 불길 속에서 구해 내지 못한 동생의 목소리를 떠올린다고 하였습니다.

10 아버지가 소방관이 되기로 결심한 어렸을 때의 사건에 대해 들으며 아버지에 대한 존경심이 생겼을 것입니다.

11 퐁은 "신나게 춤추는 것. 그게 내 꿈이야."라고 하였습니다.

12 퐁은 무언가가 꼭 되는 것이 꿈이 아니라고 말했습니다.

13 퐁은 현재를 즐겁게 사는 것을 중요하게 생각하기 때문에 "~더 즐겁게."라고 하였습니다.

14 이모는 책 읽는 것을 즐거워하고 재미있어 합니다.

15 이모는 자신이 좋아하고 가치 있다고 생각하는 것을 하는 즐거움이 있는 삶을 추구합니다.

16 말하는 이는 공에 빗대어 추구하는 삶의 모습을 표현했습니다.

17 시에서 인상 깊거나 감동받은 구절을 떠올리며 자신의 생각을 쓸 수 있습니다. 인물이 추구하는 삶과 연관 시켜 써도 좋습니다.

18 공처럼 쓰러지는 법이 없이 계속해서 도전하고 노력하는 삶을 추구합니다.

19 시를 읽고 바로 대답할 수 있는 질문은 ㉯, ㉰입니다.

20 쓰러지는 법도 없고 포기하는 법이 없는 것과 바꾸어 쓸 수 있습니다. 넘어져도 다시 일어나는 오뚝이가 어울립니다.

2회 단원 평가 실전

16~19쪽

1 마음　**2** 안사람 의병대　**3** ①, ②　**4** ⑤　**5** ②
6 (3) ○　**7** ④　**8** 예 소방관이 되겠다는 것　**9** ③
10 ②　**11** ③　**12** 퐁　**13** ①　**14** ③　**15** ④
16 (둥근) 공　**17** 예 떨어져도 다시 튀어 오르겠다는 의지가 전해졌다. 나도 공처럼 쓰러지지 않아야겠다는 생각이 들었다.　**18** ②　**19** (1) ㉮ (2) ㉯, ㉰ (3) ㉱　**20** ⑤

풀이

1 노래는 흩어졌던 마음을 다시 하나로 모았습니다.

2 윤희순은 마을 아낙네들을 끌어모아 안사람 의병대를 만들었습니다.

3 여자와 남자의 역할이 다르다고 생각하던 때였지만 여자들도 의병 운동에 적극적으로 나섰습니다.

4 일제가 침략했다고 해서 포기하거나 좌절하지 않고

창의서술형 평가

1 ㉮ 의병장이라고 한 것을 보니 일본이 침략했던 조선 시대 말에 의병 활동을 했다.　**2** ㉮ 항일 의병 운동의 자금을 지원하려고 숯을 구워서 팔았다는 부분을 보니 의병 운동에 자금이 많이 부족했다는 것을 알 수 있다.　**3** ㉮ '정의'이다. 올바른 행동을 하려고 많은 문제와 어려움을 이겨 냈기 때문이다. **4** ㉮ 제자인 허련이 스승 김정희를 무척 존경하고 따른 것으로 보인다.　**5** (1) ㉮ 여러 분야에서 뛰어난 예술가인 것으로 보아 자기에게 엄격한 완벽주의자일 것 같다. (2) ㉮ 김정희가 제주도로 유배되자 세 번이나 찾아간 것으로 보아 정이 많고 신의를 지킬 줄 아는 사람 같다.　**6** ㉮ 끈기와 열정을 가지고 끊임없이 꿈을 향해 노력하는 삶　**7** (1) ㉮ 상수리; ㉮ 자신이 열심히 노력해 왔지만 꿈을 이루는 데 급급한 나머지, 행복하게 꿈을 꾸는 것을 잊어버렸다는 것을 깨닫게 되어 그렇게 말했다. (2) ㉮ 상수리; ㉮ '성실'하게 '노력'하는 삶을 추구한다.　**8** ㉮ 나도 퐁처럼 내가 좋아하고 신나는 일을 하고 싶어. **9** (1) ㉮ 주말마다 아빠와 함께 요리 한 가지씩을 직접 만들어 보고 있다. (2) ㉮ 오랜 시간 맛있는 음식을 만들려면 체력도 중요하기 때문에 꾸준히 운동도 해야겠다.　**10** (1) ㉮ 나무, ㉮ 걷다가 힘든 사람들을 쉬어 가게 해 주는 나무처럼 다른 사람에게 도움이 되고 싶어. (2) ㉮ 촛불처럼 타오르는 모습을 멋 글씨로 표현하기

풀이

1 의병 운동을 했고, 「안사람 의병가」를 지어 사람들에게 널리 알려 여성들의 의병 운동을 촉구했습니다. 노학당을 만들어 독립운동가를 양성했습니다.

상	인물의 삶을 살펴보며 글을 읽고 그 인물에 대해 자세히 썼다.
중	인물에 대해 짐작한 것만 짧게 썼다.
하	인물이 어떤 사람인지를 쓰지 못하였다.

2 인물의 행동에서 시대적 배경을 찾아봅니다. 인물이 처한 상황과 그 시대의 특징은 관련되어 있습니다.

상	시대를 알 수 있는 부분을 파악해 인물이 처한 상황을 썼다.
중	인물이 처한 상황을 알고 썼다.
하	인물이 처한 상황을 쓰지 못하였다.

3 윤희순이 추구하는 삶과 가치에 대해 다양하게 생각해 쓸 수 있습니다.

상	인물이 삶에서 추구한 삶의 가치와 관련 있는 낱말을 고르고 그렇게 생각한 까닭을 썼다.
중	인물이 삶에서 추구한 삶의 가치를 찾아 썼다.
하	인물이 삶에서 추구한 가치를 쓰지 못하였다.

4 둘은 각별한 스승과 제자 사이입니다. 유배된 김정희를 비행기도 없는 시대에 세 번이나 찾아간 것을 보면 제자인 허련이 스승 김정희를 무척 존경하고 따른 것으로 보입니다.

상	인물 간의 관계를 파악해 썼다.
중	인물 간의 관계를 알지만 잘 쓰지 못하였다.
하	인물 간의 관계를 몰라서 쓰지 못하였다.

5 김정희는 서예, 그림, 시, 산문에 이르기까지 예술가로서의 최고의 경지에 올랐고, 허련은 그런 추사 선생에게 창피를 당하면서도 제자가 되길 청한 것도 생각해 쓸 수 있습니다.

상	인물들에 대해 추측해 썼다.
중	인물들 중 한 명에 대해 썼다.
하	인물들에 대해 추측해 쓰지 못하였다.

6 허련에게 '끈기'와 '열정'이 없었다면 금세 포기했을 것입니다. 허련이 추구하는 삶과 관련 있는 삶의 가치를 찾고 그렇게 생각한 까닭을 생각합니다. 찾은 삶의 가치를 바탕으로 하여 허련이 추구하는 삶을 써 봅니다.

상	인물이 한 행동을 알고 추구하는 삶을 썼다.
중	인물이 추구하는 삶과 관련 있는 것을 썼다.
하	인물이 추구하는 삶을 쓰지 못하였다.

7 인물이 처한 상황에서 그렇게 말하고 행동한 까닭을 생각해 봅니다.

상	인물이 말하고 행동한 까닭과 추구하는 삶을 알고 낱말을 활용해 썼다.
중	인물이 말하고 행동한 까닭과 추구하는 삶 중 하나만 썼다.
하	인물이 말하고 행동한 까닭과 추구하는 삶을 쓰지 못하였다.

8 인물이 추구하는 삶과 자신의 삶에서 비슷한 점이나 다른 점이 있는지 생각해 봅니다.

상	인물이 추구하는 삶과 자신의 삶을 비교해 썼다.
중	인물이 추구하는 삶이나 자신의 삶만 썼다.
하	인물이 추구하는 삶과 자신의 삶을 비교해 쓰지 못하였다.

9 자신의 현재 삶을 되돌아보고, 자신이 잘하고 있는 점과 더 노력해야 할 점을 생각해 봅니다.

상	현재 자신의 모습을 되돌아보고 자신이 잘하고 있는 점과 더 노력해야 할 점을 썼다.
중	두 가지 중 한 가지만 썼다.
하	두 가지 다 쓰지 못하였다.

10 자신이 꿈꾸는 삶의 모습을 머릿속에 그려 보고 모습을 다른 대상에 빗대어 표현해 봅니다. 자신이 꿈꾸는 삶의 모습을 어떠한 작품으로 표현하고 싶은지 생각해 봅니다.

상	자신이 꿈꾸는 삶의 모습을 다양한 작품으로 표현할 준비를 하고 알맞게 썼다.
중	두 가지 중 한 가지만 썼다.
하	두 가지 다 쓰지 못하였다.

---

2 관용 표현을 활용해요

개념을 확인해요
25쪽

1 관용 2 관용어 3 쉽게 4 관심 5 쉽게 6 효과적 7 의도 8 평소 9 관용 표현 10 주제

개념을 다져요
26~27쪽

1 ①, ⑤ 2 ㉡ 3 ②, ④ 4 ③ 5 ㉠ → ㉢ → ㉡
6 (1) ✕

풀이

1 관용 표현은 둘 이상의 낱말이 합쳐져 그 낱말의 원래 뜻과는 다른 새로운 뜻으로 굳어져 쓰이는 표현으로, 관용어와 속담 따위가 있습니다.

더 알아볼까요!

관용 표현

"세 살 적 버릇이 여든까지 간다."라는 속담이 있어, 어릴 때 몸에 밴 버릇은 나이 들어서도 고치기 힘들다는 뜻이야.

"발이 넓다."라는 관용어가 있어, 아는 사람이 많아서 활동 범위가 넓다는 뜻이야.

2 관용 표현을 사용하면 자신의 생각을 쉽게 표현할 수 있고 재미있는 표현이어서 듣는 사람의 관심을 불러일으킬 수 있으며, 상대를 배려하며 말할 수 있습니다. 관용 표현은 재미는 있지만 짧은 낱말은 아니며, 웃음을 주기 위해 활용하지는 않습니다.

3 앞뒤 문장을 잘 살펴봅니다. 관용 표현에 포함된 낱말의 뜻을 생각해 봅니다.

4 말하는 사람은 듣는 사람이 자신의 이야기를 귀 기울여 듣고 이야기에 흥미를 느끼게 하려는 의도로 관용 표현을 활용할 수 있습니다.

5 이야기를 듣고 말하는 사람의 의도를 파악하려면 먼저 글 앞뒤에 있는 내용을 살펴보고 표현에 쓰인 낱말이 평소에 어떤 뜻으로 쓰이는지 생각한 후에 그러한 표현을 쓴 의도를 생각해 봅니다.

6 친구들이 말한 관용 표현의 적절성을 평가할 때에는 말하는 상황과 관용 표현이 어울리는지, 관용 표현이 말하는 내용을 적절하게 표현하는지 생각합니다.

1회 단원 평가 〔도전〕 28~31쪽

1 관용 표현 2 ④ 3 ㉰ 4 ⑤ 5 (1) ⑩ 한창 열이 올랐을 때 망설이지 말고 곧 행동으로 옮겨야 한다. (2) ⑩ 재미나 의욕이 없어진다. 6 (2) ○ 7 ①
8 ㉮ 9 ⑤ 10 ⑩ 아주 만족스럽다는 뜻일 것 같다. 앞부분의 "학교를 졸업하면"과 뒷부분의 "신나서"를 보고 알 수 있다. 11 ④ 12 ④ 13 (1) ○
14 ❷ 15 ㉮ 16 ③ 17 (1) ○ 18 ❷ 19 ③
20 ②

풀이

1 속담처럼 둘 이상의 낱말이 합쳐져 그 낱말의 원래 뜻과는 다른 새로운 뜻으로 굳어져 쓰이는 표현을 관용 표현이라고 합니다.

2 '눈이 번쩍 뜨인다'는 정신이 갑자기 든다는 뜻의 관용 표현입니다.

3 말이 순식간에 퍼진다는 뜻을 담고 있는 관용 표현을 찾습니다.

4 동생이 오빠에게 휴대 전화를 구경해 보자고 하는 상황입니다.

5 '김이 식다'는 재미나 의욕이 없어진다는 뜻의 관용 표현입니다.

6 말하는 사람은 6학년 때 안전 교육을 해 주신 경찰관을 직접 만나 여러 가지 이야기를 들으면서 경찰이 되고 싶다는 꿈을 키우기 시작했습니다.

7 말하는 사람은 듣는 사람에게 꿈을 펼치는 방법에 대해 알려 주려고 합니다.

8 ㉯, ㉰는 「꿈을 펼치는 길」 연설 내용을 묻는 질문입니다.

9 '손꼽아 기다리다'는 '기대에 차 있거나 안타까운 마음으로 날짜를 꼽으며 기다리다.'의 관용 표현입니다.

10 관용 표현의 뜻을 올바르게 짐작해 봅니다. '천하를 얻은 듯'은 '매우 기쁘고 만족스러움.'이라는 뜻입니다.

11 이 광고에서는 '물 쓰듯'이라는 관용 표현을 찾을 수 있습니다.

12 '물 쓰듯'은 '물건을 헤프게 쓰거나, 돈 따위를 흥청망청 낭비하다.'의 관용 표현입니다.

13 이 광고를 통해 물을 쓰는 것이 아주 헤프게 쓴다는 뜻으로 쓰이지 않도록 물을 아껴 쓰자는 생각을 전하고 있습니다.

14 독립운동을 하려고 모인 사람들이 자신의 의견만을 주장해 하나의 의견으로 합하지 못하고 있다는 것입니다.

15 '한 가지만 알고 두 가지는 모른다.'는 '다른 사람의 의견에도 좋은 점이 있다는 것을 모른다.'는 뜻을 가진 관용 표현입니다.

16 '하루에도 열두 번'은 '매우 자주'의 뜻을 가진 관용 표현입니다.

17 연설과 관련한 질문을 만들어야 합니다.

18 표현에 쓰인 낱말을 살펴보는 모습입니다.

더 알아볼까요!

글에 활용된 표현의 뜻 추론하기

❶ 글 앞뒤에 있는 내용을 살펴본다.
↓
❷ 표현에 쓰인 낱말이 평소에 어떤 뜻으로 쓰이는지 생각해 본다.
↓
❸ 그러한 표현을 쓴 의도를 생각해 본다.

19 친구들은 고운 말을 사용하자는 것에 대한 이야기를 나누고 있습니다.

20 규영이는 관용 표현을 활용하지 않았고, 고운이와 혜선이는 '가는 말이 고와야 오는 말이 곱다'라는 관용 표현을 활용해 말했습니다.

2회 단원 평가 〔실전〕 32~35쪽

1 영철 2 ④ 3 (2) ○ 4 (1) ㉡ (2) ㉠ 5 지민
6 ②, ③ 7 ① 8 ❷ 9 ④ 10 ④ 11 (1) ㉢
(2) ㉡ (3) ㉠ 12 ⑩ 듣는 사람의 관심을 불러일으키기 위해서이다. 13 ⑩ 물이 콸콸 쏟아지는 수도의 꼭지를 잠그고 있다. 14 (1) 헤프게 (2) 아껴 쓰자
15 ⑤ 16 ③ 17 ⑩ 다른 사람의 의견에도 좋은 점이 있다는 것을 모른다. 18 ⑤ 19 ⑤ 20 ⑩ 생각을 효과적으로 전달할 수 있다.

1 영철이의 말이 일반적인 설명이 아니라 함축적인 의미가 담겨 있기 때문에 더 간단합니다.

2 영철이의 말은 한 번 더 생각하게 하는 표현입니다.

3 '손발이 맞다'는 함께 일을 하는 데에 마음이나 의견, 행동 방식 따위가 서로 맞다는 뜻의 관용 표현입니다.

4 '발이 넓다'는 다른 학교에도 아는 사람이 많은 친구를 소개할 때 쓸 수 있고, '눈이 동그래지다'는 아주 놀라서 눈을 크게 뜬 것을 말할 때 쓸 수 있습니다.

5 관용 표현을 사용하면 상대를 배려하며 말할 수 있고 재미있는 표현이어서 듣는 사람의 관심을 불러일으킬 수 있습니다.

6 관용 표현의 뜻을 알아볼 때는 관용 표현이 활용된 앞뒤의 내용을 살펴보고, 관용 표현에 포함된 낱말의 뜻을 되짚어 봅니다.

7 '간 떨어지다'는 '매우 놀라다'는 뜻입니다.

8 지현이가 안나에게 양을 많이 준비한다는 뜻으로 하는 말이므로 '손이 크다'라는 관용 표현이 어울립니다.

9 말하는 이는 매우 허약한 체질이었지만 경찰이 되려고 몇 년 동안 식습관을 바꾸고 체력을 길렀다고 했습니다.

10 관용 표현 '눈 깜짝할 사이'의 뜻은 '매우 짧은 순간.'입니다.

11 관용 표현과 그 뜻을 확인하고 싶을 때는 속담 사전이나 관용어 사전 등을 활용할 수 있습니다.
   • 금이 가다: 서로의 사이가 벌어지거나 틀어지다.
   • 막을 열다: 무대의 공연이나 어떤 행사를 시작하다.
   • 쇠뿔도 단김에 빼라: 어떤 일이든지 하려고 생각했으면 한창 열이 올랐을 때 망설이지 말고 곧 행동으로 옮겨야 한다.

12 관용 표현은 재미있는 표현이어서 듣는 사람의 관심을 불러일으킬 수 있습니다.

13 물이 콸콸 쏟아지는 수도의 꼭지를 잠그고 있습니다.

14 이 광고에서는 물을 아껴 쓰자는 생각을 나타내고 있습니다.

15 우리가 평소 물을 아주 헤프게 쓴다는 점을 강조하기 위해 '물 쓰듯'이라는 관용 표현을 사용한 것입니다.

16 도산 안창호 선생은 독립운동 단체가 실현되도록 어금니를 악물고 나가자고 했습니다.

17 '서로의 의견을 합해야 좋다는 것을 모른다. 자신의 의견만을 고집하고 더 많은 의견의 장점을 알지 못

한다.' 등을 쓸 수 있습니다.

18 어떤 이름이나 주장, 의견의 아래에 모이자는 것으로 하나의 목표를 품자는 뜻입니다.

19 안창호 선생은 사람들의 마음을 하나로 모으기 위해 이런 연설을 한 것입니다.

20 말을 끝낼 때 관용 표현을 쓰면 생각을 효과적으로 전달할 수 있습니다.

창의서술형 평가   36~39쪽

1 ⑩ 정신이 갑자기 든다는 뜻이다.   2 ⑩ 원하는 물건을 싸게 판다는 광고를 보았을 때 쓸 수 있다.   3 ⑩ 발 없는 말이 천 리 가는구나.   4 ⑩ 영철이의 말이다. 영철이의 말은 일반적인 설명이 아니라 함축적인 의미가 담겨 있기 때문이다.   5 ⑩ 함께 일을 하는 데에 마음이나 의견, 행동 방식 따위가 서로 맞다는 뜻이다.   6 ⑩ 전하고 싶은 말을 쉽게 표현할 수 있다. / 재미있는 표현이어서 듣는 사람의 관심을 불러일으킬 수 있다.   7 (1) ⑩ 말하는 사람은 어떻게 경찰이 되려는 꿈을 꾸게 되었나요? (2) ⑩ 자신의 진짜 꿈은 어떻게 찾을 수 있을까요?   8 (1) ⑩ 매우 짧은 순간. (2) ⑩ 서로의 사이가 벌어지거나 틀어지다.   9 ⑩ 자신이 의견만을 주장하는 마음을 바꾸어야 한다.   10 (1) ⑩ 몹시 초조하고 안타까워서 속을 많이 태우다. (2) ⑩ 간장이 타다 / 애끓다 / 애가 마르다

1 정신이 갑자기 든다는 뜻으로 '눈이 번쩍 뜨이다'는 관용 표현을 사용합니다.

상	관용 표현의 뜻을 생각해 썼다.
중	관용 표현의 뜻을 비슷하게 썼다.
하	관용 표현의 뜻을 쓰지 못하였다.

2 교과서에 제시된 상황 이외에 또 어떤 상황에 이와 같은 관용 표현을 쓸 수 있는지 생각해 봅니다.

상 관용 표현의 뜻을 알고 활용할 수 있는 상황을 파악해 썼다.

중 관용 표현의 뜻을 알지만 활용할 수 있는 상황을 제대로 쓰지 못하였다.

하 관용 표현을 활용할 상황을 쓰지 못하였다.

3 말은 순식간에 퍼질 수 있기 때문에 삼가야 한다는 뜻의 관용 표현은 무엇일지 생각해 씁니다.

상 말과 관련한 관용 표현을 알고 내용에 맞게 들어갈 관용 표현을 썼다.

중 이해했지만 관용 표현을 적절히 쓰지 못하였다.

하 알맞은 관용 표현을 쓰지 못하였다.

4 관용 표현은 듣는 사람이 한 번 더 생각하게 하는 표현이므로 듣는 사람의 관심을 끌 수 있습니다.

상 관용 표현을 활용한 말을 찾고 좋은 점을 썼다.

중 누구인지 썼으나, 까닭을 잘 쓰지 못하였다.

하 내용에 대한 적절한 답을 쓰지 못하였다.

5 '손발이 맞다'는 함께 일을 하는 데에 마음이나 의견, 행동 방식 따위가 서로 맞다는 뜻을 가진 관용 표현입니다.

상 관용 표현의 뜻을 생각해 썼다.

중 관용 표현의 뜻을 비슷하게 썼다.

하 관용 표현의 뜻을 쓰지 못하였다.

5 이 외에도 관용 표현을 활용하여 말하면 상대를 배려하며 말할 수 있습니다.

상 관용 표현을 사용하면 좋은 점을 알맞게 썼다.

중 관용 표현을 사용하면 좋은 점을 안다.

하 관용 표현을 사용하면 좋은 점을 쓰지 못하였다.

7 경찰이 되려는 꿈을 꾸게 된 까닭, 꿈을 펼치는 방법 등은 연설 내용을 읽고 알 수 있습니다.

상 내용에 맞는 질문을 알맞게 썼다.

중 두 가지 중 한 가지만 썼다.

하 두 가지 다 쓰지 못하였다.

8 '눈 깜짝할 사이'는 매우 짧은 순간을 뜻하고, '금이 가다'는 서로의 사이가 벌어지거나 틀어지다는 뜻을 가지고 있습니다.

상 관용 표현의 뜻을 생각해 썼다.

중 관용 표현의 뜻을 비슷하게 썼다.

하 관용 표현의 뜻을 쓰지 못하였다.

9 사람들의 의견이 나누어진 상황에서 안창호 선생은 어떤 말을 했을지 생각해 봅니다. 뜻을 하나로 모으자는 말이나 대표자를 뽑자고 제안했을 것 같습니다. 사람들의 의견이 나누어진 상황에서 안창호 선생님은 어떤 말을 했을지 생각해 봅니다.

상 연설 내용을 정리해 생략된 부분에 어떤 내용이 들어가야 할지 생각해 썼다.

중 생략된 부분을 짐작했으나 자세히 쓰지 못하였다.

하 생략된 부분을 쓰지 못하였다.

10 '애간장이 타다'는 몹시 초조하고 안타까워서 속을 많이 태운다는 뜻으로, 간장이 타다, 애끓다, 애가 마르다 등과 뜻이 비슷한 관용 표현입니다. '애'는 '초조한 마음속.'이라는 뜻입니다.

상 관용 표현의 뜻을 알고, 바꾸어 쓸 수 있는 관용 표현을 알맞게 썼다.

중 두 가지 중 한 가지만 썼다.

하 두 가지 다 쓰지 못하였다.

정답과 풀이

3 타당한 근거로 글을 써요

개념을 확인해요
41쪽

1 관련 **2** 근거 **3** 자료 **4** 자료 **5** 자료 **6** 설득력 **7** 타당성 **8** 문제 상황 **9** 다양한 **10** 게시

개념을 다져요
42~43쪽

1 ③, ⑤ **2** (1) 최신 (2) 근거 (3) 정확한 숫자 (4) 출처 **3** (1) ○ **4** ①, ② **5** ㉢ **6** ①

풀이

1 주장에 대한 근거가 적절한지 판단하려면 근거가 주장과 관련되어 있는지, 자료가 근거의 내용과 관련 있는지, 근거를 뒷받침하는 자료가 적절한지 판단해야 합니다.

2 자료의 적절성을 판단할 때에는 자료가 근거와 관련이 있는지, 믿을 수 있는 자료인지, 정확한 숫자를 사용했는지, 최신의 자료인지 살펴봅니다.

3 '숲을 보호하자.', '숲을 살리자.' 등의 주장을 하기 위한 근거입니다.

4 근거에 알맞은 자료를 활용하면 설득력이 높아지고 글의 타당성이 생깁니다.

5 논설문의 '서론'에는 문제 상황이나 주장의 동기, 자신의 주장을 씁니다.

6 자료를 수집할 때에는 되도록 다양한 종류의 자료를 활용할 수 있도록 하고, 믿을 수 있는 자료를 활용하도록 합니다. 게시할 곳의 특성을 고려해야 합니다.

1회 단원 평가 도전
44~47쪽

1 ⑤ **2** ⑤ **3** 그냥 **4** 예 읽는 사람의 흥미를 불러일으키기 위해서이다. / 감동을 바탕으로 하여 주장하는 내용을 설득하기 위해서이다. **5** (3) ○ **6** ㉮ **7** ②, ⑤ **8** 예 우리나라에도 공정 무역 도시가 생기는 변화에 동참해 우리도 공정 무역 제품을 사용하자. **9** ⑤ **10** ⑤ **11** ④ **12** ③ **13** ⑤ **14** ② **15** ①, ②, ③ **16** ② **17** 소희 오빠 **18** ③ **19** 예 실제로 가게를 이용한 사람의 의견과 누리 소통망에 올린 글의 의견이 다르기 때문이다. **20** ⑤

풀이

1 아이는 할아버지께 주무실 때 수염을 이불 안에 넣는지, 아니면 꺼내 놓는지에 대해 물었습니다.

2 할아버지는 수염을 기른 채 몇십 년 동안이나 살아왔지만 그때까지 한 번도 그런 궁금증을 지녀 본 적이 없었기 때문에 바로 대답하지 못했습니다.

3 글 ㉯에서 우리에게 있는 '수염'이 무엇인지 설명하고 있습니다.

4 일화를 자료로 활용하면 읽는 사람의 흥미를 불러일으킬 수 있고, 감동을 바탕으로 하여 주장하는 내용을 설득할 수 있습니다.

5 글쓴이는 이 글에서 습관적으로 삶을 살지 말고 자기 안에 물음표를 가지고 살아가자는 주장을 전하고 있습니다.

6 ㉮가 공정 무역에 대해 바르게 말했습니다. '공정 무역이란 …… 무역입니다.'를 살펴봅니다.

7 ○○광역시는 공정 무역 상품을 사용하고 공정 무역을 확산시키기 위한 활동을 지원하는 도시로 공식 인정을 받았습니다.

8 논설문의 짜임을 파악하여 서론의 내용을 정리합니다.

9 공정 무역을 하는 농민들은 유기농으로 농사를 지어 농약으로 인한 질병을 해결하려고 합니다.

10 이 근거를 뒷받침하기 위해 『인간의 얼굴을 한 시장 경제, 공정 무역』이라는 책의 내용을 인용했습니다.

11 이 자료는 신문 기사의 내용입니다.

12 이 자료에서 알려 주는 것이 무엇인지 찾습니다. 이산화 탄소와 관련 있는 것은 ③입니다.

13 나무를 심으면 나무가 이산화 탄소를 흡수해 지구 온난화 예방에 도움이 된다는 것을 알려 주는 기사입니다.

14 자료 수집 카드로 자료를 정리하면 자료를 한눈에 알아보기 쉽고 자료의 적절성을 판단하기 좋으며 출처가 있어서 글을 쓸 때 신뢰성을 줄 수 있습니다.

15 자료가 근거를 뒷받침하는지 평가하려면 재미를 줄 수 있는지 보다는 신뢰성과 근거와의 관련성 등을 살펴봐야 합니다.

16 소희네 가족은 한 곳에 모여 의논하기가 어려워서 단체 대화방에서 저녁 외식에 대해 의논하게 되었습니다.

17 소희 오빠는 "에이, …… 이상하대요."라고 말했습니다. 소희 엄마는 이웃집 아주머니의 추천을 받고 △△식당에서 외식을 하는 것이 어떻겠냐고 제안하셨습니다.

18 소희 오빠는 누리 소통망에 쓴 손님의 글을 통해 △△식당에 대한 정보를 얻었습니다. 누리 소통망은 '소셜 네트워크 서비스[SNS]'를 다듬은 말로, 온라인에서 자유롭게 글이나 사진 따위를 올리거나 나누는 것을 말합니다.

19 △△식당을 직접 이용하신 엄마 친구의 말씀과 소희 오빠가 누리 소통망에서 본 정보가 서로 다른 내용이었기 때문에 소희가 누구의 말을 믿어야할지 고민한 것입니다.

20 소희 오빠는 누리 소통망을 통해 다른 사람의 경험을 쉽게 접할 수 있었습니다.

 2회 단원 평가 실전

48~51쪽

1 (2) ○   2 예 습관적으로 삶을 살지 말고 자기 안에 물음표를 가지고 살아가자.   3 ⑤   4 공정 무역
5 제값에   6 ④, ⑤   7 ③   8 ①   9 예 공정 무역은 "안전하고 노동력 착취 없는 노동 환경이 유지되어야 한다."는 조건을 지켜야 하기 때문이다.   10 ②
11 ①, ②   12 예 숲은 휴식처가 된다. / 숲은 기온을 낮추어 준다.   13 ②   14 ⑤   15 ❶   16 ②
17 ①, ④   18 ④   19 ㉡, ㉣   20 ❹, ❺, ❷, ❶

풀이

1 글쓴이는 아무것도 묻지 못하는 사람을 건전지를 넣고 단추를 누르면 그냥 북을 쳐 대는 곰 인형에 비유했습니다.

2 '그냥'이라고 생각하지 말고 '왜' 또는 '어떻게'를 생각하자고 주장하는 글입니다.

3 다국적 기업이 가난한 나라의 물건을 아주 싸게 사들이기 때문에 가난한 나라 사람이 가난에서 벗어나기 힘든 것입니다.

4 공정한 거래만이 잘못된 경제 구조를 바로잡을 수 있다고 했습니다.

5 공정 무역은 가난한 나라를 돕는 무역입니다.

6 이 글에서 제시하고 있는 근거 두 가지를 찾습니다.

7 공정 무역에서 중간 유통 단계를 줄여 생산자의 이익을 보장해 주고 있습니다.

더 알아볼까요!

일반 무역 유통 단계와 공정 무역 유통 단계

일반 무역 유통 단계	생산자	수출업자	중간 상인	수입업자	소비자
공정 무역 유통 단계	생산자	생산자 조합	공정 무역 회사	소비자	

8 다국적 기업은 어린이에게는 임금을 적게 주어도 되므로 생산 비용을 낮추어 자신들의 이익을 많이 남길 수 있기 때문에 어린이를 고용하는 것입니다.

9 공정 무역은 "안전하고 노동력 착취 없는 노동 환경이 유지되어야 한다."는 조건을 지키기 때문에 공정 무역 제품을 사용하면 생산지의 아이들을 보호할 수 있습니다.

10 이 근거를 뒷받침하기 위해 「초콜릿 감옥」 동영상 자료를 제시하고 있습니다.

11 제시된 근거로 볼 때, '숲을 살리자.', '숲을 보호하자.'는 주장이 어울립니다.

12 주장을 뒷받침하는 근거를 보충해 써 봅니다.

13 이 표에 제시된 근거 중 음식물 쓰레기와 관련한 근거는 없습니다.

14 이 그림을 통해 숲에서 벌목한 나무로 우리 생활에 필요한 여러 가지 물건을 만들 수 있다는 것을 알 수 있습니다.

15 전문가의 의견이 아니어도 책, 기사문, 그림, 표 등의 신뢰성 있는 자료들이 많이 있습니다.

더 알아볼까요!

자료를 평가하는 방법
• 근거와 관련 있는 내용인지 살펴봐야 합니다.
• 근거를 뒷받침하는지 살펴봐야 합니다.
• 믿을 만한 자료인지 살펴봐야 합니다.
• 출처를 살펴보고 전문가의 의견인지, 객관적인 자료인지, 최신 자료인지 살펴봅니다.

16 글쓴이는 많은 사람이 이 글을 보게 하려고 누리 소통망에 글을 쓴 것입니다.

17 손님이 쓴 글 때문에 글쓴이네 가게의 손님이 끊기고 글쓴이의 개인 정보가 유출됐습니다.

18 누리 소통망은 잘못된 정보가 쉽게 퍼질 수 있고, 개인 정보가 유출되기 쉽다는 단점이 있습니다.

19 논설문의 본론을 쓸 때에는 주장을 뒷받침하는 근거 두세 가지를 제시하고 구체적이고 사실적인 자료를 활용합니다.

20 논설문을 쓸 때는 먼저 문제 상황을 생각하며 주장을 정하고 근거를 생각한 후 계획을 세워 자료를 수집합니다. 그리고 논설문을 쓰고 글을 고쳐 쓴 후 발표합니다.

창의서술형 평가

52~55쪽

1 이름이 왜 곰돌이야? / 왜 갈색 바지를 입었어? / 왜 뛰어? / 왜 북을 쳐? **2** 예 모든 질문에 "그냥!"이라고만 대답했다. **3** 예 생각할 줄 모르는 곰돌이인 것 같다. / 생각을 귀찮아하는 성격인 것 같다. / 나도 '그냥'이라고 대답한 적이 많아 곰돌이와 비슷한 것 같다. **4** (1) 예 숲이 홍수와 산사태를 막아 주는 사진이나 그림 (2) 예 숲이 지구 온난화 예방에 도움이 된다는 증거 **5** 예 근거를 잘 뒷받침하고 믿을 만하다. 나무가 미세 먼지를 잡아 준다는 증거가 되기 때문이다. **6** 예 많은 사람이 보게 하려고 글을 썼다. / 글을 복사해서 널리 알리려고 썼다. **7** (1) 예 많은 사람에게 쉽게 전달할 수 있다. (2) 예 개인 정보가 유출되기 쉽다. / 잘못된 정보가 쉽게 퍼질 수 있다. **8** 예 더 좋은 우리 동네를 만들고자 논설문을 공모하는 것이다. **9** 예 밤늦게 아파트 공원에서 시끄럽게 하는 사람들이 있다. **10** (1) 예 밤늦게 아파트 공원에서 시끄럽게 하지 맙시다. (2) 예 소음으로 인해 이웃 간에 갈등을 빚을 수 있습니다.

풀이 ▶

1 곰돌이는 이름이 왜 곰돌이인지, 왜 갈색 바지를 입었는지, 왜 뛰는지, 왜 북을 치는지에 대한 질문을 들었습니다.

상	그림에서 질문을 찾아 모두 썼다.
중	그림에서 질문을 찾아 두세 개만 썼다.
하	그림에서 질문을 찾아 쓰지 못하였다.

2 곰돌이는 모든 질문에 깊이 생각하지 않고 "그냥!"이라고 대답하고 있습니다.

상	그림에 있는 대답의 공통점을 알고 찾아 썼다.
중	그림에서 대답을 찾아 썼다.
하	그림에서 대답을 찾아 쓰지 못하였다.

3 곰돌이가 별 생각 없이 '그냥'이라고 대답하는 것을 보고 어떤 생각이 들었는지 써 봅니다.

상	그림에서 인물이 한 대답을 보고 어떤 생각이 들었는지 자세히 썼다.
중	대답에 대한 자신의 생각을 썼다.
하	대답에 대한 생각을 쓰지 못하였다.

4 근거를 뒷받침해 줄 수 있는 자료의 내용을 떠올려 봅니다.

상	근거를 보고 알맞은 자료를 생각해 썼다.
중	두 가지 중 한 가지만 썼다.
하	두 가지 다 쓰지 못하였다.

5 출처를 살펴보고 전문가의 의견인지, 객관적인 자료인지, 최신 자료인지 살펴보면 믿을 만한 자료인지 판단할 수 있습니다.

상	자료가 믿을 만한지 평가해 까닭과 함께 썼다.
중	자료가 믿을 만한지 평가해 썼다.
하	자료가 믿을 만한지 평가해 쓰지 못하였다.

6 성민이와 손님은 많은 사람이 글을 보게 하려는 의도로 누리 소통망에 글을 썼다.

상	글의 내용을 파악해 누리 소통망에 글을 쓴 까닭을 알맞게 썼다.

중	누리 소통망에 글을 쓴 까닭을 알고 썼다.
하	누리 소통망에 글을 쓴 까닭을 쓰지 못하였다.

7 성민이가 누리 소통망에 글을 올려 많은 사람에게 자신의 일을 알리는 것에서 누리 소통망의 장점을, 글쓴이네 가게에 대한 잘못된 정보가 퍼지고, 글쓴이의 개인 정보가 유출됐다는 것에서 누리 소통망의 단점을 찾을 수 있습니다.

상	누리 소통망의 장점과 단점 모두 알맞게 썼다.
중	두 가지 중 한 가지만 썼다.
하	두 가지 다 쓰지 못하였다.

8 '우리 동네의 문제점을 해결하는 내용으로 논설문을 써서 보내 주세요.'라고 하였습니다.

상	포스터의 목적을 알고 알맞게 썼다.
중	포스터의 목적을 알고 썼다.
하	포스터의 목적을 알지 못해서 쓰지 못하였다.

9 공모전에 참가하기 위해 쓸 거리를 생각해 봅니다.

상	동네의 문제점을 생각해 알맞게 썼다.
중	동네의 문제점을 알고 썼다.
하	동네의 문제점을 쓰지 못하였다.

10 더 좋은 동네를 만들기 위해 우리가 실천할 수 있는 주장을 정해 봅니다.

상	주장을 정하고 적절한 근거를 들어 알맞게 썼다.
중	주장과 근거를 들어 썼다.
하	두 가지 다 쓰지 못하였다.

4	효과적으로 발표해요

개념을 확인해요
57쪽

1 정보 2 매체 3 종류 4 내용 5 표현 6 도표 7 상황 8 동의 9 출처 10 장면

개념을 다져요
58~59쪽

1 ❷ 2 ⑤ 3 ①, ④ 4 (1) 종류 (2) 내용 (3) 표현
5 주제 정하기, 촬영 계획 세우기, 발표하기 6 ①, ④

풀이

1 ❷는 어떤 매체도 이용하지 않고 말로만 여행 경험을 설명했습니다.

2 영상, 사진, 표, 지도, 도표, 그림, 소리, 음악 등이 매체 자료에 해당합니다.

3 폴란드의 민속춤에 대해 소개할 때 영상 자료를 활용하면 민속춤의 움직임과 특징을 더 자세하게 파악할 수 있으며, 영상을 보며 민속춤을 따라 출 수도 있습니다.

4 주제에 맞는 매체 자료를 찾을 때에는 매체 자료의 종류를 살펴보고, 매체 자료가 전하는 내용을 살펴보아야 합니다. 또, 매체 자료의 표현 효과를 살펴보아야 합니다.

5 영상 자료를 제작하고 발표할 때에는 '발표 상황 파악하기 → 주제 정하기 → 내용 및 장면 정하기 → 촬영 계획 세우기 → 촬영하기 → 편집하기 → 발표하기'의 차례로 이루어집니다.

▲ 편집하기

6 다른 모둠의 발표를 들을 때에는 전하고자 하는 주제를 파악하며 듣고 촬영이나 편집에서 효과적인 부분을 찾으며 듣습니다.

1회 단원 평가 도전 60~63쪽

1 ⑤ 2 ③ 3 ③ 4 현욱 5 ⑩ 1학기에 연극 공연을 할 때 음악을 사용하니 장면의 느낌이 더 잘 살아났다. 6 (1) 폴란드의 민속춤 (2) 베트남의 전통 의상 7 ⑤ 8 ⑩ 아프리카 원주민의 의식주 문화를 소개할 때 책에 있는 사진과 설명을 보여 줄 것이다. 9 ①, ③ 10 (1) ⓒ (2) ⓒ 11 (1) 건강 주간 (2) 건강 12 ① 13 ④ 14 ① 15 ③ 16 (1) ○ 17 ③, ⑤ 18 ① 19 ④ 20 ⑩ 전하려는 주제를 파악하며 듣는다.

풀이

1 세미는 지수에게 학습 발표회에서 할 독도의 날 기념 율동에 대해 말하려고 합니다.

2 지수는 독도의 날 기념 율동을 제안하는 세미에게 어떤 동작들을 하는지 궁금하다고 말했습니다.

3 세미는 진수에게 인터넷에 있는 율동의 영상을 보여 주었습니다.

4 듣는 사람은 대화 ❶보다 대화 ❷에서 율동 동작을 더 생생하게 잘 알 수 있습니다.

5 영상, 사진, 그림 등 여러 가지 매체 자료를 활용한 경험을 떠올려 봅니다.

6 진아는 폴란드의 민속춤에 대해, 별이는 베트남의 전통 의상에 대해 소개하려고 합니다.

7 매체 자료 없이 설명하면 상상만 해야 하는데 사진을 보면 어떤 전통 의상인지 쉽게 이해할 수 있습니다.

8 여러 가지 매체 자료의 효과를 살펴 어떤 자료를 활용해 어떤 내용을 소개할지 씁니다.

9 매체 자료 ❼를 보면 사람이 휴대 전화를 붙잡고 있고, 휴대 전화도 사람을 꽉 잡고 있습니다.

10 각 매체 자료가 나타내는 주제를 찾아봅니다.

11 그림 속 친구들은 건강 주간을 맞아 건강을 주제로 한 작품을 발표하려고 합니다.

12 뽑힌 작품은 전교생에게 보여 줄 예정이라고 했습니다.

13 1~6학년까지 모두 이해하기 쉬운 내용이어야 합니다.

14 영상 자료를 제작하고 발표하는 과정 중 편집을 하는 그림입니다.

15 ③은 '촬영하기'의 방법입니다.

16 그림 속 친구들은 6학년 친구들에게 5분 영상 발표회에서 주변 인물에 대해 발표하기 위한 발표 자료를 만들려고 합니다.

17 6학년이 대상이므로, 6학년 친구들이 관심 있어 할 사람을 정하고, 발표 시간을 고려해 촬영 분량을 정해야 합니다.

18 이 모둠에서는 요리사를 소개하는 영상을 제작했다고 했습니다.

19 ④는 영상을 보기 전에 할 수 있는 활동입니다.

더 알아볼까요!

> **영상을 보여 준 뒤에 할 수 있는 활동**
> • 영상에 대한 질문을 받습니다.
> • 영상에서 가장 인상 깊은 장면이 무엇인지 물어봅니다.
> • 영상을 촬영하면서 겪은 일을 이야기합니다.

20 전하려는 주제를 파악하며 듣고, 촬영이나 편집에서 효과적인 부분을 찾으며 듣습니다.

2회 단원 평가 실전 64~67쪽

1 (1) 사진 (2) 영상 2 ❷ 3 ④ 4 주요 농산물 주산지 5 ⑤ 6 ⑤ 7 (1) ⓒ (2) ⓒ 8 ③, ④ 9 (1) ○ (2) ○ 10 ⑩ 스마트폰 과몰입을 예방하자는 주제로 도표를 사용하여 발표하고 싶다. 11 ④ 12 ⑩ 능력자 13 (1) ○ 14 ⓐ, ⓜ, ⓞ, ⓛ, ⓓ 15 ④ 16 ① 17 ②, ③, ④ 18 ⑩ 영상에 나오는 사람의 동의를 얻는다. 19 ④ 20 (1) ○

풀이

1 대화 ❶에서는 사진, 대화 ❷에서는 영상을 사용했습니다.

2 듣는 사람은 대화 ❶보다 대화 ❷에서 율동 동작을 더욱 생생하게 잘 알 수 있습니다.

3 그림지도를 활용해 발표를 하고 있습니다.

4 이 매체 자료는 지구 온난화로 인한 주요 농산물 주산지 이동 변화를 알려 주고 있습니다.

5 감귤 주산지는 제주도에서 진주, 통영 등으로 이동하고 있습니다.

6 ⑦는 휴대 전화 중독, ④는 걸을 때나 운전할 때 휴대 전화를 사용하면 안 된다는 주제를 전하고 있습니다.

7 매체 자료 ⑦에는 사람이 휴대 전화를 붙잡고 있고 휴대 전화가 사람을 꽉 잡고 있는 모습이, ④에는 휴대 전화 관련 교통사고가 점점 늘어나고 있다는 것과 휴대 전화 사용으로 생긴 교통사고가 1년에 1000건이 넘는다는 정보가 나타나 있습니다.

8 매체 자료 ⑦는 그림으로 휴대 전화가 사람을 붙잡고 있는 모습을 잘 표현했고, 공익 광고의 글이 질문 형식이라 더 생각하게 합니다.

9 매체 자료 ④에서는 도표를 사용하여 연도별 휴대 전화 관련 교통사고 발생량이 크게 늘어난 것을 알려 주고 있으며, 교통사고 수치도 넣어 더 정확한 통계를 알 수 있습니다.

10 휴대 전화 사용 습관에 대해 발표하고 싶은 주제를 정해 보고, 어떤 매체를 활용할지 생각하여 씁니다.

더 알아볼까요!

보행 중 스마트폰 사용을 경고하는 교통 표지판

교통안전 표지	보도 부착물

11 이 영상 자료는 읽는 사람을 배려하면서 온라인 댓글을 쓰자는 주제를 전하고 있습니다.

12 '당신은 능력자', 손가락을 악마 또는 천사의 모습으로 비유했습니다.

13 발표 주제로 최대한 어렵고 복잡한 주제를 정할 필요는 없습니다.

14 해설자의 해설로 내용을 더 잘 이해할 수 있고, 마지막 장면에서 질문을 자막으로 넣어 영상을 보는 사람이 스스로를 돌아보게 합니다.

15 영상 자료를 제작하고 발표하는 과정은 '발표 상황 파악하기 → 주제 정하기 → 내용 및 장면 정하기 → 촬영 계획 세우기 → 촬영하기 → 편집하기 → 발표하기'라는 일련의 과정으로 진행됩니다.

16 ○○초등학교의 맨발 걷기 장면 자료를 통해 '맨발 걷기'를 주제로 한 발표임을 알 수 있습니다. 영상 자

료가 보는 사람들에게 좋은 영향을 주는지 생각합니다. 비속어, 은어 같은 격식에 맞지 않는 언어를 사용하지 않아야 합니다.

17 온라인이나 오프라인에서 발표할 수 있습니다. 정한 주제에 맞는 영상만 발표해야 합니다.

18 인터넷에 영상 자료를 올릴 때에는 영상에 나오는 사람의 동의를 얻어야 합니다.

19 음악 넣기 등의 기능은 효과적인 매체 자료를 만들기 위해 활용할 수 있는 기능입니다.

20 요리사를 소개하는 영상을 제작했다고 하였습니다.

창의서술형 평가

68~71쪽

1 예 독도의 날 기념 율동을 하자고 했다. **2** 예 세미에게 독도의 날 기념 율동에서 어떤 동작들을 하는지 물어보았다. **3** 예 대화 ❶은 사진을 보여 주며 설명하고 대화 ❷는 영상을 보여 주며 설명한다. / 듣는 사람은 대화 ❶보다 대화 ❷에서 율동 동작을 더욱 생생하게 잘 알 수 있다. **4** 예 지구 온난화로 인한 주요 농산물 주산지 이동 변화를 설명한다. **5** 예 영천에서 정선, 영월, 양구로 이동하고 있다. **6** 예 그림지도를 활용하여 듣는 사람들이 주요 농산물이 주로 생산되는 지역이 바뀌고 있다는 것을 쉽게 이해할 수 있다. **7** ⑦ 예 휴대 전화가 사람을 꽉 붙잡고 있다. ④ 예 휴대 전화 사용으로 생긴 교통 사고가 1년에 1000건이 넘는다. **8** (1) 예 하루 종일 휴대 전화를 잡고 있는 등 휴대 전화에 중독된 사람이 많다. (2) 예 걸을 때나 운전할 때 휴대 전화를 사용하면 위험하다. **9** (1) 예 주제를 잘 전한다. 공익 광고의 글이 질문 형식이라 더 생각하게 하기 때문이다. (2) 예 주제를 잘 전한다. 도표로 나타내니 연도별로 휴대 전화 관련 교통사고 발생량이 크게 늘어난 것을 알 수 있기 때문이다. **10** 예 '건강 주간'을 맞아 건강을 주제로 한 작품을 발표하려고 한다. **11** 예 전교생이 보게 되므로 1~6학년까지 모두 이해하기 쉬워야 한다. / 학교 방송으로 보여 주므로 주제가 흥미롭고 내용이 새로우면 좋다. **12** 예 발표를 듣는 사람들이 흥미를 가질 만한 주제를 정한다.

풀이

1 세미는 학습 발표회에서 독도의 날 기념 율동을 하면 어떠냐고 말했습니다.

상	그림의 내용을 파악해 율동을 하자는 내용을 썼다.
중	율동을 하자는 내용을 썼다.
하	그림의 내용을 파악해 쓰지 못하였다.

2 세미가 보여준 독도의 날 기념 율동 사진을 보고 어떤 동작들을 하는지 궁금해 했습니다.

상	그림을 보고 물은 것을 알맞게 썼다.
중	물음에 대한 답을 찾아 썼다.
하	그림을 내용을 파악해 쓰지 못하였다.

3 사진 자료와 영상 자료를 사용할 때의 차이점을 생각해 봅니다.

상	사진과 영상의 차이점을 파악해 썼다.
중	사진과 영상이 다른 것을 알고 썼다.
하	사진과 영상이 다른 점을 쓰지 못하였다.

4 이 매체 자료에서는 지구 온난화로 인한 농산물 주산지 이동 변화에 대해 설명하고 있습니다.

상	매체 자료를 이해하고 설명하는 것을 썼다.
중	매체 자료에서 설명하는 것을 썼다.
하	매체 자료에서 설명하는 것을 쓰지 못하였다.

5 사과의 주산지는 영천에서 정선, 영월, 양구로 이동하고 있습니다.

상	매체 자료를 분석해 주산지의 이동을 알고 썼다.
중	사과 주산지의 이동을 썼다.
하	사과 주산지의 이동을 쓰지 못하였다.

6 이 그림지도를 통해 듣는 사람들이 주요 농산물이 주로 생산되는 지역이 바뀌고 있다는 것을 쉽게 알 수 있습니다.

상	그림지도 자료를 사용해 얻을 수 있는 효과를 알고 썼다.
중	자료를 사용해 얻을 수 있는 효과를 썼다.
하	자료를 사용해 얻을 수 있는 효과를 쓰지 못하였다.

7 매체 자료를 통해 알 수 있는 정보를 파악합니다.

상	각 매체 자료의 내용을 파악하고 알맞게 썼다.
중	두 가지 중 한 가지만 썼다.
하	두 가지 다 쓰지 못하였다.

8 ㉮는 휴대 전화 중독의 위험성에 대해, ㉯는 휴대 전화 관련 교통사고 발생에 대해 알려 주는 매체 자료입니다.

상	각 매체 자료의 주제를 알맞게 썼다.
중	두 가지 중 한 가지만 썼다.
하	두 가지 다 쓰지 못하였다.

9 매체 자료의 효과를 생각하여 주제를 잘 전하는지 판단해 봅니다.

상	주제를 잘 전했는지 까닭을 들어 판단해 썼다.
중	두 가지 중 한 가지만 썼다.
하	두 가지 다 쓰지 못하였다.

10 그림 속 친구들은 '건강 주간'을 맞아 '건강한 생활을 위해 실천하면 좋은 일'을 직접 영상으로 만들어 보기로 했습니다.

상	그림의 내용을 파악해 발표 목적을 찾아 썼다.
중	그림의 내용을 파악해 썼다.
하	발표 목적을 쓰지 못하였다.

11 이외에도 '건강에 도움을 줄 수 있어야 한다.' 등 이와 같은 발표 상황에서 고려할 점을 써 봅니다.

상	영상 자료를 발표하는 상황에서 고려할 점을 썼다.
중	발표 상황에서 고려할 점을 썼다.
하	발표 상황에서 고려할 점을 쓰지 못하였다.

12 이외에도 '듣는 사람에게 도움이 되는 주제를 정한다.', 친구들과 토의해서 다양한 의견을 나눈다. 등 발표 주제를 정할 때 고려할 점을 씁니다.

상	발표 주제를 정할 때 고려할 점을 썼다.
중	발표 주제를 정하는 방법을 알고 썼다.
하	발표 주제를 정할 때 고려할 점을 쓰지 못하였다.

풀이

1 관점은 같은 사물이나 현상을 관찰할 때 그 사람이 바라보는 태도나 방향 또는 처지입니다. 관점에 따라 사물이나 현상이 다르게 보일 수 있습니다.

2 글쓴이의 생각을 파악하며 글을 읽으면 글 내용을 좀 더 깊이 있게 이해할 수 있습니다.

3 글쓴이의 생각을 파악하며 글을 읽으면 글 내용을 좀 더 깊이 있게 이해할 수 있고, 글쓴이가 글을 쓴 의도나 목적을 알 수 있습니다.

4 글쓴이의 생각이 드러나는 제목, 낱말이나 표현, 글 내용과 관련해 글쓴이가 예상한 독자, 글쓴이의 의도와 목적 등을 생각해야 합니다.

5 글쓴이의 생각과 자신의 생각을 비교해 이야기할 때에는 글쓴이의 생각과 자신의 생각을 비교하며 같은 점과 다른 점을 찾아봅니다.

6 나와 다른 생각을 알게 되면 내용을 더 깊이 있기 이해할 수 있게 됩니다.

1회 단원 평가 **도전** 76~79쪽

1 ⑤ 　2 ② 　3 ② 　4 (2) ○ 　5 ② 　6 ⑤ 　7 ①, ②
8 ㉠ 　9 ⑤ 　10 ⑩ 학생이나 로봇에 관심을 가진 사람들 　11 인간의 일거리 　12 ④, ⑤ 　13 ④
14 ⑤ 　15 ③ 　16 ⑤ 　17 ③ 　18 위험에 처한 사람 　19 ⑩ 젊은이를 5년 이하의 구금에 처한다.
20 ⑩ 법으로 정해야 한다. 당연히 지켜야 할 도덕적 의무이니 따르지 않는다면 법으로 처벌하는 것이 좋다.

풀이

1 이 광고에서는 우리말보다 알파벳을 더 먼저 배우는 아이들과 영어에 익숙해진 사람들의 문제가 나타나 있습니다.

2 광고를 만든 사람은 자랑스러운 우리말은 우리 민족의 정신이므로 우리말을 사랑하자는 말을 하고 있습니다.

3 글쓴이는 우리나라가 세계에서 가장 아름다운 나라가 되기를 원합니다.

4 글쓴이는 남의 침략에 가슴이 아팠기 때문에 내 나라가 남을 침략하는 것을 원치 않는다고 했습니다.

5 글쓴이는 높은 문화의 힘을 한없이 가지고 싶다고 했습니다.

 **개념을 확인해요** 73쪽

1 생각 　2 목적 　3 제목 　4 호기심 　5 인상 　6 제목 　7 내용 　8 독자 　9 비교 　10 표현

개념을 다져요 74~75쪽

1 ㉡ 　2 ⑤ 　3 (1) ○ 　4 ② 　5 같은 점 　6 ㉯

6 계급 투쟁은 끝없는 계급 투쟁을 낳아서 국토에 피가 마를 날이 없다고 하였습니다.

7 '나는 천하의 교육자와 남녀 학도들이 한번 크게 마음을 고쳐먹기를 빌지 아니할 수 없다.'라고 하였습니다. '학도'는 학생과 같은 말입니다.

8 '인간과 로봇이 함께 살아가는 방법', '소득을 재분배'는 글쓴이의 생각이 나타나 있는 표현입니다.

더 알아볼까요!

글쓴이의 생각을 파악하는 방법
• 글에 포함된 사진이나 그림에도 글쓴이의 생각이 담겨 있습니다.
• 글에서 글쓴이의 생각이 담긴 문장이나 문단을 찾아봅니다.
• 내용을 파악해 글쓴이가 알려 주고 싶은 생각을 찾을 수 있습니다.
• 글 제목과 사용한 표현을 보면 글쓴이의 관점을 알 수 있습니다.

---

9 로봇이 납세 의무자가 되려면 법적 지위를 가져야 합니다.

10 글쓴이가 자신의 생각을 전하고 싶어 하는 대상이 누구일지 예상해 봅니다. 학생이나 로봇에 관심 있는 사람들, 기업인 따위를 예상 독자로 생각하고 있습니다.

11 로봇이 인간의 일거리를 대신 할 수 있기 때문에 인간에게 필요한 비용을 로봇세로 보충하려는 것입니다.

12 '부담', '걸림돌' 등은 글쓴이가 자신의 생각을 나타내려고 쓴 낱말입니다.

13 로봇 개발자가 마음의 부담을 느껴 혁신적인 생각을 발전시키거나 과감한 투자를 하는 데에 걸림돌이 되기 때문입니다.

14 로봇세 도입은 로봇 산업 발전을 더디게 한다고 생각했기 때문에 글의 제목을 이와 같이 정한 것입니다.

15 로봇세 도입은 로봇 산업 발전에 걸림돌이 될 수 있으므로 로봇세 도입을 늦추어야 한다고 생각하고 있습니다.

16 "그때 도와줬다면 내 아들은 죽지 않았어요."를 살펴봅니다. 일광욕을 즐기던 젊은이는 자신의 일이 아니라고 생각하며 무시했고, 익사자 가족은 소송을 냈습니다.

17 장면 ❻을 보면, 현재 법률엔 구조의 의무가 명시돼 있지 않기 때문에 소송을 기각했습니다.

18 '착한 사마리아인의 법'은 위험에 처한 사람을 돕지 않으면 처벌할 수 있는 법입니다.

19 고의로 구조하지 않은 자에 대해 구금 또는 벌금에

처하도록 했을 것입니다.

20 '착한 사마리아인의 법'에 대한 자신의 생각을 정해 써 봅니다.

2회 단원 평가 실전
80~83쪽

1 ③ **2** ③ **3** ① **4** ④ **5** ② **6** (1) ○ **7** 예 로봇은 기계이기 때문이다. **8** ⑤ **9** 법적 지위 **10** 예 로봇세를 걷는 것이 필요하다고 생각하기 때문이다. **11** ⑤ **12** ㉠ **13** (3) ○ **14** ④ **15** ④ **16** ② **17** ④ **18** ④ **19** 예 자신에게 힘이 되었던 책 **20** 예 작품에 대해 궁금한 것이 많은 책이 좋을 것 같아.

풀이

1 글쓴이는 인류가 현재에 불행한 근본 원인은 인의, 자비, 사랑이 부족한 탓이라고 했습니다.

2 글쓴이는 인의, 자비, 사랑의 정신을 배양할 수 있는 방법은 오직 문화라고 했습니다.

3 글쓴이는 남의 것을 모방하는 나라가 아니라 새로운 문화의 근원이 되는 나라가 되기를 바랐습니다.

4 최고 문화로 인류의 모범이 되는 것이 우리 민족의 사명이라고 했습니다.

5 글쓴이는 이 글을 통해 우리 민족의 젊은 남녀가 어질고 어진 덕을 가지기를 바라는 마음을 전하고 있습니다.

6 우리도 로봇세를 도입해야 한다고 주장하고 있습니다.

7 로봇은 법적으로 세금을 낼 수 있는 자연인과 법인에 포함되지 않습니다.

8 일자리를 잃은 사람의 재교육 비용으로 활용할 수 있다고 하였습니다.

9 로봇에게 '특수한 권리와 의무를 가진 전자 인간'으로 법적 지위를 부여하는 입법을 추진하도록 결의했습니다.

10 제목을 통해 글쓴이의 생각을 파악할 수 있습니다.

11 로봇이 인간의 일거리를 대신 할 수 있기 때문에 로봇세를 거둬 인간에게 필요한 비용을 로봇세로 보충하자는 뜻입니다.

12 ㉠은 글쓴이의 생각이 아니라 글쓴이의 생각과 반대되는 사람들의 주장입니다.

13 로봇세 도입은 로봇 산업 발전에 방해가 되며 지금은 로봇 기술 개발에 보다 집중할 때이므로 로봇세 도입을 늦추어야 한다는 생각입니다.

14 로봇세를 도입했을 때의 어려움을 골라 봅니다. 로봇 개발자는 기술 개발에 어려움을 겪을 수 있고 기술 개발은 더욱 늦어질 수 있습니다.

15 로봇 개발에 필요한 원천 기술에 더 집중해야 한다고 하였습니다.

16 제목, 낱말이나 표현, 글 내용과 관련해 글쓴이가 예상한 독자, 글쓴이의 의도나 목적 따위를 통해 글쓴이의 생각을 알 수 있습니다.

17 글에 담긴 글쓴이의 생각을 파악하려면 제목, 글쓴이의 생각이 담긴 표현 따위를 살펴야 합니다. 「기와 조각과 똥 덩어리」는 글쓴이가 나리의 말로써 자신이 전하고 싶은 의도와 목적을 나타내고 있습니다.

더 알아볼까요!

「기와 조각과 똥 덩어리」에 나타난 글쓴이의 생각
• 다른 사람의 도움을 받으려고 하지 말고 스스로 자신이 할 수 있는 일을 찾아야 한다고 생각합니다.
• 자신의 가치는 자신이 만드는 것이니 스스로 노력하는 삶을 살아야 한다고 생각합니다.

18 책을 읽기 전과 후에 생각에 변화가 있었는지에 대해서는 생각할 수 있으나 한 일은 책과 관련이 없는 것이므로 떠올리지 않아도 됩니다.

19 재미있게 읽었던 책, 책을 읽으며 궁금한 점이 많이 생기거나 사회적으로 관심을 가질 만한 주제를 다룬 책 등을 추천할 수 있습니다.

20 글쓴이와 대화하고 싶은 책을 선정하려면 무엇을 고려해야 할지 써 봅니다.

더 알아볼까요!

글쓴이와 대화하고 싶은 책 선정할 때 고려할 점
• 작품에 대해 궁금한 것이 많은 책
• 글쓴이에게 사건이 왜 그렇게 전개되는지 묻고 싶은 책
• 비슷한 주제를 가진 책과 비교할 수 있는 책
• 글쓴이가 하고 싶은 말과 자신의 생각이 다른 책

창의서술형 평가

84~87쪽

1 예 글 내용을 잘 설명할 수 있는 제목이기 때문이다. / 읽는 이의 관심을 끌 수 있는 제목이기 때문이다. 2 예 인의가 부족하고, 자비가 부족하고, 사랑이 부족하기 때문이라고 했다. 3 예 "나는 우리나라가 세계에서 가장 아름다운 나라가 되기를 원한다." 4 예 로봇세를 걷는 것이 필요하다고 생각하지만 도입이 늦어지고 있기 때문이다. 5 예 로봇세가 로봇 산업에 부정적일 것이라고만 생각하는 사람들에게 다른 관점으로도 생각할 수 있게 하려고 이글을 쓴 것 같다. 6 예 글쓴이의 생각이 낱말이나 문장 등의 표현으로 드러나기 때문에 글쓴이가 의도적으로 이와 같은 말을 쓴 것이다. 7 예 로봇세 도입은 로봇 산업 발전에 걸림돌이 될 수 있으며 지금은 로봇 기술 개발에 더욱 집중할 때이므로 로봇세 도입을 늦추어야 한다. 8 예 법으로 정하지 않아도 된다. 도덕까지 법으로 규제하는 것은 강압에 가깝기 때문이다. 9 ⑴ 예 연두와 푸른 결계 ⑵ 예 김중렬 ⑶ 예 경복궁을 비롯한 여러 궁궐 모습을 상상하며 연두가 해결하는 문제를 흥미롭게 따라가며 읽을 수 있기 때문이다. 10 ⑴ 예 무슨 생각을 하면서 이 책을 썼나요? ⑵ 예 이 작품을 왜 썼나요?

풀이

1 백범 김구 선생의 생각을 잘 드러낼 수 있는 제목이기 때문에 이와 같은 제목을 정한 것입니다.

상	글 제목은 글쓴이의 생각을 잘 드러낼 수 있어야 한다는 내용을 썼다.
중	글 제목을 정한 까닭을 짐작해 썼다.
하	글 제목을 정한 까닭을 쓰지 못하였다.

2 인의가 부족하고, 자비가 부족하고, 사랑이 부족하기 때문이라고 했습니다.

상	글의 내용을 파악해 알맞은 답을 찾아 썼다.
중	글을 읽고 알맞은 답을 썼다.
하	글의 내용을 파악해 쓰지 못하였다.

3 글에 나타난 표현 중에서 글쓴이의 생각을 알 수 있는 부분을 찾습니다.

상 글쓴이의 생각이 나타난 부분을 찾아 썼다.

중 생각이 나타난 부분을 찾아 썼다.

하 글쓴이의 생각이 나타난 부분을 쓰지 못하였다.

4 글쓴이는 로봇세 도입의 필요성을 강조하기 위해 이와 같은 제목을 붙였습니다.

상 글쓴이의 생각을 파악해 제목을 정한 까닭을 썼다.

중 글쓴이가 제목을 정한 까닭을 짐작해 썼다.

하 글쓴이가 제목을 정한 까닭을 쓰지 못하였다.

5 글쓴이는 근거를 들어 다른 사람들이 자신의 주장을 받아드리도록 설득하기 위해 이 글을 썼습니다.

상 글을 읽고 내용을 파악해 글쓴이가 글을 쓴 의도와 목적을 썼다.

중 글을 읽고 글쓴이가 글을 쓴 의도와 목적을 썼다.

하 글쓴이가 글을 쓴 의도와 목적을 쓰지 못하였다.

6 '부담', '걸림돌', '많은 특허 사용료를 외국에 지급' 등은 글쓴이가 자신의 생각을 나타내려고 쓴 낱말이나 문장 같은 표현입니다.

상 글쓴이의 생각이 담긴 낱말이나 문장 같은 표현을 찾고 쓴 까닭을 알맞게 썼다.

중 글쓴이의 생각이 담긴 낱말이나 문장임을 알고 썼다.

하 글쓴이의 생각이 담긴 낱말이나 문장임을 모르고 까닭을 쓰지 못하였다.

7 글쓴이의 생각이 드러나는 제목, 낱말이나 표현, 글쓴이가 예상한 독자, 글쓴이의 의도나 목적 등을 통해 생각을 파악합니다.

상 글을 읽고 글쓴이의 생각을 알맞게 썼다.

중 글쓴이의 생각을 파악해 썼다.

하 글쓴이의 생각을 쓰지 못하였다.

8 법으로 정하지 않아야 하는 것에 대해 씁니다.

상 법으로 정하지 않아야 된다는 의견을 근거를 들어 알맞게 썼다.

중 제시된 의견과 반대의 의견을 썼다.

하 자신의 의견을 근거를 들어 쓰지 못하였다.

9 어떤 책을 친구들에게 추천하면 좋을지 생각하며 써 봅니다.

상 추천하고 싶은 책과 그 까닭을 모두 썼다.

중 세 가지 중 두 가지만 썼다.

하 세 가지 다 쓰지 못하였다.

10 'ㅁ'과 'ㅇ' 카드로 어떤 질문을 만들 수 있는지 써 봅니다.

상 활동 방법에 알맞게 질문을 만들어 썼다.

중 질문을 만들어 썼다.

하 질문을 만들어 쓰지 못하였다.

---

6 **정보와 표현 판단하기**

개념을 확인해요 89쪽

1 정보 **2** 비판 **3** 여론 **4** 과장 **5** 과장 **6** 허위 **7** 사실 **8** 사건 **9** 근거 **10** 관점

개념을 다져요

90~91쪽

1 ② 2 ④, ⑤ 3 진행자의 도입 4 ③ 5 ❸ →
❷ → ❶ → ❺ → ❹ 6 ①, ②

 풀이 ▶

1 있지도 않은 상품 기능을 있는 것처럼 설명하는 광고를 허위 광고라고 합니다.

2 광고는 주제가 잘 드러나도록 글, 그림, 사진을 효과적으로 사용합니다.

3 '기자의 보도'에서는 시청자의 이해를 도우려고 면담 자료나 통계 자료로 설명하고, '기자의 마무리'에서는 전체 내용을 요약하거나 핵심 내용을 강조하며 뉴스를 정리합니다.

4 뉴스의 타당성을 판단하려면 가치 있고 중요한 내용을 다룬 뉴스인지, 그 뉴스에 대한 근거가 적절한지를 판단해야 합니다.

5 먼저 어떤 내용을 보도할지 회의를 하고 알리려는 내용을 취재합니다.

6 새로운 정보는 무엇인지, 우리 주변에서 최근 일어난 일은 무엇인지 살펴봅니다.

1회 단원 평가 도전

92~95쪽

1 ❷ 2 ① 3 (1) ㉠ (2) ㉢ (3) ㉡ 4 ⑤ 5 예 음식물 쓰레기를 버리는 장면과 비슷하기 때문이다.
6 ④ 7 예 효과적으로 표현하려고 강조법을 사용했다. 8 ⑤ 9 예 그 내용을 모두 사실이라고 믿을 수 있기 때문에 위험하다. 10 스마트 기부
11 (1) ◯ (2) ◯ 12 ④ 13 기자의 보도 14 예 시청자의 이해를 돕기 위해서이다 15 예 뉴스의 관점을 뒷받침하려고 시민·전문가의 면담 자료, 통계 자료를 활용했다. 16 (1) 진행자의 도입 (2) 기자의 보도 (3) 기자의 마무리 17 손 씻기 18 ③, ④, ⑤ 19 예 감염병을 예방할 수 있는 올바른 손 씻기 방법을 알려 주어서 가치 있고 중요한 뉴스라고 생각한다. 20 ①

풀이 ▶

온실가스를 줄이기 위해 우리가 할 수 있는 일을 생각할 수 있습니다.

2 파리 협정은 선진국만 온실가스 감축 의무가 있었던 교토 의정서와는 달리, 개발 도상국을 포함한 195개 당사국 모두가 지켜야 합니다.

3 ㉮는 기후 협약에 대해 알려 주고 있으며, ㉯는 비판받을 만하다는 반응을 보이고, ㉰는 생각에 영향을 주어 여론을 형성한 모습입니다.

4 한 해에 버려지는 음식물을 중형차 100만 대와 비교했습니다.

5 자동차를 바다에 버리는 것과 음식물 쓰레기를 아무렇지 않게 버리는 것이 비슷하다는 것을 보여 주기 위해서입니다.

6 중요한 글자의 배경을 빨간색으로 표시하고 더 크게 하여 강조했습니다.

7 자동차를 버리는 것과 음식을 버리는 것이 같다고 표현했습니다. 자동차가 바다에 빠지는 장면을 반복했습니다.

8 과장된 표현이므로 소비자의 판단력을 흐립니다.

9 광고 내용을 모두 믿고 제품을 구입하면 피해를 입을 수 있고, 비판하지 않고 광고를 보면 그 내용을 모두 사실이라고 믿을 수 있습니다.

10 재미와 보람을 느낄 수 있는 '스마트 기부'가 확산된다는 내용입니다.

11 뉴스의 관점에 맞게 스마트 기부의 종류를 소개하고, 스마트 기부의 장점과 특징을 소개했습니다.

12 진행자는 뉴스의 핵심 내용을 요약해 안내합니다.

13 '기자의 보도'에서는 시청자의 이해를 도우려고 면담 자료나 통계 자료로 설명합니다.

14 시청자의 이해를 도우려고 면담 자료로 설명하고 있습니다.

15 뉴스에 대한 근거가 적절한지를 판단할 수 있는 내용입니다.

16 뉴스는 '진행자의 도입-기자의 보도-기자의 마무리'의 짜임으로 구성됩니다.

17 올바른 손 씻기 방법을 알 수 있는 내용입니다.

18 관련 실험, 전문가 면담, 주제와 관련한 연구 결과 등입니다.

19 가치 있고 중요한 뉴스인지 판단해 봅니다.

20 뉴스 원고는 뉴스를 보는 사람을 고려해서 써야 합니다. 어려운 말은 쉽게 풀어서 말하듯이 쓰고 인격을 존중하는 말을 사용해야 합니다.

2회 단원 평가 실전

96~99쪽

1 ③ 2 ①, ② 3 ⑤ 4 ⑤ 5 예 신바람 자전거의 이미지를 소비자에게 긍정적으로 전달하기 위해서이다. 6 깃털 책가방 7 (1) ○ (3) ○ 8 ⑤ 9 ①, ② 10 ② 11 ㉰ 12 예 올바른 손 씻기 방법을 알면 감염병을 예방할 수 있기 때문이다. 13 ④ 14 ③ 15 ①, ⑤ 16 ② 17 ② 18 ⑤ 19 ⑤ 20 ②

풀이

1 '신바람 자전거'를 광고하고 있습니다.

2 '-하고', '신바람(이 일어납니다)', '최고'가 반복된 표현입니다.

3 독보적인 디자인과 튼튼한 내구성을 인정받아 소비자 만족도 1위를 달성했다고 하였습니다.

4 자전거를 탄다고 누구나 신바람이 나는 것은 아니므로 과장된 표현입니다.

5 광고 내용을 두드러지게 하려고 글씨체, 글씨 크기, 화면, 색, 말을 효과적으로 사용했습니다.

6 깃털 책가방을 광고합니다.

7 '해외로 수출하는'은 어떤 나라로 수출하는지와 관련 있는 자세한 정보가 감추어져 있습니다. (1), (3)은 책가방 가운데 더 가벼운 것이 있을 수 있고, 무거우면 찢어질 수도 있기 때문에 과장되었습니다.

8 뉴스 내용을 체계적으로 보여 줄 수 있기 때문입니다.

9 시청자의 이해를 도우려고 면담 자료나 통계 자료로 설명합니다.

10 진행자는 뉴스의 핵심 내용을 요약해 안내합니다.

11 활용한 자료가 뉴스의 관점을 뒷받침하고 있는지에 대해 판단한 것입니다.

12 '30초 손 씻기'만 제대로 실천해도 웬만한 감염병은 막을 수 있다고 했습니다.

13 '진행자의 도입'에서 자막은 뉴스에서 보도할 내용을 유도하거나 전체를 요약해 안내하는 역할을 합니다.

14 ❸번 전의 과정을 살펴봅니다. 뉴스 원고를 쓰기 전에 어떤 내용을 보도할지 회의하고 알리려는 내용을 취재합니다.

15 새로운 정보는 무엇인지, 우리 주변에서 최근 일어난 일은 무엇인지 생각해 봅니다.

16 민재는 한 해에 버려지는 음식물 쓰레기 양을 조사하겠다고 하였습니다.

17 일회용품의 사용을 줄이자는 관점을 제시하고 싶다고 하였습니다.

18 뉴스 원고는 뉴스를 보는 사람을 고려해서 써야 합니다.

19 기자는 뉴스에서 전문가를 면담하거나 뉴스 내용을 취재해 보도하는 역할을 합니다.

20 뉴스 원고를 단순히 따라 읽는 것이 아니라 자연스럽게 말해야 합니다.

창의서술형 평가

100~103쪽

1 (1) 플라스틱 폐기물, 플라스틱 숟가락 (2) 예 바다 오염의 심각성 2 예 플라스틱 쓰레기 때문에 생긴 바다 오염 문제를 모두가 인식하고 해결하자는 내용을 전하려고 한다. 3 예 바다 동물의 목, 다리, 날개 등에 낚싯줄이 걸리거나 빨대 등이 꽂혀 생존에 큰 지장을 받을 수 있다. 4 (1) 예 신바람 자전거는 어떤 점이 좋다고 했나요? (2) 예 광고에서 과장하거나 감추는 내용은 없나요? 5 (1) 예 '단 한 가지'가 신바람 자전거만 될 수 있는 것은 아니므로 과장된 표현이다. (2) 예 언제, 어떤 조사에서 소비자 만족도가 1위였는지와 관련한 정보를 감추고 있다. (3) 예 기분, 건강, 기술력에 각각 '최고'라는 표현이 과장되었다. 6 (1) 예 '연예인'이라는 표현이 과장되었다. (2) 예 '완벽'이라는 말은 과장된 표현이다. (3) 예 일부 품목이 어떤 품목인지에 대한 정보를 감추고 있다. 7 예 예쁜 글씨와 모르는 문제도 '술술', '세계 최고', '우주 최고', '모든 능력을 갖춘'과 같은 표현은 과장되었으므로 비판적으로 살펴보아야 한다. 8 (1) 예 줄넘기를 잘할 수 있는 방법 (2) 예 독서를 즐겁게 할 수 있는 방법 (3) 예 등하굣길을 안전하게 다닐 수 있는 방법 (4) 예 운동장에서 안전하게 노는 방법 9 예 초등학생의 스마트폰 사용 실태 10 (1) 예 초등학생 스마트폰 소유 현황과 사용 시간, 관련 전문가 예 관련 기관 누리집 방문, 통계청 통계 자료 조사, 현장 조사

1 플라스틱 폐기물로 산호를 표현하여 바다 오염의 심각성을 알리는 광고입니다.

상	광고를 보고 플라스틱 때문에 바다 오염이 된다는 내용에 맞게 썼다.
중	플라스틱에 대한 내용임을 파악해 썼다.
하	광고 내용을 쓰지 못하였다.

2 아름다운 바닷속에 플라스틱 쓰레기가 쌓여 있여 있는 모습으로, 바다 오염 문제를 알고 해결하자는 생각을 전하고 있습니다.

상	문제 1번과 연계해 전하려는 내용을 알고 썼다.
중	광고의 내용을 이해해 전하려는 내용을 썼다.
하	광고를 보고 전하려는 내용을 쓰지 못하였다.

3 플라스틱 쓰레기 때문에 생길 수 있는 피해를 써 봅니다.

상	뉴스 내용을 보고 플라스틱 쓰레기 때문에 생길 수 있는 피해에 대해 썼다.
중	뉴스 내용을 이해하고 관련 피해에 대해 썼다.
하	뉴스 내용을 이해하지 않아 쓰지 못하였다.

4 광고를 보고 확인할 수 있는 질문과 없는 질문을 떠올려 본다.

상	광고와 관련 있는 두 가지 질문을 맞게 썼다.
중	두 가지 중 한 가지만 썼다.
하	두 가지 다 쓰지 못하였다.

5 "당신의 일상에 신바람이 일어납니다.", "당신의 즐거운 일상과 건강한 체력을 책임져 줄 단 한 가지!", "기분 최고, 건강 최고, 기술력 최고! 신바람 자전거가 선사합니다."라는 문구는 과장된 표현입니다.

상	광고 문구에서 과장하거나 감추는 내용을 파악해 내용에 맞게 썼다.
중	세 가지 중 두 가지만 썼다.
하	세 가지 다 쓰지 못하였다.

6 광고를 보고 광고에 나타난 표현의 적절성을 판단할 수 있습니다.

상	광고 문구에서 과장하거나 감추는 내용을 파악해 내용에 맞게 썼다.
중	세 가지 중 두 가지만 썼다.
하	세 가지 다 쓰지 못하였다.

7 '최고'는 과장된 표현으로 소비자의 판단력을 흐리게 합니다.

상	광고를 보고 정보의 타당성과 표현의 적절성을 알고 과장하는 내용을 찾아 판단해 썼다.
중	정보의 타당성과 표현의 적절성을 판단해 썼다.
하	정보의 타당성과 표현의 적절성을 판단해 쓰지 못하였다.

8 그림을 보고 인물이 무엇을 알려 주면 좋겠다고 했는지를 써 봅니다.

상	상황에 알맞은 뉴스 주제를 모두 썼다.
중	네 가지 중 두 가지만 썼다.
하	네 가지 다 쓰지 못하였다.

9 여러 사람이 함께 볼 만한 내용인지, 친구들에게 알려 주기에 가치 있는 내용인지 생각해 주제를 정해 봅니다.

상	자신이 만들고 싶은 뉴스의 주제를 정해 썼다.
중	뉴스의 주제를 썼다.
하	뉴스의 주제를 쓰지 못하였다.

정답과 풀이

10 취재할 사건이나 정보에 맞는 사전 조사 방법을 선택해야 합니다.

상	문제 9번을 바탕으로 취재 계획을 세워 썼다.
중	두 가지 중 한 가지만 썼다.
하	두 가지 다 쓰지 못하였다.

---

7 글 고쳐 쓰기

개념을 확인해요
105쪽

1 반응 2 명확 3 중심 4 문단 5 주장 6 짜임 7 본론 8 근거 9 주제 10 문장

개념을 다져요
106~107쪽

1 ②, ④ 2 ①, ④, ⑤ 3 ④ 4 ⑤ 5 (3) ○ 6 ①

풀이

1 글을 고쳐 쓰면 읽는 사람이 좀 이해하기 쉬운 글로 쓸 수 있으며, 읽는 사람의 반응을 잘 이끌어 내는 글을 쓸 수 있습니다.

2 더 좋은 글을 쓰기 위해서, 읽는 사람이 이해하기 쉬운 글을 쓰기 위해서, 하고 싶은 말을 명확하게 전달하기 위해서입니다.

3 긴 문장은 두 문장으로 나누어 쓸 수 있습니다. 그러나 한 문장을 굳이 두 문장으로 고칠 필요는 없습니다. 지나치게 긴 문장은 오히려 이해하기 어렵습니다.

4 '아마'는 단정할 수는 없지만 미루어 짐작하거나 생각하여 볼 때 그럴 가능성이 크다는 뜻을 나타내는 말로 '~일 것이다', '~ㄹ지도 모른다' 등과 어울리는 말입니다.

5 주장하는 글에서 지금까지 쓴 내용을 정리하고, 주장을 다시 한번 강조하는 것은 결론에 해당합니다.

더 알아볼까요!

주장하는 글에 들어갈 내용

서론	문제 상황과 문제에 대한 자신의 주장
본론	주장의 근거와 뒷받침 자료
결론	내용 정리, 주장 강조

6 ②, ③은 문단 수준에서 섬섬할 내용이며, ④, ⑤는 문장과 낱말 수준에서 점검할 내용입니다.

1회 단원 평가 도전
108~111쪽

1 불량 식품 2 (2) ○ 3 ① 4 예 건강을 해치는 불량 식품 5 ④ 6 ④ 7 ❹, ❺, ❸ 8 ② 9 고운 말을 사용해야 하는 것은 어린이만이 아니다. 10 ② 11 ② 12 ④ 13 ②, ④ 14 예 동물의 생명도 똑같이 소중하다. 15 ④ 16 ② 17 (1) 글 수준 (2) 문장과 낱말 수준 18 (1) 예 콘크리트로 덮여 있던 하천을 복원한다. (2) 예 실내에서 난방을 지나치게 하지 않고 적정 온도를 유지한다. 19 (3) × 20 ㉡

풀이

1 도현이는 친구들이 불량 식품을 먹는 것을 보았습니다.

2 불량 식품을 먹지 말자는 주장을 글로 쓰기 위해 유통 기한이 적혀 있지 않다는 사실을 인터넷 검색을 통해 알았습니다.

3 도현이는 불량 식품을 먹지 말자는 생각을 하고 있습니다.

4 '쓰레기가 되는 불량 식품'은 주제가 잘 드러나지 않는 제목입니다.

5 ㉡은 글의 주제와 관련이 없는 내용입니다.

6 '아무리'는 '~아도/어도'와 호응하기 때문에 문장 호응에 맞게 고쳐 써야 합니다.

7 글의 흐름을 생각하며 정리해 봅니다.

8 글쓴이는 요즘 많은 어린이가 은어나 비속어를 사용하고 있다고 말하고 있습니다. 따라서 ②가 알맞습니다.

9 '고운 말을 사용해야 하는 것은 어린이만이 아니다.' 는 중심 문장과 관련이 없습니다.

10 '만약'은 '~면'과 호응하는 말이므로, '만약 학생 열 명이 있다면 적어도 아홉 명은 비속어를 사용한 적이 있는 것이다.'로 고쳐 써야 합니다.

11 영상에서는 동물 실험으로 개발한 백신의 종류, 전 세계에서 한 해 동안 사용되는 실험동물의 수를 알 수 있습니다.

12 글쓴이는 동물 실험을 해서는 안 된다는 것입니다.

13 실험에 수많은 동물이 사용되고, 실험 때문에 수많은 동물이 희생되며, 동물 실험을 통과한 약도 효과가 없거나 부작용을 일으킬 수 있다는 사실을 알 수 있습니다.

14 동물 실험에 반대하는 견해의 근거를 써 봅니다.

15 서론에 문제 상황과 문제에 대한 자신의 주장을 씁니다.

16 ②를 제외한 나머지는 문단 수준에서 점검할 내용입니다.

17 문장 호응이 잘 이루어지는지, 단정적인 표현이 있는지, 분명하지 않은 표현을 사용했는지는 문장과 낱말 수준에서 점검할 내용입니다.

더 알아볼까요!

글 점검하기

점검 내용	점검 질문
글	• 무엇을 쓴 글인지 알 수 있는가? • 읽는 사람을 고려했는가? • 제목이 글 내용과 어울리는가?
문단	• 한 문단에 하나의 중심 생각만 있는가? • 중심 문장과 뒷받침 문장이 자연스럽게 연결되는가? • 필요 없는 문장이 있는가?
문장과 낱말	• 문장 호응이 잘 이루어지는가? • 알맞은 낱말을 사용했는가?

18 그림 ①에서는 콘크리트로 덮여 있던 하천을 복원한 것이며, 그림 ②에서는 난방 온도를 높이는 대신 내복과 찬 바람을 막는 것입니다.

19 물의 사용을 줄이기 위해 씻지 않는 것은 환경을 가꾸기 위해 할 수 있는 방법으로 알맞지 않습니다.

20 그림을 통해 자연과 도시가 조화를 이루며 사는 모습을 알 수 있습니다.

2회 단원 평가 실전

112~115쪽

1 ②   2 예 불량 식품을 먹지 말자.   3 ④, ⑤   4 ⑤   5 ③   6 예 만약 학생 열 명이 있다면 적어도 아홉 명은 비속어를 사용한 적이 있는 것이다.   7 ②   8 ㉢   9 ③   10 예 고운 말은 다른 사람을 존중하는 마음을 전할 수 있게 한다. 그리고 다른 사람과 대화를 원활하게 할 수 있게 한다.   11 원활한   12 ①   13 ②   14 ④   15 ⑴ 오래지속되면 ⑵ 오래 지속되면   16 예 시간을 절약할 수 있다.   17 ⑴ 동물의 희생, 동물 실험을 반대한다 ⑵ 동물 실험을 없애도 괜찮을까   18 ①   19 ②, ④   20 예 동물 실험은 해서는 안 된다. 사람의 생명도 중요하지만, 동물의 생명 역시 평등하게 중요하기 때문이다.

풀이

1 글쓴이는 불량 식품을 먹는 친구들이 이 글을 읽고 불량 식품을 먹지 않기를 바라는 마음에서 글을 썼습니다.

2 글쓴이는 불량 식품을 먹지 말자고 말하고 있습니다.

3 글 ㈎는 주제와 제목이 어울리지 않으며, 문장의 흐름이 자연스럽지 않습니다.

4 앞 문장을 더 자세히 설명하기 위해서 내용을 추가했습니다.

5 긴 문장은 두 문장으로 나누는 것이 맞으나, 무조건이 아니라 문장의 흐름에 맞게 고쳐야 합니다.

6 글의 앞뒤 내용과 흐름을 생각하며 고쳐 씁니다.

7 주장하는 글이므로 불확실한 표현을 사용하지 않는 것이 좋습니다. '~하면 좋을 수도 있다.'는 불확실한 표현입니다.

8 ㉢은 고운 말을 쓰면 서로 존중하는 마음을 전할 수 있다는 중심 문장 내용과 관련 없는 문장입니다.

9 글쓴이는 고운 말을 쓰자고 이야기하고 있습니다.

10 지나치게 긴 문장은 이해하기 어려우므로 두 문장으로 나누어 쓸 필요가 있습니다.

11 낱말의 뜻을 파악하고 문장에 적용시켜 봅니다.

12 '투쟁'은 어떤 대상을 극복하려고 싸우거나 집단 간에 싸우는 일을 일컫는 말이므로 '투쟁'을 '싸움'으로 바꾸는 것이 더 자연스럽습니다.

13 붙여 쓸 때 사용하는 문장 기호입니다.

14 일반적인 내용을 쓰면서 '~었다'라고 하면 어색합니다.

15 '오래'와 '지속되면'은 각각 하나의 뜻을 가진 다른 낱말이므로 띄어 써야 합니다.

16 시간을 절약할 수 있고 여러 번 옮겨 쓸 필요가 없습니다.

17 자료1 의 글쓴이의 주장은 동물 실험을 해서는 안된다는 것이며, 자료2 는 동물 실험을 해야 한다는 것입니다.

18 동물 실험은 새로운 약 개발에 중요한 역할을 하므로 동물 실험을 해야 한다고 주장하고 있습니다.

19 동물 실험에 반대하는 견해의 근거를 찾아봅니다. ①, ③, ⑤는 동물 실험에 찬성하는 견해입니다.

20 동물 실험에 대한 자신의 의견을 정리하여 씁니다.

창의서술형 평가

116~119쪽

1 예 불량 식품은 몸에 해로우니 먹지 말자. **2** 예 글쓴이가 이야기하고자 하는 것은 '불량 식품의 해로움'인데, 제목은 내용과 어울리지 않기 때문이다. **3** 예 어색한 문장을 고치면 좋겠다. / 예 필요 없는 내용을 삭제하면 좋겠다. **4** 예 고운 말을 사용합시다 **5** 예 고운 말을 사용하는 것은 우리말을 지키는 것과 같다. **6** 예 고운 말을 사용하면 좋은 점 추가하기 **7** (1) 예 동물 실험을 해야 한다. (2) 예 동물 실험을 하지 않고 개발한 약을 사람들에게 사용하면 부작용이 발생할 수 있다. / 예 동물 실험의 대체 방법을 개발하는 데는 시간과 비용이 많이 든다. **8** 예 동물 실험에 찬성하는 사람들은 동물이 받는 고통에 대해 뭐라고 말할까요? **9** 예 전기 차를 사용해 매연을 배출하지 않는다. **10** (1) 예 깨끗한 자연 속에서 인간이 행복하게 살 수 있기 때문입니다. (2) 예 친환경 제품을 사용합니다. (3) 예 자연과 자연이 조화를 이루며 발전한 나라의 사례

풀이

1 글쓴이는 불량 식품을 먹지 말자고 주장하고 있습니다.

2 글의 제목은 글의 내용을 한눈에 파악할 수 있게 합니다.

상	글쓴이가 말하고자 하는 내용을 알맞게 썼다.
중	글을 읽고 글쓴이가 말하고자 하는 것을 썼다.
하	글쓴이가 말하고자 하는 것을 쓰지 못하였다.

상	제목은 글의 내용이 함축적으로 들어가야 한다는 것을 알고 제목을 고쳐 쓴 까닭을 들어 썼다.
중	제목을 고친 까닭을 생각해 썼다.
하	제목을 고쳐 쓴 까닭을 쓰지 못하였다.

3 '불량 식품을 먹고 ~ 악취도 납니다.'는 주제와 관련이 없으므로 삭제해야 하고, '아무리 ~ 안 됩니다.'는 문장 호응에 맞게 '아무리 ~ 말아야 합니다.'로 고쳐 써야 합니다.

상	글을 고쳐 쓸 수 있는 방법을 알맞게 썼다.
중	글을 고쳐 쓰는 방법을 알고 썼다.
하	글을 고쳐 써야 하는 것을 몰라서 쓰지 못하였다.

4 글쓴이는 고운 말을 써야 한다고 주장하고 있습니다. 주제를 잘 드러내는 제목으로 바꾸어 써 봅니다.

상	글쓴이의 생각이 잘 드러나도록 글 제목을 알맞게 바꾸어 썼다.
중	내용에 맞게 글 제목을 바꾸어 썼다.
하	글 제목을 바꾸어 쓰지 못하였다.

5 고운 말을 사용하는 것이 우리말을 지키는 것이라는 내용을 써야 합니다.

상	중심 문장을 뒷받침 문장에 맞게 고쳐 썼다.

중 중심 문장을 고쳐 썼다.

하 중심 문장을 고쳐 쓰지 못하였다.

6 고운 말을 사용하면 좋은 점, 고운 말을 사용해야 하는 근거 등을 추가할 수 있습니다.

상 글에서 더하고 싶은 내용을 생각해 썼다.

중 추가할 내용을 썼다.

하 글에서 더하고 싶은 내용을 쓰지 못하였다.

7 동물 실험을 해야 한다는 것이 글쓴이의 생각입니다.

상 글쓴이의 주장을 쓰고 글에서 알 수 있는 사실도 찾아 썼다.

중 두 가지 중 한 가지만 썼다.

하 두 가지 다 쓰지 못하였다.

8 '동물 실험에 반대하는 사람들은 왜 동물 실험이 필요하지 않다고 할까요?' 등도 쓸 수 있는 질문입니다.

상 동물 실험에 찬성하거나 반대하는 근거를 알 수 있는 질문을 보기와 같이 썼다.

중 동물 실험에 찬성하거나 반대하는 근거를 알 수 있는 질문을 썼다.

하 질문을 쓰지 못하였다.

9 인간과 자연이 조화를 이루며 환경을 해치지 않고 살아갈 수 있는 방법을 생각해 봅니다.

상 그림을 보고 인간과 자연이 조화를 이루며 발전하려면 어떻게 해야 할지 생각해 썼다.

중 인간과 조화를 이루며 발전하려면 어떻게 해야 할지 썼다.

하 그림의 내용을 이해할 수 없어서 쓰지 못하였다.

10 자연과 동물, 사람이 함께 살 수 있는 방안을 찾아봅니다.

상 자연과 조화를 이루며 발전할 수 있는 실천 방안을 글 제목에 알맞게 썼다.

중 세 가지 중 두 가지만 썼다.

하 세 가지 다 쓰지 못하였다.

---

8   작품으로 경험하기

개념을 확인해요   121쪽

> 1 제목   2 주인공   3 경험   4 문장   5 줄거리
> 6 경험   7 작품   8 경험   9 편집   10 보완

개념을 다져요   122~123쪽

> 1 ㉡   2 ⑤   3 ②   4 ④   5 ❻, ❺, ❸, ❷   6 ⑤

풀이

1 영화 감상문의 제목은 읽는 사람의 호기심을 유발하는 제목과, 영화 속 내용과 비슷한 자신의 경험을 쓰는 것이 좋습니다.

2 영화 감상문에는 영화를 관람한 영화관의 위치에 대한 내용은 적을 필요가 없습니다.

더 알아볼까요!

영화 감상문에 들어갈 내용
• 영화 속 내용과 비슷한 자신의 경험을 씁니다.
• 자신이 본 영화나 책의 내용과 비교해 씁니다.
• 영화를 보게 된 까닭을 씁니다.

3 영화 대사를 모두 적을 수는 없습니다. 영화 내용이나 소개가 잘 담겨 있는지, 영화를 본 느낌과 감상이 잘 드러났는지, 문단에는 중심 문장이 잘 담겨 있는지 확인해야 합니다.

4 작품과 자신의 경험을 비교하며 독서 감상문을 쓰면 작품을 읽고 새로운 경험을 할 수 있습니다.

5 '주제 정하기 → 자료를 수집하고 정리하기 → 설명할 내용 정하기 → 사진이나 영상 넣기 → 음악과 자막 넣기 → 보완하기'의 차례로 영화를 만듭니다.

6 정한 주제에 맞는 사진이나 그림, 영상을 수집해 영화 장면의 차례대로 나열하는 것은 '자료를 수집하고 정리하기'입니다.

10 ㉠, ㉡은 영화의 내용에 해당합니다.

11 어머니를 따라 일본으로 교역을 갔다가 바다에서 풍랑을 만난 홍라는 어머니와 헤어지고 겨우 살아남았습니다.

12 홍라는 어머니의 가죽 지도를 보며 세상으로 나아가려 하고 있습니다.

13 홍라는 어머니 손길로 반들반들해진 가죽 지도를 펼치자 어머니가 그리워졌습니다.

14 일본도, 거란도, 신라도, 압록도, 영주도가 있습니다.

15 홍라는 장안으로 교역을 나선다고 이야기했습니다.

16 글에서 인상 깊게 느낀 장면을 씁니다.

17 홍라는 비녕자가 함께 간다고 해서 좋았지만, 대상주로서의 위엄을 갖추기 위해서 애써 엄한 표정을 지었습니다.

18 홍라는 빚쟁이들이 몰려와 교역을 떠나는 것을 막을 것 같기 때문에 몰래 교역을 떠날 준비를 했습니다.

19 친샤와 월보, 비녕자와 홍라는 교역을 떠날 상단을 꾸렸습니다.

20 빚쟁이들 몰래 길을 떠나는 홍라의 마음은 걱정되는 한편, 설레었을 것입니다.

 1회 단원 평가 도전　124～127쪽

1 ⑤　2 ①　3 지우　4 ⑩ 쉴 수 있다는 것에 마음이 여유로워진다.　5 ④　6 융　7 벨기에　8 ①
9 ⑤　10 ㉢　11 ③　12 ⑤　13 ⑤　14 ③
15 장안　16 ⑩ 빚쟁이들 몰래 상단을 꾸리는 장면
17 ⑤　18 ⑤　19 ⑤　20 ①, ②

풀이

1 여행은 단순한 장소의 이동이 아니라 자신이 쌓아 온 생각의 성을 벗어나는 것이며, 다시 돌아온 삶의 자리에서 오래도록 힘이 되어 주는 것이라고 하였습니다.

2 현지인의 삶을 살펴보고, 동물 학대 쇼 등을 관람하지 않으며 사진 찍을 때도 허락을 얻는 등 다른 문화와 종교를 존중해야 합니다.

3 지우는 자신의 여행과 「나의 여행」을 보고 느낀 점을 비교해 이야기했습니다.

4 여행 갈 때의 느낌을 떠올려 써 봅니다.

5 여행 비용은 여행 일정처럼 날마다 사용할 돈을 입장료, 교통비, 식비 따위로 나누어 생각해야 합니다.

6 주인공의 이름은 '융'입니다.

7 융은 다섯 살에 벨기에에 입양되었습니다.

8 융은 외국으로 입양되었습니다.

9 융은 자신이 입양된 나라의 사람들과 자신의 피부색이 다르기 때문에 정체성에 혼란을 느꼈습니다.

 2회 단원 평가 실전　128～131쪽

1 (1) ⑩ 강원도 평창에 가 보고 싶다. (2) ⑩ 동계 올림픽의 영광스러운 모습이 생각나기 때문이다.　2 ③
3 ⑩ 모든 것이 어색하고 두려웠을 것이다.　4 ⑤
5 ⑩ 융에게 힘을 내라고 말해 주고 싶다.　6 (3) ○
7 ④　8 ⑤　9 ②　10 ④　11 ⑩ 집에 있는 걸 가져가면 일꾼들이 길을 떠날 것을 알아챌 수 있기 때문이다.　12 ②　13 ④　14 객줏집　15 ⑩ 자신감을 가지고 잘할 수 있을 거라는 격려를 해 주고 싶다.　16 신라, 일본　17 ⑤　18 ④　19 ③
20 ②

풀이

1 여행을 가고 싶은 곳과 그 곳을 가고 싶은 까닭을 써 봅니다.

2 주인공은 남자아이입니다. 남자아이 고유의 솔직한 감정이 드러나 있습니다.

3 어린 나이에 입양되었기 때문에 무섭고 외로웠을 것입니다.

4 "흑백처럼 표현한 만화를 보고 인물이 겪은 시대의 모습을 더 잘 이해할 수 있었어."를 참고해 봅니다.

5 자신의 경험을 예로 들거나 주인공에서 용기를 줄 수 있는 말을 할 수 있습니다.

6 우리 동포들이 다시 자랑스럽게 찾아올 수 있는 우리나라가 되면 좋겠으며, 우리가 지금 서로를 따뜻하게 감싸 안아야 할 때라고 생각했습니다.

7 현재 영화와 비슷한 내용의, 예전에 보았던 영화에 대한 내용입니다.

8 홍라는 따로 상단의 일을 배운 적은 없지만, 나면서부터 교역에 대해 보고 들었습니다.

9 홍라는 어머니가 돌아오시기 전에 빚쟁이들에게 빚을 갚고 상단을 지키기 위해 교역을 떠나려고 마음먹었습니다.

10 홍라는 길을 떠나기 위해 짐을 실을 말까지 말 다섯 마리를 챙겼습니다.

11 홍라 일행은 집안 일꾼들 모르게 길 떠날 준비를 하고 있습니다.

12 홍라는 세 마리의 말을 빼돌리기 위해 하인들에게 말을 팔 거라는 핑계를 댔습니다.

13 홍라는 월보에게 내일 새벽, 성문을 여는 북소리가 들릴 때 만나자고 하였습니다.

14 홍라는 월보와 말을 맡겨 둔 객줏집에서 만나기로 하였습니다.

15 장사를 떠나는 홍라에게 해 줄 수 있는 말을 생각해 써 봅니다.

16 홍라는 어머니를 따라 신라, 일본, 그리고 당나라의 장안의 교역길을 떠났었습니다.

17 장안의 동방 시장에는 동방의 상인들이, 서부 시장에는 서역 상인들이 장사를 합니다.

18 어머니는 서라벌에서 신라 모전을 사 주셨고, 그것은 홍라 침상에 깔려 있습니다. 모전은 짐승의 털로 색을 맞추고 무늬를 놓아 두툼하게 짠 부드러운 요

입니다.

19 홍라는 장안을 떠나며 언젠가 자신의 상단을 이끌고 다시 오겠다고 다짐했습니다.

20 편집 프로그램을 활용해 자막을 넣는 모습입니다.

창의서술형 평가 132~135쪽

1 예 베트남에 가 보고 싶다. 베트남의 축구 열기를 직접 느껴 보고 싶기 때문이다. **2** (1) 예 지리산 (2) 예 중학생이 되기 전에 지리산에 한번 올라가 보고 싶어서이다. **3** (1) 예 • 여행 기간: 졸업한 뒤인 2월 중순 무렵에 2박 3일 동안 / • 장소: 지리산 (2) 예 • 같이 가고 싶은 사람: 가족 / • 준비할 일: 겨울 산을 오르는 데 필요한 비상 식량, 물, 입장료, 지리산 지도 등 (3) 예 먼저 성삼재 휴게소까지는 차로 이동해서 노고단까지 가는 길에 도전한다. 거리상으로 1.1 킬로미터라서 왕복 2시간 정도 걸리므로 크게 힘들이지 않고 겨울에 등반하기 좋기 때문이다. **4** 예 서로를 따뜻하게 감싸 안는 대한민국이 되자 **5** 예 아픈 우리 역사 때문에 입양된 우리나라 사람들의 마음을 감동적으로 표현하였다. **6** 예 어머니의 실종으로 인해 자신이 지게 된 빚을 다 갚고도 상단을 이끌 수 있을 정도로 돈을 벌어 올 것 같다. **7** 예 나도 태권도 승급 심사에서 떨어져 방에서 혼자 울었던 기억이 있다. 그때 다시 열심히 해서 승급 시험에 반드시 붙겠다고, 승급되기 전까지는 절대 울지 않겠다고 다짐했었다. 그래서 다음 승급 심사에서 멋지게 승급도 하고 태권도 사범님께 칭찬도 들었다. 홍라처럼 절대 좌절하지 않고 다시 이겨 낼 수 있는 방법을 찾아 계획을 세워 실천하면 반드시 이루어질 것이라고 생각한다. 그런 면에서 홍라와 나는 닮은 것 같다. **8** 예 자신의 경험을 떠올려 주제를 정한다. 그리고 정한 주제에 맞는 사진이나 그림, 영상을 수집해 영화 장면의 차례대로 나열한다. **9** (1) 예 바다에서의 하루 (2) 예 여름에 바다로 놀러가서 물놀이를 한 것 **10** 예 친구들과 함께 바닷가에서 서로에게 신나게 물을 끼얹으며 노는 사진

정답과 풀이

1 '세계 지도에서 여행을 가고 싶은 곳을 찾아봅니다.

상 세계 지도를 보고 여행 가고 싶은 곳을 까닭을 들어 썼다.

중 여행 가고 싶은 곳을 썼다.

하 까닭을 들어 여행 가고 싶은 곳을 쓰지 못하였다.

2 평소에 가고 싶었던 곳을 떠올려 보고 씁니다.

상 우리나라 지도를 보고 여행 가고 싶은 곳을 까닭과 함께 썼다.

중 두 가지 중 한 가지만 썼다.

하 두 가지 다 쓰지 못하였다.

3 여행 일정은 매일매일 몇 시쯤, 어디에서 무엇을 할 것인지 쓰는 것이 좋습니다.

상 문제 2번을 중심으로 여행 계획서를 알맞게 썼다.

중 세 가지 중 두 가지만 썼다.

하 세 가지 다 쓰지 못하였다.

4 글쓴이는 입양된 사람들도 모두 똑같은 한국인이라고, 감싸 안아야 한다고 이야기하고 있습니다.

상 글을 읽고 어울리는 제목을 알맞게 썼다.

중 글의 제목을 썼다.

하 제목을 쓰지 못하였다.

5 글쓴이의 영화 감상문에 대한 자신의 생각을 정리해 씁니다.

상 글을 읽고 잘한 점을 평가해 알맞게 썼다.

중 글을 읽고 잘한 점을 썼다.

하 글을 읽고 잘한 점을 쓰지 못하였다.

6 홍라가 돌아올 때는 어떤 변화가 생길지 생각하며 씁니다.

상 글의 흐름을 파악하여 인물에게 일어날 일을 상상해 썼다.

중 인물에게 일어날 일을 썼다.

하 인물에게 일어난 일을 쓰지 못하였다.

7 작품 속 내용과 비슷한 자신의 경험을 떠올려 써 봅니다.

상 이야기 속 인물이 겪은 일과 자신의 경험을 비교해 썼다.

중 인물이 겪을 일에 맞게 자신의 경험을 썼다.

하 자신의 경험을 비교해 쓰지 못하였다.

8 영화를 만드는 방법과 차례를 살펴봅니다.

상 경험을 영화로 만드는 차례를 알고 주제를 정하고 자료 수집을 한다는 내용을 썼다.

중 주제를 정하고 자료 수집을 한다는 내용 중 하나를 썼다.

하 경험을 영화로 만드는 차례를 쓰지 못하였다.

9 기억에 남았던 경험을 떠올려 봅니다. 영화로 만들고 싶은 것의 제목과 주제를 써 봅니다.

상 영화로 만들고 싶은 경험을 떠올려 썼다.

중 영화로 만들고 싶은 것을 썼다.

하 영화로 만들고 싶은 경험을 쓰지 못하였다.

10 영화를 만들고 싶은 경험에 맞는 사진이나 주제로 한 음악 등을 찾아봅니다.

상 문제 9번 내용을 바탕으로 들어갈 수 있는 사진이나 영상 자료를 알맞게 썼다.

중 사진이나 영상 자료의 내용을 썼다.

하 사진이나 영상 자료의 내용을 쓰지 못하였다.

1 ③　**2** ②, ③　**3** ②　**4** ⑵ ○　**5** 예 가족에 대한 '사랑'이 깊고, 가족이 이해해 주는 것을 '감사'하는 인물 같다.　**6** 관용 표현　**7** ⑴ ① ⑵ ②　**8** ❶
9 ①, ③　**10** 예 우리가 평소에 물을 아주 헤프게 쓴다는 점을 강조하기 위해서이다.　**11** ⑤　**12** ④
13 ③　**14** ②　**15** 예 공정 무역 제품을 사용해야 하는 까닭이 아니라 공정 무역 인증 표시에 대한 설명만 하고 있어서 주장을 뒷받침하지 못한다.　**16**
④　**17** ⑤　**18** 예 민속춤의 움직임이나 특징을 더 자세하게 파악할 수 있다. / 영상을 보면서 민속춤을 따라 출 수 있다.　**19** 재경　**20** ⑤

풀이 ▶

1 의병 운동에 자금이 많이 부족했다는 것과 어떻게든 의병을 돕고 싶은 마음이 컸다는 것을 알 수 있습니다.
2 안희순이 만든 「안사람 의병가」는 사람들의 마음을 한 덩어리로 모았으며, 전에 없던 용기마저 불끈 솟아나게 했습니다.
3 눈물이 날 만큼 경민이의 행동에 감동했습니다.
4 화재 진압을 마치고 나서 동료들끼리 하는 말이므로 위험한 화재 현장에서 살아남았다는 의미입니다.
5 "우리 아들, 고맙고 기특하구나."라고 얘기하는 것을 보면 가족에 대한 '사랑'이 깊고, 가족이 이해해 주는 것을 '감사'하는 인물 같습니다.
6 둘 이상의 낱말이 합쳐져 그 낱말의 원래 뜻과는 다른 새로운 뜻으로 굳어져 쓰이는 표현을 관용 표현이라고 합니다.
7 '눈이 번쩍 뜨인다'는 정신이 갑자기 든다는 뜻입니다.
8 관용 표현은 일반적인 설명이 아니라 함축적인 의미가 담겨 있어서 상대를 배려하며 말할 수 있습니다.
9 '물 쓰듯'은 물건을 헤프게 쓰거나 돈 따위를 흥청망청 낭비한다는 뜻을 가진 관용 표현입니다.
10 이 광고에서는 우리가 평소에 물을 아주 헤프게 쓴다는 점을 강조하기 위해 관용 표현을 활용했습니다.
11 자기 안에 물음표가 없어서 아무것도 묻지 못하는 사람을 건전지를 넣고 단추를 누르면 그냥 북을 쳐 대는 곰 인형과 별로 다를 것이 없다고 했습니다.
12 글쓴이는 습관적으로 삶을 살지 말고 자기 안에 물

13 공정 무역 제품을 사용하자는 주장을 하고 있습니다.
14 공정 무역을 해야 하는 까닭과 관련 있는 것을 고릅니다. 공정 무역을 하면 가난한 나라의 물건을 제값을 주고 살 수 있습니다.
15 근거가 주장을 뒷받침하는지 판단해 써야 합니다. 위 근거는 공정 무역 인증 표시에 대한 설명입니다.
16 이 발표에서 발표자는 그림지도를 활용하고 있습니다.
17 이 매체 자료에 바나나 주산지의 변화는 나타나 있지 않습니다.
18 영상을 활용하여 발표하면 움직임이나 특징을 더 자세하게 파악할 수 있고, 영상을 보며 민속춤을 따라 출 수 있습니다.
19 이 그림 속 친구들은 '건강 주간'을 맞아 건강을 주제로 한 작품을 발표하려고 합니다.
20 전교생 앞에서 발표하는 상황은 공식적인 자리이므로, 뜻을 알 수 없는 줄임 말이나 비속어를 쓰면 안 됩니다.

1 인의가 부족하고, 자비가 부족하고, 사랑이 부족한 때문이다.　**2** ②　**3** ②, ③　**4** ④　**5** ⑤　**6** ②
7 기후 협약　**8** ⑴ ㉮ ⑵ ㉯ ⑶ ㉰　**9** ①　**10** 기자의 보도　**11** ④　**12** ③　**13** 예 아무리 맛있어도 먹지 말아야 합니다.　**14** ④　**15** ❸　**16** ⑴ ❷ ⑵ ❶
⑶ ❸　**17** ⑤　**18** ③　**19** (당나라의) 장안　**20** ④

풀이 ▶

1 '인류가 현재에 불행한 근본 이유는 인의가 부족하고, 자비가 부족하고, 사랑이 부족한 때문이다.'라고 하였습니다.
2 문화를 높이려면 사상의 자유를 확보하는 정치 양식의 건립과 국민 교육의 완비를 해야 한다고 하였습니다.

3 교육의 중요성을 말하고 있으며, 최고의 문화를 건설해야 한다고 하였습니다.

4 로봇세 도입은 로봇 산업 발전에 도움이 되지 않는다고 하였습니다.

5 글쓴이는 로봇세 도입이 필요하다는 사람들에게 다른 관점으로도 생각할 수 있게 하려고 이 글을 썼습니다.

6 지구 온난화를 막기 위해 '파리 협정'이 체결됐다는 내용의 뉴스입니다.

7 "기후 협약이 뭐예요?"라고 물었습니다.

8 ⑦는 기후 협약이 무엇인지 알려 주는 모습이며, ④는 비판받을 만하다고 말하는 모습, ⑤는 우리가 실천할 수 있는 방법을 찾아봐야겠다고 하는 모습입니다.

9 '무조건', '절대로', '최고', '100퍼센트' 같은 표현은 과장된 표현이므로 비판적으로 살펴보아야 합니다.

10 '기자의 보도'에서는 시청자의 이해를 도우려고 면담 자료나 통계 자료로 설명합니다.

11 불량 식품을 먹지 말자는 말을 하려고 글을 썼습니다.

12 제목은 주제를 잘 드러내야 합니다. 글쓴이는 불량 식품을 먹지 말자고 말하고 있습니다.

13 '아무리'는 '~아도/어도'와 호응하기 때문에 '아무리 맛있어도 ~'로 고쳐 쓸 수 있습니다.

14 '요즘'은 현재를 나타내는 말이고 '사용했다'는 과거를 나타내는 말이니 어울리지 않습니다. '요즘 많은 어린이가 이야기할 때 은어나 비속어를 사용한다.'라고 고쳐 써야 합니다.

15 문단 내용을 다시 읽고 문단의 중심 생각을 잘 나타내는 문장으로 고쳐 써야 합니다.

16 ❶ 문단은 영화를 보게 된 까닭, ❷ 문단은 영화 줄거리, ❸ 문단은 영화 속 내용과 비슷한 자신의 경험을 떠올린 것입니다.

17 주인공인 융의 개구쟁이 모습이 내가 친구나 가족에게 장난치는 모습과 비슷하다고 생각했습니다.

18 빚을 갚고 상단을 구하기 위해 홍라는 대상주가 되어 교역을 떠났습니다.

19 홍라가 어머니를 따라 먼 교역길에 나서 본 건 세 번으로 신라, 일본, 당나라의 장안입니다. 그 중 장안은 이 년 전에 간 적이 있다고 하였습니다.

20 불안하지만 뭔가 희망이 보이는 듯한 느낌이 들었을 것입니다. 홍라는 이겨 낼 수 있을 것만 같다고 했습니다. ④를 제외한 나머지는 부정적인 마음입니다.

3회 100점 예상문제

148~151쪽

1 ⑩ 꿈이 없는 사람은 없다는 것을 알게 되었기 때문이다. 2 ⑤ 3 ① 4 ① 5 ② 6 (3) ○ 7 ⑤ 8 ② 9 ① 10 ① 11 ④ 12 ⑤ 13 (3) ○ 14 ③ 15 ③ 16 ④ 17 ④ 18 ⑤ 19 ③ 20 ⑩ 아직 품삯도 주지 못했고, 상단이 망해 간다는 소문이 파다하기 때문이다.

풀이

1 "꿈이 없는 사람이 어디 있어요?"를 떠올리며 써 봅니다.

2 재미있는 책들만 올 수 있는 집, 꿈꾸는 아이들만 올 수 있는 집, 이 집이 내 꿈이라고 하였습니다.

3 '간 떨어지다'는 매우 놀라다는 뜻입니다.

4 '손이 크다'는 안나의 경우처럼 양을 많이 준비한다는 뜻입니다.

5 '간이 크다'는 겁이 없고 매우 대담하다는 뜻입니다.

6 이 자료는 나무를 심으면 나무가 이산화 탄소를 흡수해 지구 온난화 예방에 도움이 된다는 것을 알려 줍니다.

7 숲이 지구 온난화 예방에 큰 역할을 한다는 자료입니다.

8 영상을 보면 율동 동작을 더욱 생생하게 잘 알 수 있습니다.

9 '발표 상황 파악하기 → 주제 정하기 → 내용 및 장면 정하기 → 촬영 계획 세우기 → 촬영하기 → 편집하기 → 발표하기'의 과정을 거칩니다.

10 인용한 내용은 출처를 넣습니다. 영상에 매체 자료를 넣을 때에는 자료의 출처를 밝혀야 합니다.

11 김구 선생은 세계에서 가장 아름다운 나라를 원한다고 했으며, 그러기 위해서 어떤 점들이 필요한지에 대해 썼습니다.

12 문화의 힘은 우리 자신을 행복하게 하고, 나아가서 남에게도 행복을 주기 때문이라고 하였습니다.

13 언제, 어떤 조사에서 소비자 만족도가 1위였는지와 관련한 정보를 감추고 있습니다. (2)의 내용은 광고에서 나타내지 않아도 됩니다.

14 있지도 않은 상품 기능을 있는 것처럼 설명한 것은 허위 광고이고, 상품을 잘 팔리게 하려고 상품 기능을 실제보다 부풀린 것은 과장 광고입니다.

15 뉴스의 타당성을 판단하려면 가치 있고 중요한 내용을 다룬 뉴스인지, 그 뉴스에 대한 근거가 적절한지를 판단해야 합니다.

16 말은 민족의 혼이 담긴 문화유산이므로 고운 우리말을 사용해야 한다는 글입니다.

17 '비록'은 '-ㄹ지라도', '-지마는'과 함께 쓰입니다. '한 끼라서'는 '한 끼일지라도'로 바꿔야 문장의 흐름이 자연스럽습니다.

18 ①, ③은 글 수준에서 점검할 내용이고, ②, ④는 문장과 낱말 수준에서 점검할 내용입니다.

19 "동경의 해안에서 우리를 구해 주었던……."으로 짐작해 볼 수 있습니다.

20 '월보에게도 아직 품삯을 주지 못했다. 상단이 망해 간다는 소문이 파다한데, 월보가 따라나서 줄지 걱정이었다.'에 나와 있습니다.

4회 100점 예상문제

152~155쪽

1 (1) 공 (2) 예 도전하고 노력하는 **2** ④ **3** 고운 말
4 ⑤ **5** 예 생각을 효과적으로 전달할 수 있다. **6** ①
7 ⑤ **8** ① **9** ⑤ **10** 예 영상에 나오는 사람의 동의를 얻는다. **11** ③ **12** 로봇세 **13** ㉣ **14** 예 음식물 쓰레기를 줄이자. **15** 예 정확한 내용을 간결하게 전달해야 해야 한다. **16** (나) **17** ③ **18** 글
19 ④ **20** ①, ②

풀이 ▶

1 말하는 이는 공에 빗대어 추구하는 삶의 모습을 표현했습니다.

2 힘들어도 포기하거나 좌절하지 않고 다시 일어서서 도전하며 살고 싶어서입니다.

3 고운 말을 사용하자는 주제의 대화를 나누고 있습니다.

4 "가는 말이 고와야 오는 말이 곱다."는 자기가 남에게 말이나 행동을 좋게 하여야 남도 자기에게 좋게 한다는 뜻을 가진 관용 표현입니다.

5 말을 끝낼 때 관용 표현을 사용하면 생각을 효과적으로 전달할 수 있습니다. 말을 시작할 때 관용 표현을 활용하면 듣는 사람의 관심을 끌 수 있습니다.

6 이 글에서는 공정 무역 제품을 사용하면 생산자에게 돌아갈 정당한 이익을 지켜 준다고 했습니다.

7 자료가 근거의 내용과 관련 있어야 합니다. ③은 직접적으로 뒷받침하지 못하기 때문에 타당하지 않습니다.

8 그림 ❶에서 세미는 친구에게 사진을 보여 주고 있습니다. 사진은 설명하는 대상을 한눈에 보여 줄 수 있습니다.

9 영상을 통해 율동 동작을 보면 더욱 생생하게 잘 알 수 있습니다.

10 영상 자료가 보는 사람들에게 좋은 영향을 주는지, 격식에 맞지 않는 언어를 사용했는지를 생각해 봅니다.

11 인간과 로봇이 함께 살아가야 하므로 로봇세를 도입해야 한다는 내용입니다.

12 로봇세를 걷자는 글쓴이의 생각이 나타나 있습니다.

13 어떤 사람의 생각에 영향을 주어 여론을 형성하는 모습입니다.

14 진지한 자세로 뉴스 내용을 전해야 하며, 자연스럽게 말해야 합니다. 뉴스는 정확한 내용을 간결하게 전달해야 합니다.

15 민재는 음식물 쓰레기 문제의 심각성을 알리는 뉴스를 만들고 싶다고 했습니다.

16 글 ㈎의 글쓴이는 동물 실험을 해서는 안 된다는 것이고, 글 ㈏의 글쓴이는 동물 실험을 해야 한다는 것입니다.

17 ③을 제외한 나머지는 '동물 실험을 해야 한다.'는 주장에 대한 근거입니다.

18 글 수준에서 점검할 내용입니다. 글 전체의 주제가 잘 드러나는지, 읽는 사람을 고려해서 썼는지, 글의 목적에 맞는 내용을 썼는지, 제목이 글 내용과 어울리는지 확인하는 것도 글 수준에서 점검할 내용입니다.

19 연을 올렸다는 내용은 없습니다.

20 홍라는 서역 상인들의 물건을 경이롭게 보았으며, 자신의 상단을 이끌고 다시 오겠다고 다짐했습니다.

메모 Memo

변형 국배판 / 1~6학년 / 학기별

★ 디자인을 참신하게 하여 학습 효율성을 높였습니다.

★ 단원 평가에 완벽하게 대비할 수 있도록 전 범위를 수록하였습니다.

★ 교과 내용과 관련된 사진 자료 등을 풍부하게 실어 학습에 흥미를 느낄 수 있도록 하였습니다.

★ 수준 높은 서술형 문제를 실었습니다.

정답과 풀이

국어